# LE GRECO

DOMÊNIKOS THEOTOKOPOULOS

# LE GRECO

## 1541-1614

### BIOGRAPHIE ET CATALOGUE

PAR
JOSÉ GUDIOL

TRADUIT DE L'ESPAGNOL
PAR ROBERT MARRAST

EDICIONES POLÍGRAFA, S. A.

I.S.B.N. 84-343-0374-4

Dép. Légal: B. 12.573 - 1983 (Printed in Spain)

Imprimé par La Polígrafa, S. A. - Parets del Vallès, Barcelone (Espagne)

# TABLE DES MATIÈRES

# INTRODUCTION

Le but de ce livre est d'offrir une synthèse de ce que l'on sait aujourd'hui sur Domênikos Theoto-kopoulos, de présenter, par l'illustration, les œuvres dont la paternité est indiscutable ou qui peuvent être attribuées au Greco en toute vraisemblance, d'étudier, enfin, la totalité de la production du grand peintre crétois. Les pages qui suivent contiennent une analyse de ses conceptions picturales, des remarques sur l'évolution de son style à travers ses différentes périodes, ainsi que des données biogra-phiques. Les œuvres dont la date est connue ou attestée ont servi de repères pour situer celles qui n'en portent pas. On ne trouvera pas ici un catalogue complet des tableaux généralement attribués au Greco et acceptés comme tels, mais une liste de tous ceux qui nous ont paru vraiment importants, sans y inclure toutefois les répliques exactes, ou à peu près exactes, que le peintre exécuta dans le cadre de son acti-vité normale – les dimensions du présent volume ne le permettaient pas. On a également laissé de côté les œuvres d'atelier et, bien entendu, les copies contemporaines. Nous n'ignorons pas que le classement définitif de ces ensembles très importants de toiles exigera encore un long travail d'analyse de la part des futurs historiens d'art. Pourtant, nous n'avons pas hésité à constituer ce corpus, car il appartient à chaque époque de transmettre sa propre vision de l'œuvre des grands artistes du passé.

Disons un mot des caractères généraux de l'œuvre et de l'évolution du Greco. Il nous offre le cas d'un artiste de premier ordre qui trouve sa voie en passant par trois foyers artistiques très différents. D'abord la Crète, où il se livre au travail artisanal du peintre anonyme d'icônes; devenu professionnel, il s'installe à Venise puis à Rome. Il reçoit la leçon des grands artistes italiens du XVIe siècle, qui ouvri-rent les voies de la peinture moderne. En quelques années, malgré ses modestes origines, le Greco se hausse au niveau de ses maîtres et parvient à réaliser dans son art une synthèse révélatrice de sa per-sonnalité originale.

A une date inconnue, il part pour l'Espagne et, en 1577, à l'âge de trente-cinq ans, il se fixe à Tolède, y fonde un atelier et y meurt en 1614. Les circonstances l'obligent à mener un combat difficile, mais son échec auprès de Philippe II le libère des contraintes qui auraient à coup sûr entravé sa liberté et son art. Il impose une conception tout à fait nouvelle de la peinture, que d'ailleurs nul autre artiste n'adopte vraiment. Lui seul est capable de peindre «un Greco». Après une première période encore marquée par l'influence italienne, la tendance à l'analyse et à la «géométrisation» de la forme l'emporte. Il élimine de ses tableaux tout accessoire. Carnations, amples drapés, nuages et ciels nébuleux sont les seuls éléments qu'il utilise pour provoquer l'émotion; parfois aussi un paysage au lointain, en général une vue de l'Escurial ou de Tolede. Certes, le sujet l'intéresse au plus haut point, certes il est un peintre religieux qui se soumet aux consignes de la Contre-Réforme, mais ce qui le passionne par-dessus tout, c'est la peinture, la qualité picturale en soi: aussi son évolution est-elle un constant progrès. Capable d'un réalisme efficace, il est cependant porté à l'idéalisation et use de toute une série de procédés personnels: allongement du canon des figures, amincissement des visages, déformation des raccourcis, rythmes flamboyants, prédominance de l'axe vertical, auxquels il faut ajouter une invention sans cesse renouvelée dans l'emploi de la couleur, des hardiesses que nul en son temps ni aussitôt après lui n'osa renouveler. Dans sa période finale, après les grands tableaux «classiques» de l'étape intermédiaire — tel le célèbre Enterrement du comte d'Orgaz — la déformation cesse d'obéir à des raisons purement optiques pour atteindre à l'expressionnisme — par exemple dans le Cinquième sceau de l'Apocalypse, dans Laocoon, etc. — sans que les œuvres y perdent de leur qualité.

Le paradoxe est que le style du Greco est aisé à imiter. Ce qui est inimitable, c'est la perfection du résultat. Les aides de son atelier et son propre fils Jorge Manuel l'imitaient avec une étonnante facilité, sans toutefois l'égaler. Mais cela lui permit d'organiser la production en série d'un bon nombre de modèles qui furent en leur temps acceptés comme des originaux et le sont encore de nos jours. Aussi, de l'imitation faite de bonne foi est-on passé récemment à la falsification. Les auteurs de faux Greco sont parvenus à une habileté telle qu'ils ont fini par semer le trouble dans l'esprit des historiens comme des collectionneurs. Il faut souhaiter que des études de plus en plus approfondies et s'attachant moins aux aspects superficiels d'une œuvre contribuent à éliminer ces faux et à rendre impossible leur diffusion.

Revenons au maître. Il est évident que le Greco est parvenu à éveiller l'intérêt de ses contemporains, et qu'il a su pénétrer au cœur du sentiment mystique de l'Espagne de Philippe II; ses œuvres, surtout celles de petit format, ont donné une vie nouvelle à l'iconographie qui était l'objet de la dévotion populaire. Grâce à cette production en série, l'artiste put survivre aux échecs retentissants qui jalonnent sa vie en Espagne, échecs provoqués le plus souvent par ses œuvres les plus importantes. Mais il eut aussi de grands et fidèles admirateurs: les frères Castilla, qui contribuèrent à asseoir sa renommée à Tolède, le docteur Angulo, qui lui prodigua ses conseils et son aide matérielle tout au long de sa difficile carrière. La très remarquable série de portraits qu'il exécuta jusqu'aux dernières années de sa vie, parallèlement aux grandes commandes et aux images religieuses, témoigne de l'estime dont sa peinture était l'objet. Velázquez possédait un grand nombre de ces portraits qui, à sa mort, passèrent à la collection de Philippe IV. Parlant de Velázquez, Palomino écrit: «Dans ses portraits il imita Dominico Greco parce que ses têtes, disait-il, ne seront jamais louées comme elles le méritent.»

Parmi les éloges composés par des contemporains de l'auteur du Martyre de saint Maurice, les plus éclatants sont les sonnets enthousiastes de frère Hortensio Paravicino — le Greco le remercia en exécutant son portrait. A sa mort, Luis de Góngora et Cristóbal de Mesa lui dédièrent aussi des sonnets. Pourtant l'Espagne oublia vite le Greco. Seuls de très modestes peintres tentèrent de le faire revivre en reproduisant ses modèles d'une manière machinale. Les érudits et quelques rares traités de peinture continuèrent à citer ses œuvres, mais avec froideur et comme par obligation.

Les écrivains des XVIIIᵉ et XIXᵉ siècles portèrent sur lui des jugements méprisants ou lui consacrèrent des notices érudites souvent inexactes qui lui portaient un égal préjudice, bien qu'on n'eût pas cessé d'admirer l'Enterrement du comte d'Orgaz et l'Expolio. Sans doute les plus consciencieux, tels

Palomino (1724), Ponz (1772-1794), Ceán Bermúdez (1800) et Stirling (1843) font-ils part d'une certaine admiration pour quelques-unes de ses œuvres, mais le génie du peintre n'en est pas moins tenu pour excentrique, dans la plupart des cas.

Justi fut l'un des premiers à se rendre compte de la grande valeur de la conception picturale du Greco. Mais il fallut attendre 1881. Il fut alors suivi par des écrivains et des artistes de la génération dite de 98, qui contribuèrent à créer les conditions d'une redécouverte du peintre oublié, à lui faire définitivement retrouver l'admiration des érudits et des experts à l'occasion de l'exposition monographique de l'artiste organisée en 1902 au musée du Prado. Cette exposition fut à l'origine des études analytiques de Cossío, réunies dans un livre remarquable publié en 1908, première monographie consacrée au Greco. Après cet ouvrage de base, les études sur le peintre crétois se multiplièrent et furent de plus en plus passionnées. Outre celles qui figurent dans notre bibliographie, citons celle de Meier Graefe (1910), de Barrès (1912), de Kehrer (1914), de Lafond, etc. Ce fut Francisco de San Román qui, grâce à ses savantes et laborieuses recherches dans les archives de Tolède, réunit dans ses publications de 1910 et de 1934 les documents permettant de fonder l'étude complète du Greco sur une base solide. En 1926, Mayer publia un important catalogue de l'œuvre du peintre. Trois ans plus tard, Waterhouse publia sur la période italienne du maître un premier travail, salutaire mise au point après les affirmations insensées et confuses de Willumsen dans son livre édité en 1927. Les œuvres de jeunesse du Greco ont également été étudiées par Pallucchini qui fît connaître en 1937 le beau polyptique de la Galleria Estense. Le premier répertoire graphique sérieux de l'œuvre du Greco fut publié par Goldscheider en 1937. Puis vinrent les grandes études modernes et originales de Camón Aznar (1950), Soehner (1957-1960) et Wethey (1962), indispensables à tous ceux qui s'intéressent à l'histoire, à l'œuvre, au style, à la technique et aux méthodes de travail du maître.

Nous avons entrepris la présente étude en 1940-1941 à Toledo (Ohio, États-Unis) à l'occasion de la remarquable mission pédagogique organisée par le Toledo Museum of Art; mais la conception du livre et les recherches qu'il a nécessitées datent de ces dernières années.

Nous tenons à exprimer ici notre reconnaissance pour l'aide efficace que nous a apporté Blake More Godwin, directeur du Toledo Museum of Art. Notre travail s'est poursuivi à l'Instituto Amatller de Arte Hispánico, qui nous a donné la possibilité de réunir une précieuse bibliographie ainsi qu'une incomparable série de documents photographiques, et d'effectuer de nombreux voyages pour examiner les originaux. Que tous les collaborateurs de cette institution veuillent bien accepter le témoignage de notre gratitude, en particulier Juan Ainaud de Lasarte, Santiago Alcolea et Montserrat Blanc, ainsi que ceux dont nous avons à l'occasion sollicité l'avis: Halldor Soehner et Martín Soria, aujourd'hui disparus, nos chers confrères José Camón Aznar et Harold Wethey, éminents spécialistes du Greco. Notre reconnaissance va aussi à Francisco Javier Sánchez Cantón et Diego Angulo, directeurs du musée du Prado pendant les années d'élaboration de notre travail, à son actuel directeur notre excellent ami Javier de Salas, ainsi qu'à María Elena Gómez Moreno, directrice du musée Greco à Tolède. Et bien plus longue serait la liste complète de tous ceux à qui, d'une manière ou d'une autre, ce livre doit d'exister.

N'oublions pas enfin de remercier Juan-Eduardo Cirlot dont le concours nous a été précieux pour certaines analyses stylistiques et qui a lu avec la plus scrupuleuse attention les épreuves de cet ouvrage.

# I

## 1541 - vers 1576

DOCUMENTS CONCERNANT LA FAMILLE DU GRECO – LA LETTRE DE GIULIO CLOVIO
ET LA BIOGRAPHIE DE MANCINI – LE PROBLÈME DU MAITRE DOMÊNIKOS – LES ŒUVRES DU GRECO
A VENISE ET A ROME – PORTRAITS EXÉCUTÉS EN ITALIE

### Documents concernant la famille du Greco

Domênikos Theotokopoulos, qui devait passer à la postérité sous le nom du Greco, naquit en 1541 à Candie, alors capitale de la Crète. Nous connaissons l'année de sa naissance grâce à deux pièces, datées de 1606, versées au procès concernant les œuvres exécutées pour l'hôpital de la Caridad d'Illescas, pièces dans lesquelles il déclare être âgé de soixante-cinq ans. De son père, prénommé Jorghi (Georges), nous savons seulement qu'il mourut avant 1566; nous sommes mieux renseignés sur son frère aîné Manoussos (Emmanuel) qui, en 1566, fut nommé par les doges de Venise collecteur d'impôts à Candie (la Crète, rappelons-le, était depuis le XIIIe siècle sous la domination vénitienne). Le fils du Greco, né à Tolède en 1578, fut baptisé Jorge Manuel, selon la coutume qui veut que soit donné au petit-fils le prénom du grand-père; dans ce cas, on y ajouta celui de l'oncle Manoussos, à l'ombre duquel Domênikos fit peut-être, à Candie, son apprentissage de peintre.

Tous ces détails ont été révélés par Constantino D. Mertzios, dans son étude des actes dressés par le notaire grec Michel Maras, qui exerçait dans la capitale de la Crète entre 1538 et 1578. On y trouve aussi le témoignage de la présence de notre peintre en Crète: le 6 juin 1566, comme témoin d'une vente immobilière, il signe «Maistro Menegos Theotoko-poulos Sgouraphos». Menegos est la forme dialectale vénitienne de Domênikos, et sgouraphos la forme grecque du mot peintre. La plupart des historiens tiennent pour certain que le Greco résidait à Venise depuis au moins 1560 et considèrent que cette signature donnée en 1566 apporte seulement la preuve d'un séjour occasionnel du peintre dans sa ville natale. Ne tranchons pas cette question, mais nous sommes porté à croire que l'arrivée du Greco à Venise se situe au cours de l'été 1566. Seules des références indirectes nous renseignent sur le séjour du Greco dans la cité de l'Adriatique, où la colonie grecque, très nombreuse, vivait groupée autour de l'église orthodoxe de San Giorgio dei Greci. Le nom de Domênikos Theotokopoulos n'est pas mentionné dans ses archives en raison de l'éducation catholique que reçut probablement le peintre.

### La lettre de Giulio Clovio et la biographie de Mancini

Les premiers renseignements sur le séjour du Greco en Italie sont contenus dans la lettre adressée de Rome le 16 novembre 1570 au cardinal Alexandre Farnèse par Giulio Clovio; on peut y lire: «Il vient d'arriver à Rome un jeune Candiote, élève du Titien, qui selon moi est excellemment doué pour la peinture. Il a exécuté, entre autres œuvres, un autoportrait qui a stupéfié tous les peintres de Rome. Je souhaiterais l'accueillir à l'ombre de Votre Seigneurie Illustrissime et Révérendissime; il n'aurait besoin pour vivre que d'une chambre au palais Farnèse, et pour peu de temps, jusqu'à ce qu'il trouve à se mieux loger. Aussi je la prie et supplie d'avoir la bonté d'écrire à Ludovico, son majordome, afin qu'il lui procure quelque chambre dans le haut dudit palais. Votre Seigneurie Illustrissime ferait là une œuvre méritoire digne d'elle et je lui en serais fort obligé. Je baise avec respect les mains de Votre Seigneurie Illustrissime et Révérendissime dont je suis le très humble serviteur. »

Giulio Clovio, l'un des grands enlumineurs de son temps, était un Grec d'origine croate. Il vécut au palais Farnèse de 1561 à sa mort en 1578. Sa lettre ne précise pas le nom du « jeune Candiote, élève du Titien » qui, venu à Rome, sollicitait l'appui d'un artiste grec bien établi dans la ville. Qu'il s'agit bien de Domênikos Theotokopoulos est confirmé par l'existence du portrait, signé de lui, de Giulio Clovio (*fig. 32 et 33, cat. 25*) et par le fait que dans l'inventaire de la collection de Fulvio Orsini, bibliothécaire du cardinal Farnèse, figurent sept tableaux (dont le portrait de Clovio) « di mano d'un Grego scolare di Titiano » et du « soprado Greco ». D'autre part, il est établi que deux peintures de l'époque italienne du Greco, le *Personnage soufflant une flamme* du musée de Naples et la *Guérison de l'aveugle-né* du musée de Parme proviennent de la collection Farnèse (*fig. 29, cat. 22, fig. 21 et 22, cat. 16*). Tout cela confirme que le cardinal hébergea notre peintre.

Lors de son séjour à Rome, celui-ci dut entrer en relations avec des Espagnols. Grâce à Fulvio Orsini, il put connaître le chanoine de Tolède Pedro Chacón, qui résida longtemps dans la Ville Éternelle où il collaborait à la réforme du calendrier ecclésiastique, et Luis de Castilla, qui se trouvait à Rome en même temps que le Greco. Luis de Castilla fut son premier ami à Tolède et, en 1614, son exécuteur testamentaire. Diego de Castilla, frère de Luis et doyen du chapitre de la cathédrale de Tolède, fut le premier protecteur du peintre en Espagne.

Un autre document qui permet de jeter quelque lumière sur les débuts du Greco est la note biographique contenue dans un manuscrit de la Bibliothèque vaticane. Giulio Cesare Mancini la rédigea vers 1619, cinq ans après la mort du peintre : « Sous le pontificat de Pie V, de sainte mémoire [1568-1572], vint à Rome [...] qui pour cette raison était communément appelé le Greco. Il avait étudié à Venise, en particulier

les œuvres du Titien, et il était parvenu à une grande maîtrise dans son art et dans sa manière de l'exercer. Puis il vint à Rome en un temps où peu nombreux étaient les hommes [les peintres], et encore ne faisaient-ils point montre dans leurs œuvres de la vigueur, de la fraîcheur qui caractérisaient les siennes. Son ardeur devint d'autant plus grande qu'elle fut stimulée par des commandes d'œuvres exécutées pour des particuliers et dont on peut aujourd'hui voir l'une d'elles, que certains croient être du Titien, chez l'avocat Lancilloti. On envisageait alors de faire recouvrir certaines figures du *Jugement dernier* de Michel-Ange, considérées par Pie V comme indécentes; le Greco déclara tout net que si l'on jetait bas l'œuvre entière, lui pourrait la refaire convenable et décente, et point inférieure quant à l'exécution.

« Ayant provoqué l'indignation de tous les peintres et des amateurs de peinture, il fut forcé de partir pour l'Espagne où, sous Philippe II, il peignit beaucoup d'œuvres de fort bon goût. Mais après l'arrivée dans ce pays de Pellegrini de Bologne, de Federico Zuccaro et de quelques Flamands qui par leur art et leurs manœuvres parvinrent aux premières places, il résolut de quitter la Cour et de se retirer à [...] où il mourut très vieux et quasiment détaché de l'art. Cependant, il a été, dans la force de son âge, un homme digne d'être rangé parmi les meilleurs de son siècle. »

Le manuscrit de Mancini contient aussi une brève allusion au peintre Lattanzio Bonastri, présenté comme apprenti du Greco à Rome. L'œuvre de Bonastri, conservée à Sienne, peu abondante et médiocre, ne révèle pas de réminiscences du Greco, bien qu'on y trouve quelques détails anecdotiques provenant de lui. Mancini corrobore les termes de la lettre de Clovio et confirme que le Greco fit son apprentissage à Venise auprès du Titien. Il souligne la notoriété que lui valut sa maestria, puisqu'il considère notre peintre comme supérieur à ceux qui exerçaient leur activité à Rome à l'époque de son séjour dans la ville. Traitant de la période espagnole, Mancini montre l'importance de l'échec auprès de Philippe II, causé par les « manœuvres » d'autres peintres étrangers, la qualité et l'abondance de son œuvre, et rappelle que le Greco s'établit dans une ville d'Espagne — qu'il ne nomme pas — où il mourut « très vieux et quasiment détaché de l'art». Si Mancini connaissait avec une certaine précision les faits essentiels, il ne fut pas capable de préciser ni le vrai nom du Greco, ni celui de la ville de Tolède. Pourquoi ne pas tenir pour authentique, au cas où Pie V aurait décidé de détruire les fresques de Michel-Ange, l'outrecuidante proposition du Greco? Si l'on accorde à ce fait une valeur historique, il est logique d'y voir, comme y invite Mancini, l'une des causes qui firent quitter Rome au Greco. Pie V étant mort en 1572, l'affirmation de Mancini semblerait impliquer que le Greco resta à peine trois ans dans cette ville.

### Le problème du Maître Domênikos

S'il est vrai que le Greco ne gagna pas Venise avant 1566, son séjour dans la métropole de l'Adriatique aurait eu la même durée. En réduisant à six années la période italienne du peintre, on comprend mieux qu'il n'ait pas eu d'attaches profondes dans ce pays et qu'il ait pu abandonner sans difficulté les formules de l'art italien – du moins en grande partie – lorsque, une fois en Espagne, il mit au point sa manière personnelle. En tout cas, l'impact de la peinture vénitienne sur le jeune Candiote, formé à une technique artisanale routinière, fut sans aucun doute très fort.

Il est vain d'échafauder des hypothèses à partir de documents si laconiques, qui n'ont pour nous d'autre valeur que celle de leur contenu littéral. Les œuvres signées par le Greco en Italie sont, malgré les inconnues qu'elles contiennent, bien plus explicites. Pour parvenir jusqu'à elles, nous nous trouvons en présence d'un obstacle difficile à surmonter: le problème des premières œuvres exécutées à Venise. On n'est parvenu sur ce point ni à une conclusion définitive ni à un résultat décisif. Cette grande inconnue a conduit tous les auteurs soit à accepter les attributions les plus extravagantes, soit à rejeter sans appel les œuvres les plus célèbres du groupe en question. Le nombre d'œuvres attribuées au Greco dans sa première étape vénitienne n'a cessé de croître grâce aux efforts conjugués de biographes improvisés, de collectionneurs peu exigeants, de restaurateurs astucieux et de professionnels du certificat d'authenticité. Il s'agit presque toujours de peintures sur bois

de petit format, provenant de ce monde mal connu qu'est celui des *madonneri* vénéto-byzantins. La découverte – postérieure à l'ouvrage de Cossío, première étude analytique de l'œuvre du Greco – de trois de ces peintures signées semblait devoir éclaircir la question; mais en fait elle apporte plus d'inconnues que de certitudes.

Ces trois œuvres portent, en majuscules grecques, la signature CHEÏR DOMÊNIKOU (main de Domênikos), incontestablement authentique. Il s'agit d'un *Saint Luc faisant le portrait de la Vierge (fig. 1, cat. 1)*, d'une *Adoration des mages (fig. 2, cat. 2)* conservés au musée Benaki d'Athènes, et d'un petit triptyque de la Galleria Estense de Modène *(fig. 5 et 6, cat. 3)*. La plupart des historiens ont admis qu'elles étaient de la main du Greco; de la sorte, le problème des débuts du peintre crétois paraissait définitivement résolu. Le triptyque, qui provient d'une collection réunie à Venise à la fin du XVIIIᵉ siècle, comporte six compositions de même format: *Adam et Ève devant le Père Éternel* et une *Annonciation* sur la face extérieure des volets; une *Adoration des bergers* et un *Baptême du Christ* sur leur face intérieure; une allégorie à la gloire du chevalier chrétien sur la partie centrale; au revers, une *Vue du mont Sinaï*. La signature figure sur cette dernière composition. Selon Pallucchini, l'*Annonciation* est inspirée d'une gravure d'après un tableau perdu du Titien (cette hypothèse a été rejetée par Wethey); l'*Adoration des bergers* est copiée d'une gravure du monogrammiste I.B. d'après un tableau du Titien; la composition centrale est inspirée d'une estampe gravée sur bois, qui servit elle-même de modèle à un bois gravé par Andrea Andreani en 1590; la *Vue du mont Sinaï* est faite d'après une estampe populaire que l'on vendait aux pèlerins au monastère de sainte Catherine situé en ce même lieu.

Le style de ce triptyque (plus exactement un polyptyque) révèle une grande aisance dans l'exécution. Sur une préparation verdâtre, apparaissent de vastes plans traités en carmin, jaune vif et laque grenat. Les détails formels sont délimités par des traits fins de divers tons, superposant parfois le clair à l'obscur et formant une sorte de trame vermiculée. C'est la technique des petites peintures sur bois, généralement de caractère populaire, des *madonneri*.

Les tons chauds et violents de ces compositions narratives contrastent avec la quasi monochromie de la vue du Sinaï peinte au revers. La forme est plutôt floue, bien qu'y subsistent certains traits de primitivisme. C'est peut-être dans le traitement des lumières et de la couleur qu'apparaît la plus grande habileté.

Il est difficile d'accepter le rapprochement, du point de vue du style, entre ce triptyque et le *Christ chassant les marchands du Temple (fig. 9 à 11, cat. 8)* signé des nom et prénom du Greco, dont il sera question plus loin. Wethey, contre les historiens unanimes, proposa d'attribuer le triptyque de Modène à un certain Maître Domênikos, *madonnero* grec travaillant à Venise. L'hypothèse est plausible et séduisante, mais il paraît sage, en attendant de nouvelles découvertes, de s'en tenir à l'identification établie par Mayer et par Pallucchini. On ne peut nier la parenté entre L'*Annonciation* du triptyque et les premières œuvres du Greco sur le même sujet, et moins encore les points communs entre la composition centrale de celui-ci et l'*Adoration du nom de Jésus (fig. 37 à 39, cat. 29)*, une des premières œuvres exécutées par le Greco en Espagne. Il est vrai aussi que certains éléments de compositions du triptyque et certaines stylisations propres au Greco offrent des affinités.

Le *Saint Luc* sur bois du musée Benaki, acquis en 1956, ne semble pas de l'auteur du triptyque de Modène, car il est de conception plus byzantine et plus archaïque. L'*Adoration des mages* sur toile, conservée au même musée, troisième des tableaux portant l'inscription CHEÏR DOMÊNIKOU, ne paraît pas non plus être de l'auteur du triptyque ni de celui du *Saint Luc*. Cela laisse supposer l'existence de plusieurs peintres nommés Domênikos, ce qui n'aurait rien d'invraisemblable.

Un groupe d'œuvres qui présentent des affinités techniques avec le triptyque de Modène rend le problème plus complexe. L'*Adoration des bergers*, peinture à l'huile sur toile de la collection du duc de Buccleuch *(fig. 3, cat. 4)*, reprend de manière lointaine celle du triptyque, mais certains personnages – tel le berger du deuxième plan à droite – semblent proches des types qui apparaîtront plus tard dans le *Christ chassant les marchands du Temple*. Une autre version semblable, de format plus petit, se trouve à Paris dans la collection Broglio *(fig. 4, cat. 5)*. La *Vue du mont Sinaï* sur bois, qui appartenait à la collection Levi de Venise *(fig. 7, cat. 6)*, traite le même sujet que la composition figurant au revers du triptyque de Modène. De la collection Brass de Venise est passée de collection en collection une œuvre du même groupe (dont on ignore où elle se trouve actuellement), le *Christ chez Marthe et Marie (fig. 8, cat. 7)*. L'influence du Titien y est encore sensible mais, de toutes les peintures dont nous parlons ici, c'est celle qui offre, dans la typologie et même dans certaines déformations, le plus grand nombre de traits caractéristiques du futur style du Greco. Nous excluons de ce groupe la série d'œuvres attribuées au Greco par Willumsen dans son étude sur la jeunesse du peintre. L'histoire de l'art a rarement atteint un tel degré d'erreur et de confusion.

Il est malaisé de parvenir à des conclusions convaincantes à partir d'œuvres aussi hétérogènes : si l'on ne peut les accepter toutes comme authentiques, il est hasardeux et négatif de se ranger à l'avis de Wethey et de les éliminer formellement; et sans accorder une confiance totale aux congrès et aux échanges de vues, il semble que, dans le cas, des critères fondamentaux pourraient être établis en réunissant dans une exposition internationale le plus grand nombre possible d'œuvres parmi lesquelles se trouvent celles que l'on attribue à l'époque des débuts du Greco à Venise.

## Les œuvres du Greco à Venise et à Rome

Quel que puisse être le verdict des historiens à venir à propos de ces tableaux, il est incontestable que l'œuvre exécutée en Italie est faite d'un ensemble très important de peintures sur bois et sur toile. La plupart sont signées en majuscules grecques; les autres sont si proches par leur sujet, leur technique et leur iconographie, des œuvres portant une signature que leur inscription au catalogue des œuvres originales du grand peintre crétois est aujourd'hui acceptée par tous les historiens.

Ces signatures se présentent sous trois formes : DOMÊNIKOS THEOTOKOPOULOS EPOÏEI (l'a fait), DOMÊNIKOS THEOTOKOPOULOS KRÈS (Crétois) et DOMÊNIKOS THEOTOKOPOULOS KRÈS EPOÏEI.

Fig. 1  Saint Luc faisant le portrait de la Vierge. Athènes, musée Benaki. Cat. 1
Fig. 2  Adoration des mages. Athènes, musée Benaki. Cat. 2
Fig. 3  Adoration des bergers. Kettering, coll. duc de Buccleuch. Cat. 4
Fig. 4  Adoration des bergers. Paris, coll. G. Broglio. Cat. 5

Fig. 5 et 6 Triptyque. Modène, Galleria Estense. Cat. 3

Fig. 7 Vue du mont Sinaï. Budapest, coll. baron Hatvàny. Cat. 6

Fig. 8 Le Christ chez Marthe et Marie. Venise, ancienne coll. Brass. Cat. 7

Fig. 9 et 10 (détail) Le Christ chassant les marchands du Temple, avant 1570.
Washington, National Gallery. Cat. 8

Certains historiens ont proposé de distinguer trois périodes dans le séjour du peintre en Italie, et avancé l'hypothèse d'un retour à Venise après avoir travaillé quatre ou cinq ans à Rome. Nous nous en tiendrons à l'hypothèse la plus simple : une étape vénitienne et une étape romaine, la seconde commençant en 1570, date de la lettre de Giulio Clovio.

Bien qu'il ne s'agisse peut-être pas de la pièce la plus ancienne de l'ensemble nous parlerons d'abord du célèbre panneau appelé *Le Christ chassant les marchands du Temple (fig. 9 à 11, cat. 8)*, conservé à la National Gallery de Washington et signé en majuscules grecques. Le Greco a illustré ce passage de l'Évangile selon saint Jean en représentant Jésus frappant du fouet un groupe dense d'hommes et de femmes à demi nus qui font plutôt penser à des personnages échappés d'une bacchanale du Titien qu'à de pacifiques vendeurs de pigeons en cage, de lapins, de poulets et d'œufs. Cette scène tumultueuse est d'une ordonnance consciencieuse et le dessin des personnages révèle l'étude directe d'après nature. Les raccourcis sont nombreux et en général traités selon les canons les plus stricts de la Renaissance vénitienne avancée, bien que les principales masses soient déterminées par les couleurs plutôt que par la valeur des tons. L'édifice, qui se détache sur un ciel bleu, est de couleur presque uniforme. Il est animé grâce au contraste avec les sols, où un gris transparent alterne avec des ocres chauds et des bleus clairs. Dans les vêtements domine le bleu de cobalt modelé de blanc, qui, par sa répartition, sert de lien entre les carmins, les verts, les ocres et un certain nombre de tons sombres, distribués suivant un rythme déconcertant, mais centré sur le geste évident de Jésus. Sa tunique carmin constitue l'élément coloré dominant, imposant un principe hiérarchique auquel le Greco demeurera toujours fidèle. La femme aux formes opulentes et au profil titianesque assise au premier plan à gauche et, derrière elle, la jeune fille tombée à terre (copie de la Niobé classique que le Greco a pu connaître par des gravures), les enfants nus à droite et la femme au buste presque découvert qui les accompagne offrent plusieurs centres d'intérêts qui contrastent avec la masse confuse des marchands.

Remarquons aussi le savant contraste entre la structure rugueuse des étoffes, chargées de couleurs superposées et mal fondues, et le doux dégradé des lumières et des ombres dans le modelé des personnages. « Mal » fondues, avons-nous dit : mais ce qui aurait pu être un défaut révèle, plutôt que la maladresse, la fidélité de l'artiste à la longue tradition des peintres grecs d'icônes. Ce *Christ chassant les marchands* est sans doute l'une des premières œuvres où l'artiste se dégage presque complètement des formules qu'il appliquait lorsqu'il travaillait à Candie. Le souci du trait qui se révèle dans cette technique disparaîtra mais la liberté qu'une telle formule représentait par rapport à la docile reproduction des qualités tactiles s'imposera constamment au Greco, qui ne cessera de la perfectionner.

On trouve d'autres prémices de sa future manière dans certains raccourcis, dans la manière de représenter le nez vu d'en bas, en déformant légèrement les traits pour leur donner plus de vigueur, ainsi qu'on peut l'observer dans la jeune femme tombée à terre et l'homme au torse brun qui trébuche sur elle. Si l'on regarde avec attention deux des personnages du premier plan, la femme assise à gauche et l'homme au bras vigoureux qui lui fait face et semble écouter un confrère qui se penche vers lui — leurs deux têtes forment un ensemble remarquable — on constate que ce tableau se situe certainement dans une période de crise. La figure féminine reflète le titianisme, la nouvelle technique de modelés fondus, bien qu'on y trouve la trace de la manière des peintres d'icônes; la figure du marchand est traitée presque entièrement en un modelé obtenu à partir de traits sinueux, renforcé par des lumières intenses projetées sur les parties de fort relief : pied, genou, muscles de l'avant-bras, épaule recouverte par l'étoffe grise, etc. Les gestes de certains personnages sont déjà caractéristiques du Greco, tel celui de l'homme vêtu de bleu qui porte la main à sa poitrine pour protester de sa bonne foi. Le geste sera toujours, avec la lumière et la matière, la forme et le rythme, l'un des principaux moyens auxquels aura recours le Greco, et ce moyen lui permettra de parvenir à cette éloquence sans égale qui distingue toutes ses œuvres.

Le thème du Christ chassant les marchands fut transformé en allégorie par la Contre-Réforme. On le trouve au revers de plusieurs médailles papales du XVe siècle; et si le thème ne devint pas populaire, c'est sans doute parce que le Christ irrité ne cadrait pas avec l'image traditionnelle du Sauveur. On est donc surpris que le Greco ait plusieurs fois repris ce sujet. Faut-il voir là l'expression de la psychologie propre à l'artiste proclamant sa haine envers ceux qui faisaient du temple (de la religion ou de l'art) un marché? Il existe aujourd'hui de ce sujet six versions authentiques, dont deux exécutées en Italie et quatre en Espagne, qui constituent des jalons d'une importance capitale pour déterminer les changements intervenus dans le style et les conceptions picturales du Greco. C'est pourquoi, laissant pour le moment d'autres œuvres probablement antérieures, nous allons examiner la deuxième version *(fig. 12 à 14, cat. 14).*

D'un format plus grand que celui de la première, elle est peinte sur toile et postérieure à l'arrivée de l'artiste à Rome, puisqu'elle contient le portrait de Giulio Clovio. Elle est également signée en majuscules grecques. Son étude montre les rapides progrès du Greco. Avec un pénétrant esprit d'analyse, il a modifié chaque élément, simplifié le théâtre de l'action en le liant plus étroitement à la réalité; dans les édifices que l'on aperçoit derrière la grande arcade d'entrée, les caratères vénitiens sont atténués par l'addition de structures propres au type d'architecture alors en usage à Rome. En élevant la ligne d'horizon, le Greco a donné une plus grande profondeur à la partie gauche, alors que la droite est presque identique à celle de la première version. Les colonnes qui flanquent la grande arcade ont fait disparaître la statue d'Apollon et la statue de femme de la version de Venise. La figure de Jésus brandissant le fouet, bien plus titianesque que la précédente, se détache avec plus de naturel. Les marchands forment une masse moins chaotique, chacun d'eux est mieux structuré, et les rapports de tons sont meilleurs. On est frappé par la nouvelle manière dont est traitée la marchande d'oiseaux : son équilibre est encore plus instable que dans la première version, et elle préfigure certains personnages que le Greco peindra plus tard à Tolède.

L'impression d'ensemble de ces deux versions du même sujet est très différente; cela est dû au changement radical de l'effet de clair-obscur dans les masses et, sur ce point, l'influence du Titien est évidente, mais la raison principale en est que le peintre a renoncé définitivement à la manière byzantine de rendre les drapés. Les tracés vermiculés ont fait place à des masses qui, malgré un naturalisme conventionnel, rendent les structures plus nettes. Par ailleurs, une meilleure répartition des personnages, l'atténuation des contours, l'aspect plus monumental des figures contribuent à clarifier la composition. A cette époque, aspect monumental signifiait progrès, car le gothique finissant avait une prédilection pour l'abondance des détails, même chez les artistes de la période de transition entre son déclin en Italie et le maniérisme. Voilà pourquoi la première version paraît plus «primitive» que la deuxième.

La grande nouveauté iconographique de ce tableau ce sont les quatre personnages, étrangers à l'épisode biblique, à son caractère tumultueux et dramatique, dont on aperçoit le buste au premier plan à droite. Trois d'entre eux sont connus : le Titien, Michel-Ange et Giulio Clovio. On ignore qui est le quatrième, imberbe et apparemment plus jeune. L'opinion généralement admise est qu'il s'agit de Raphaël, mais on a aussi proposé de l'identifier au Corrège et à Piombo; certains pensent que cette figure est un autoportrait.

La première version offre une interprétation personnelle des leçons des maîtres vénitiens de l'époque. Dans la deuxième, ce n'est là que le point de départ. Le caractère titianesque de la marchande d'oiseaux a disparu parce que le Greco a dépassé la typologie conventionnelle. Comme on le verra, la vie du peintre a exercé une profonde influence sur son œuvre, en raison des enrichissements techniques que lui offraient les milieux qu'il côtoyait ou des vicissitudes de l'existence, mais surtout en raison de deux faits très importants : la lente maturation de ses conceptions picturales, et l'invention progressive d'une typologie et d'une série de gestes caractéristiques lui permettant de satisfaire son besoin d'éloquence, qui est la marque d'un esprit à la fois mystique et agressif.

Le Greco abandonnera progressivement les modèles aux chairs plantureuses pour des modèles ascétiques, les carnations et les chevelures blondes au profit du brun. A Venise, ville proche de l'Europe centrale, il se laissa séduire un temps par l'opulence charnelle chère au Titien, au Tintoret et à Véronèse. On comprend qu'il se soit senti à l'aise en Espagne;

Fig. 11  Détail de la fig. 9

Fig. 12, 13 et 14 (détails)  Le Christ chassant les marchands du Temple, 1570-1575. Minneapolis, Institute of Arts. Cat. 14

Fig. 15 Pietà, avant 1570. Philadelphie, coll. Johnson. Cat. 9

plus qu'une seconde patrie, il y trouva l'équivalent de sa patrie d'origine : une race d'êtres pour la plupart bruns, secs, tout en nerfs, un tempérament enclin aux exaltations lyriques dans le domaine religieux; tout cela concordait fondamentalement avec ce que furent sans doute ses premières expériences.

Dans cette deuxième version du *Christ chassant les marchands,* nous pressentons l'artiste que deviendra le Greco, de même que dans la première nous avions constaté l'impact de la manière vénitienne sur le peintre d'icônes. Les tons deviennent de plus en plus clairs, ce qui est le signe d'une plus large compréhension des valeurs plastiques. La hiérarchie des éléments du tableau est plus logique dans la deuxième version. Plus tard nous verrons le Greco, après sa grande époque intermédiaire, jouer à nouveau avec le chaos sans se laisser dépasser par lui; c'est-à-dire répudier les vestiges de l'italianisme, qui furent malgré tout indispensables à sa formation, sur le plan de la technique aussi bien qu'au niveau du sentiment pictural, dont l'épanouissement, lié à l'iconographie du Nouveau Testament, devait être le but de toute sa vie.

Dans l'inventaire des biens de Jorge Manuel Theotokopoulos, qui fut dressé en 1622, figure sous le numéro 24 un *Christ chassant les marchands du Temple* «d'une vare un tiers de haut sur une vare deux tiers, guère plus» (la vare de Castille, *vara,* mesurait 0,835 m). Le document précise : «et c'est l'original». Il s'agit probablement de cette deuxième version, dont les mesures sont à peu près celles indiquées dans l'inventaire. L'existence d'une copie espagnole ancienne, mauvaise il est vrai, mais qui contient les quatre portraits, semble confirmer que ce fut le peintre lui-même qui l'apporta en Espagne. Elle apparaît pour la première fois comme attribuée au Greco dans la collection du duc de Buckingham, dont le catalogue fut imprimé à Londres en 1758.

On connaît deux versions du tableau appelé *Pietà.* La première, peinte sur bois, est de dimensions réduites et signée en majuscules grecques *(fig. 15, cat. 9).* La technique en est la même, légèrement plus byzantinisante, que celle du *Christ chassant les marchands du Temple* exécuté à Venise. On y remarque la persistance de traits fins superposés à des masses de couleur pour rendre le modelé, en particulier dans les drapés, les éléments de paysage et de ciel.

La composition obéit au principe du triangle, établi par la Renaissance, et il est si rigoureusement respecté ici qu'on peut y voir une volonté consciente du peintre. A côté de procédés empruntés à la technique italienne et de rappels du «primitivisme» des imagiers grecs, on trouve dans cette peinture des prémices incontestables de ce qui deviendra l'art du Greco : le contraste hardi entre le groupe compact des personnages (réunis d'une façon originale et bien éloignée des conventions dérivées de la formule médiévale) et le paysage désolé du fond; l'exaltation de la couleur par l'intensité des lumières (l'introduction de blanc sur le rouge du personnage de gauche, certainement saint Jean l'Évangéliste, en est un exemple caractéristique); l'aptitude, enfin, à donner à la forme un caractère expressif, lyrique ou dramatique, comme on peut le voir dans les nuages et dans l'expression du visage de la Vierge. Tout cela reparaîtra plus tard, métamorphosé dans une technique très différente, mais bien distincte de la pure et simple interprétation naturaliste, puisqu'elle est fondée sur la valorisation totale de la forme, de la couleur et du mouvement de la pâte picturale pour eux-mêmes, indépendamment du motif humain qu'ils servent, tout en lui étant intimement associés.

A notre sens, cette œuvre révèle les possibilités du Greco à vingt-cinq ans. Au même âge, des artistes d'un génie égal étaient parvenus à une plus grande liberté technique; mais notre peintre à ses débuts dut probablement se soumettre aux règles d'un artisanat séculaire, limité dans ses conceptions, sa technique et son esprit; lorsqu'il eut une certaine conscience de ses dons il se risqua à emprunter aux meilleurs maîtres vénitiens de son temps, en particulier au Titien, les éléments qui devaient lui permettre d'être un peintre habile et estimable, puis, lorsque sa personnalité eut mûri, l'un des plus grands.

La seconde version de la *Pietà (fig. 16, cat. 15),* peinte sur toile, n'est pas signée mais sa qualité et son caractère la désignent comme authentique. De même que dans la deuxième version du *Christ chassant les marchands,* on remarque ici que la technique est plus fidèlement titianesque, et que les vestiges du procédé vermiculaire ont à peu près disparu. Le pinceau dessine et modèle directement, d'une manière plus simple et plus naturaliste à la fois. On remarque également, par rapport à la première version de la *Pietà,* un changement dans la gamme des tons. La forme est plus ample et plus monumentale.

Contrairement à ce que l'on peut constater en comparant les deux *Christ chassant les marchands,* la composition est ici à peu près identique dans les deux versions. Dans la seconde, le sujet semble traité de plus près; les figures sont plus grandes alors que la valeur de leur environnement diminue. Les différences les plus sensibles apparaissent dans les drapés. Alors que le manteau qui enveloppe le bas du corps du disciple de droite dans la première version est comme obscurci par les ombres de nombreux traits, il est nettement détaché dans la seconde, ce qui contribue dans une grande mesure à l'équilibre des couleurs. La position des bras et des jambes est la même dans les deux versions, mais ils sont traités différemment, comme dans les deux *Christ chassant les marchands.* Le procédé linéaire qui faisait ressortir nerfs et muscles fait place à un modelé fondu qui donne plus de délicatesse à la carnation sans ôter de sa vigueur à la forme : l'image est plus synthétique et moins analytique. La première fois, le peintre a travaillé un peu à la manière d'un graveur, mais la seconde, partant d'une image antérieurement créée, il a recherché les valeurs plastiques de la peinture de préférence à la définition détaillée des éléments iconographiques. Il paraît logique de situer cette seconde version de la *Pietà* au début du séjour du Greco à Rome.

Le *Saint François recevant les stigmates* de la collection Zuloaga *(fig. 17, cat. 10),* peint à l'huile sur bois et signé, est exécuté avec une telle minutie qu'on pourrait supposer qu'il s'agit d'un modèle, s'il n'existait une autre composition, presque identique et signée elle aussi, à l'Istituto Suor Orsola Benincasa de Naples *(cat. 11).* Cette dernière fut découverte en Italie, alors que la première provient de Tolède; il est probable que le Greco lui-même l'a apportée en Espagne, puisqu'elle date incontestablement de sa période italienne. Dans la technique et la conception picturale (c'est le cas également pour la *Pietà* de Philadelphie), l'influence du Titien se superpose à la formule primitive des peintres d'icônes. La fantaisie se glisse comme une rafale dans le réalisme de la scène rendue en mouvements magistraux de la pâte, par des touches d'une matière à la fois dense

et fluide. Le saint est représenté en proie à une émotion plus dramatique que mystique : cet aspect se modifiera progressivement dans l'iconographie du Greco. La représentation de la troisième dimension est très nette, ce qui prouve qu'à cette époque déjà — peu avant 1570 — le Greco savait composer des paysages, en faisant alterner vides et volumes pour donner une impression de mouvement et d'éloignement progressif, selon le procédé des grands peintres vénitiens de la Renaissance. La composition est parfaitement réussie grâce à l'harmonie établie entre les éléments du paysages d'une part, et d'autre part la figure et les rythmes déterminés par son attitude. La version conservée à Naples du modèle qui constitue le premier terme de la série franciscaine du Greco est identique pour l'essentiel à la précédente. Elle porte au dos le nom de Monsignor degli Oddi, membre d'une famille aristocratique de Pérouse.

Dans la série d'œuvres attribuées à la période vénitienne du Greco, on trouve une petite peinture à l'huile sur bois : la *Fuite en Égypte (fig. 18, cat. 12).* Elle porte au dos le monogramme D.G.H., qui indique qu'elle appartint à Don Gaspar Méndez de Haro, neveu du comte-duc d'Olivares et grand collectionneur, qui mourut alors qu'il était vice-roi de Naples. Elle figure dans l'inventaire de ses peintures, établi en 1682, mais y est attribuée au Tintoret. Bien que l'œuvre ne soit pas signée, son attribution au Greco nous paraît très probable. Ce tableau aux tons vifs d'une gamme nettement vénitienne révèle l'influence du Tintoret, qui, pendant l'époque italienne du Greco, se conjugue souvent avec celle du Titien : cela explique son ancienne attribution. Malgré son petit format, elle possède l'emphase caractéristique des Vénitiens, qui n'exclut pas les traces du primitivisme toujours présent dans les peintures de la première époque du Greco. La composition est fondée sur un équilibre asymétrique; elle est plus chargée dans sa partie droite, où l'on voit, selon l'image traditionnelle de la fuite en Égypte, la Vierge et l'Enfant Jésus, sur l'âne, près d'un bouquet d'arbres. Les figures se détachent sur un premier plan très simple et un panorama composé de nuages légers et de douces ondulations du terrain. Cette œuvre, comme le *Saint François* étudié plus haut, témoigne d'un intérêt pour le paysage et les grands espaces vides, peu fréquent chez le

Fig. 16  Pietà, 1570-1575. New York, Hispanic Society. Cat. 15
Fig. 17  Saint François recevant les stigmates, avant 1570. Genève, coll. Antonio Zuloaga. Cat. 10
Fig. 18  La fuite en Égypte, avant 1570. Bâle, coll. baron von Hirsch. Cat. 12

Fig. 19 et 20 (détail)  Guérison de l'aveugle-né, avant 1570. Dresde, musée. Cat. 13

Fig. 21 et 22 (détail)  Guérison de l'aveugle-né, 1570-1575. Parme, pinacothèque. Cat. 16

Fig. 23  Guérison de l'aveugle-né, 1570-1575. New York, coll. Wrightsman. Cat. 17.

Greco. Dans le rendu des étoffes sont encore présents les traits vermiculés, surtout dans la figure de la Vierge dont le visage, comme celui de l'Enfant Jésus, est légèrement mais très exactement raccourci.

D'un autre sujet de la période italienne, la *Guérison de l'aveugle-né,* on a conservé trois versions authentiques dans lesquelles les éléments archaïsants de la technique vénéto-byzantine ont disparu. Celle de la pinacothèque de Dresde paraît la plus archaïque, et appartient encore à l'époque vénitienne *(fig. 19 et 20, cat. 13).* Elle est peinte à l'huile sur bois et fut achetée à Venise en 1741 pour la collection du roi de Saxe. On l'attribuait alors à Leandro Bassano, mais sa parenté avec la version de Parme, signée du Greco et que nous allons étudier, confirme qu'elle est bien de la main de notre peintre. Comme les artistes de l'école vénitienne, le Greco adopte les fonds architecturaux de caractère classique, pour donner de l'éclat au décor et construire clairement l'espace et la perspective. Il situe des éléments divers sur des plans s'éloignant progressivement du spectateur afin de donner l'impression de la troisième dimension, à laquelle cette époque et cette école accordaient une grande importance. Mais l'intensité du rythme auquel sont soumis les nuages et les gestes des personnages l'emporte sur l'intérêt de l'atmosphère. A gauche, Jésus guérit l'aveugle, qui a un genou en terre. A droite, les divers témoins de la scène traduisent leurs réactions en une série de gestes éloquents qui sont parmi les moyens d'expression fondamentaux du Greco.

Dans sa conception générale, la scène est aussi éloignée du vérisme naturaliste que pourrait l'être une composition gothique, mais de nouvelles conventions ont fait place aux précédentes en ce qui concerne la représentation des corps dans l'espace qui s'insinue entre eux, les enveloppe et transforme les attitudes en un facteur expressif autonome. Le groupe de gauche est le plus statique; comme on ne voit que le buste de certains personnages, le peintre s'est surtout attaché à leur «dialogue». La technique de ce tableau est la plus avancée de cette première période, ce qui permet de penser qu'il a probablement été exécuté peu avant 1570. Remarquons la manière dont chaque groupe de figures est soit encadré d'éléments architecturaux, soit, comme celui de droite, situé dans un espace ouvert, afin de donner une unité à chaque partie et de la faire contribuer à l'effet de l'ensemble. Comme dans d'autres œuvres de la même période, l'équilibre asymétrique est compensé par des rapports subtils entre volumes, espaces et mouvements. Selon Wethey, le thème de la guérison de l'aveugle s'est répandu aussitôt après la Contre-réforme comme allégorie de l'Église révélatrice de la vérité : une allégorie complémentaire de celle du *Christ chassant les marchands du Temple.*

La version de la *Guérison de l'aveugle-né* considérée comme la deuxième en date, et dont les deux côtés ont été manifestement rognés, est de format plus petit et peinte à l'huile sur toile. Elle est conservée à la pinacothèque de Parme *(fig. 21 et 22, cat. 16),* et signée : DOMÉNIKOS THEOTOKOPOULOS KRÈS EPOÏEI, en capitales grecques. Elle fut sans doute exécutée à Rome peu après 1570; sa technique et son coloris rappellent ceux de la deuxième version du *Christ chassant les marchands.* On ignore qui peut être le jeune homme vêtu de noir, de toute évidence un portrait, qui apparaît à l'extrême-gauche. L'hypothèse d'un autoportrait est toujours admise, mais miss Trapier propose de voir dans ce personnage le jeune Alexandre Farnèse (1545-1592). On a vu (p. 14) que cette peinture figurait, attribuée à Véronèse, dans l'inventaire de 1680 du palais du Giardino de Parme (qui appartenait aux Farnèse). On y retrouve le schéma de la version de Dresde, mais notablement simplifié. Le chien du premier plan a été éliminé; les groupes sont saisis de plus près, d'où leur aspect plus monumental; les figures du Christ et de l'aveugle ont été légèrement déplacées vers le centre; par contre, la perspective ouverte vers le fond par l'espace vide central est plus vertigineuse, et contient un plus grand nombre de petites figures d'un tracé nerveux. Les modifications typologiques des personnages, qui gagnent en humanité, sont très sensibles et marquent une nouvelle étape dans l'art du peintre.

A ce moment, la peinture du Greco tend vers une lutte de la forme dynamique contre la scénographie, qu'elle relègue au second plan. C'est un facteur capital de cette période, car toute l'œuvre ultérieure sera marquée par la tendance à subordonner fonds et atmosphères aux figures, aussi bien en fonction du sujet et du sentiment qu'il provoque que de la vigueur de la forme en soi; cette vigueur sera transférée, au cours de la dernière période, à la qualité des matières, mais intensément associée à la densité des volumes. Dans cette version, le peintre donne plus d'importance au geste : le bras tendu horizontalement du personnage de droite est équilibré par le bras tendu vers le haut, en diagonale, d'un homme nu jusqu'à la taille, à la gauche du Christ.

La troisième version de la composition de Dresde, plus grande que les précédentes, est peinte à l'huile sur toile *(fig. 23, cat. 17)*. Elle a été révélée dans une vente qui eut lieu à Londres en 1958, et attribuée alors à Véronèse. On en a retrouvé en Espagne deux copies, de toute évidence anciennes. Cela prouve que le tableau, ou son étude préparatoire, fut apporté par le Greco à Tolède, puisque cette toile est réalisée selon une technique antérieure à celle des œuvres exécutées dans cette ville. Dans cette version, le Greco semble avoir voulu faire la synthèse de ce que les deux précédentes contenaient de meilleur, et il est parvenu à donner à tous les éléments un plus grand équilibre. Ayant compris la valeur de référence que possèdent des figures situées au premier plan, il voulut en placer à nouveau, mais au chien et au sac de la première version, il substitua un homme et une femme dont l'attitude traduit l'émotion, et qui regardent Jésus en train d'accomplir la guérison. Le jeune homme du tableau de Parme, considéré comme un autoportrait possible, reparaît derrière le groupe de droite. Les figures du second plan ont été agrandies et se rapprochent ainsi de la vraisemblance naturaliste. Tout ici tend à mettre en évidence l'espace vide du centre : harmonie des nuances à l'intérieur de chaque groupe, clarté des tons et éclat du rouge et du bleu nuancés de blanc pour accentuer les reflets qui font ressortir le vêtement du Sauveur et lui confèrent une importance qui crée dans la composition une hiérarchie plus satisfaisante.

Les ciels ont été traités d'une manière de plus en plus douce de la première à la troisième version, et on dirait aussi que les architectures ont perdu de leur aspect dramatique. Dans la deuxième dominait la vigueur des formes; dans la troisième le peintre a recherché un compromis entre cette force et la manière plus purement narrative de la première version. L'influence du Titien et celle du Tintoret se conjuguent dans ces œuvres qui révèlent un grand effort de la part du Greco, non tant pour parvenir à une totale originalité que pour porter à son point de perfection la formule de sa période italienne. Lorsqu'il peint cette troisième version, probablement à Rome, sa maîtrise s'affirme dans la justesse de tous les éléments, spatiaux, formels, chromatiques et linéaires, mais surtout dans la manière de nuancer les tons pour créer un ensemble empreint d'une joie spirituelle rare dans l'art. La beauté de l'accord jaune-rouge clair est extraordinaire, de même que le blanc nuancé de rose des éléments architecturaux.

Le thème de l'Annonciation, que le Greco devait si souvent reprendre, est représenté par trois versions dans le groupe des œuvres considérées comme faisant partie de la période romaine. Dans les trois, la composition, empruntée au Titien, est identique, très proche de l'*Annonciation* du triptyque de Modène. Les similitudes dans la conception d'ensemble et dans la technique entre la version que nous étudierons en troisième lieu (celle de la collection Contini-Bonacosi) et celle du triptyque, renforcent l'hypothèse selon laquelle le Greco et le peintre qui signait Domênikos ne font qu'un.

L'*Annonciation* du musée du Prado est une peinture sur bois de petites dimensions, exécutée avec la minutie dont le Greco faisait preuve dans ses peintures-modèles *(fig. 24, cat. 18)*. Qu'il s'agit bien de l'une d'elles est confirmé par l'existence d'une deuxième version sur toile, de format beaucoup plus grand, et réplique exacte de la première. Le Greco a recours ici encore aux perspectives profondes et à la délimitation de la scène au moyen d'éléments architecturaux imposants. L'emploi de techniques diverses ou, pour mieux dire, la savante utilisation des textures selon les éléments représentés, est particulièrement remarquable dans la figure de la Vierge. Sa tunique, dont on voit surtout la manche, porte des rehauts lumineux très linéaires; par contre, son ample manteau, dont un pan est rabattu sur le bras droit, est traité d'une manière plus massive et plus fondue. Le vêtement de l'archange est traité, comme la tunique de la Vierge, de façon linéaire. Les têtes ont fait l'objet d'une certaine simplification, comme c'est souvent le cas dans les œuvres de cette époque, surtout celles de petit format; il en est de même dans la

*Fuite en Égypte*. L'intérêt pour les contrastes entre les diverses matières, ou plutôt entre des matières fortement déterminées et d'autres à demi désintégrées, qui sera un des caractères fondamentaux de la période finale du peintre, est déjà sensible dans cette *Annonciation*. Il suffit de comparer la façon dont sont traitées les ailes de l'archange à celle des architectures. Par leur densité et par leur forme arbitraire, les nuages lumineux qui se trouvent dans le haut du tableau et ceux du *Saint François recevant les stigmates* sont d'une qualité très voisines.

La deuxième *Annonciation (fig. 25, cat. 20)* est la réplique exacte du petit panneau du Prado et il est possible qu'elle ait été exécutée en Espagne. Elle porte une signature en cursives grecques, de toute évidence fausse, mais l'authenticité de l'œuvre, qui fait partie de la collection Muñoz de Barcelone, ne peut pour autant être mise en doute. Les qualités nerveuses de la première version, présentes aussi dans la rue qui s'enfonce en perspective vers le lointain, ont ici disparu. L'étrange vigueur des luminosités nébuleuses apparaît plus atténuée et contenue, mieux dominée du point de vue technique. Et pourtant, le secret du Greco consistera, une fois qu'il aura acquis une technique comparable à la plus « normale » des meilleurs peintres de son temps, à l'éliminer en partie afin de s'exprimer par des moyens plutôt picturaux qu'iconographiques, ou tout au moins en usant également des uns et des autres. Ici, les formes pleines et amples sont d'un modelé à la fois vigoureux et doux, qui crée d'admirables valeurs de tons.

La troisième version, peut-être antérieure à la précédente, mais que nous tenons pour postérieure à la première pour des raisons de technique, a été retrouvée en Italie *(fig. 26 et 27, cat. 19)*. La formule picturale est nettement titianesque; le tableau, d'une technique perfectionnée, a pu être exécuté vers la fin de la période romaine du Greco. Les architectures du fond et les effets de perspective ont disparu. Le seul élément qui construise ici géométriquement l'espace est, comme chez les peintres du gothique finissant, le carrelage du sol. Une grande draperie repoussée vers la gauche et un fond nébuleux suffisent pour isoler mystérieusement la scène du monde réel. Dans les deux autres versions le peintre avait traité la Vierge et l'archange en leur donnant à peu près la même importance; ici, il semble s'efforcer de les différencier en donnant à l'ange une attitude aérienne à demi réelle, alors que la Vierge, malgré sa supériorité, est traitée de la manière la plus réaliste possible, dans le volume comme dans le modelé de la carnation, les drapés, le livre et le pupitre auprès duquel elle se tient. Les nuages sont plus flous que dans les deux autres versions, bien plus surtout que dans la première, et mieux adaptés à leur qualité véritable. Les angelots semblent représenter des allégories obligées, encore que leur forme mériterait d'être étudiée de près : la synthèse entre naturalisme et déformation, principalement dans celui qui est placé le plus bas, constitue en effet une nouveauté. Les étoffes vaporeuses couvrant le corps de l'archange constituent peut-être par leur sensualité subtile, sans parler de la technique, le principal attrait du tableau. Signalons enfin la similitude typologique entre la tête de la Vierge et celle de la figure féminine qui apparaît derrière le Christ de la *Guérison de l'aveugle-né* de Parme *(fig. 27 et 22)*.

On a hésité à attribuer au Greco un petit panneau représentant un *Christ en croix* de la collection Marañón de Madrid *(fig. 28, cat. 21);* sa technique coïncide pourtant de façon évidente avec celle de certaines œuvres exécutées en Italie, en particulier la première version de l'*Annonciation* et le *Saint François recevant les stigmátes*. La présence, au fond du paysage, d'une masse verticale qui rappelle la grande tour de la cathédrale de Tolède telle que l'interprètera le Greco dans ses paysages de l'époque tolédane est surprenante. Est-ce un simple hasard? Est-il possible que le Greco, une fois établi à Tolède, ait repris avec un tel mimétisme sa technique de la période italienne?

Dans l'inventaire des biens du Greco dressé en 1621 par son fils, figurent deux tableaux appelés *Soplón (Personnage soufflant une flamme)*. Cette dénomination vague peut convenir à deux compositions. L'une représente un jeune garçon soufflant sur un morceau de bois incandescent pour allumer un bout de chandelle; dans la seconde, c'est une jeune femme entre un homme qui rit et un singe qui accomplit la même opération.

On connaît, de la première, deux exemplaires authentiques : celui de la collection Payson *(fig. 30, cat. 23),* signé en majuscules grecques, et celui du musée de Capodimonte à Naples *(fig. 29, cat. 22)*. Ce dernier provient de la collection d'Alexandre Farnèse et figure dans l'inventaire de 1662 comme « de la main du Greco ». La figure se détache sur un fond noir, et les coups de lumière jaunâtre affectent les tons vifs et les pénombres auxquels ils s'imposent totalement. Habitués que nous sommes à l'iconographie religieuse du Greco, ou à la métamorphose qu'il faisait subir aux matières et aux formes, le réalisme et la simplicité thématique de ce tableau nous surprennent. Il est difficile de « le voir » dans cette œuvre, mais l'analyse permet de découvrir les valeurs caractéristiques : la main gauche du personnage, les qualités flamboyantes du costume, l'audace technique dans le traitement des détails (lèvres, extrémité du nez, paupières, etc.) révèlent la maîtrise et la hardiesse, et annoncent les libertés que le peintre prendra plus tard avec la forme. Justement parce que la gamme chromatique est très limitée, les valeurs formelles sont fixées avec une grande subtilité; la précision formelle de l'œuvre se révèle à l'étude d'une photographie en noir et blanc, la qualité chromatique ayant disparu. La toile signée est à peine différente, tant par le sujet et l'optique dans laquelle il est traité, que par la technique. Il s'agit donc de tableaux exécutés à des dates très rapprochées au cours de la période romaine. L'idée de cette composition a été inspirée, semble-t-il, d'œuvres de Jacopo Bassano. Elle dut connaître un certain succès, car, outre les deux exemplaires authentiques, on en connaît plusieurs copies anciennes, retrouvées presque toutes en Italie. L'une d'elles, au musée des Offices de Florence, est attribuée par Wethey à Lattanzio Bonastri, élève du Greco à Rome.

A la seconde composition, qui comprend un homme, une femme et un singe, on a donné des titres divers : *Proverbe, Fable, Scène de genre.*

Le premier titre qui figure dans le catalogue de la vente de la collection Astruc en 1878, a été repris par Cossío, qui propose de voir dans le tableau l'illustration du proverbe espagnol : « L'homme est de feu, la femme d'étoupe, le diable survient et souffle ». Cette interprétation a été combattue par Enriqueta Harris puis par Wethey, qui estiment que la figure centrale du groupe est un jeune garçon et non une femme (personnellement nous ne sommes pas d'accord non plus avec ce changement de sexe). Si l'on

n'accepte pas le titre *Proverbe,* moins encore peut-on accepter celui de *Fable;* bien que dans le second inventaire dressé par le fils du Greco figure une toile ainsi désignée, rien ne prouve qu'il s'agit de celle dont nous parlons. Dans l'inventaire rédigé en 1611 à la mort du bienheureux Juan de Ribera, archevêque de Valence, est citée une peinture appelée *Deux figures d'homme et un singe qui allume une chandelle en soufflant le feu.* Wethey propose de l'identifier à celle que nous étudions.

Nous l'appellerons *Scène de genre.* De cette composition, il existe trois exemplaires authentiques et plusieurs copies anciennes. Les originaux se trouvent dans la collection V. von Watsdorf à Rio de Janeiro *(fig. 31, cat. 24),* dans la collection Lord Harewood à Londres *(fig. 151, cat. 128),* et dans la collection Mark Oliver à Jedburgh *(fig. 152, cat. 129).* Il y a une différence considérable de technique entre le premier — que nous attribuons à la période romaine du Greco — et les deux autres, qui nous paraissent de la troisième étape de sa période espagnole, et que nous étudierons donc plus loin. La toile de la période romaine présente de nettes analogies de technique avec le portrait dont nous allons parler : conception réaliste très accusée; larges touches permettant un modelé ferme, bien que les effets de lumière aient pu entraîner un processus de dissolution des formes; tendance à fixer l'immédiat, c'est-à-dire à écarter toute idéalisation ou tout allégorisme.

### Portraits exécutés en Italie

Le portrait de Giulio Clovio *(fig. 32 et 33, cat. 25),* le miniaturiste croate qui tendit une main amicale au Greco à son arrivée à Rome, est probablement le plus ancien de ceux actuellement connus de notre peintre. Avant cela se situe bien entendu l'autoportrait perdu qui, selon les termes de la lettre de recommandation à Alexandre Farnèse, « a stupéfié tous les peintres de Rome ». La perfection du portrait de Giulio Clovio révèle une parfaite maîtrise du genre. Il rappelle par certains aspects la formule du Titien, mais il est exécuté selon une technique très éloignée de celle du maître vénitien : plus libre, moins insistante, évitant les superpositions et les glacis. Giulio Clovio (1498-1578) est représenté montrant l'une de

Fig. 24  L'Annonciation, 1570-1575. Madrid, musée du Prado. Cat. 18

Fig. 25  L'Annonciation, 1570-1575. Barcelone, coll. Muñoz. Cat. 20

Fig. 26 et 27 (détail)  L'Annonciation, 1570-1575. Florence, coll. Contini-Bonacosi. Cat. 19

Fig. 28  Christ en croix, 1570-1575. Madrid, coll. Marañón. Cat. 21

Fig. 29  Personnage soufflant une flamme, 1570-1575. Naples, musée de Capodimonte. Cat. 22

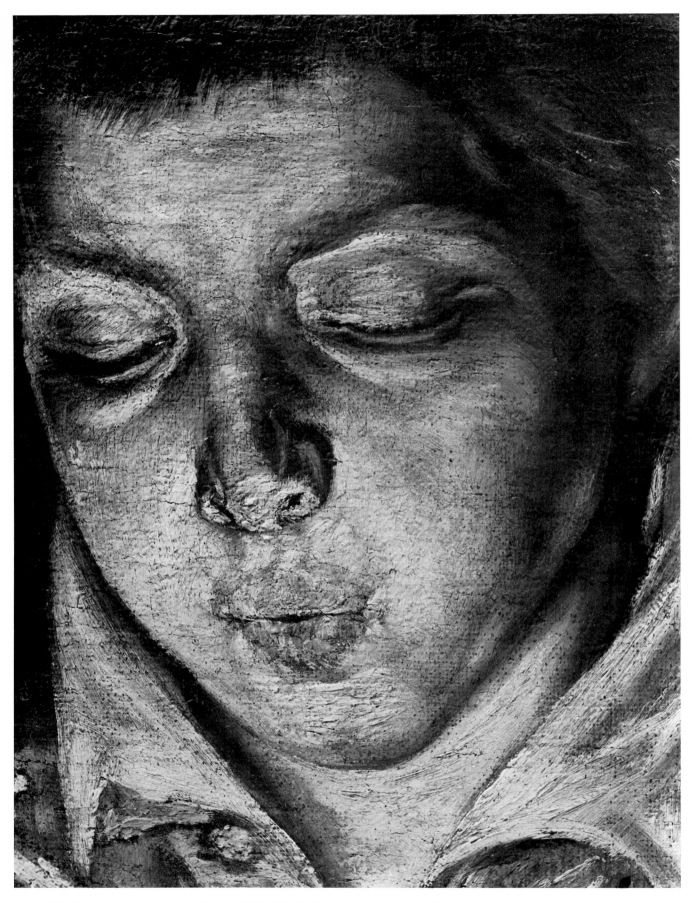

Fig. 30 (détail) Personnage soufflant une flamme, 1570-1575. Manhasset, coll. Payson. Cat. 23

Fig. 31 Scène de genre, 1570-1575. Rio de Janeiro, coll. V. von Watsdorf. Cat. 24

Fig. 32 Giulio Clovio, vers 1570. Naples, musée de Capodimonte. Cat. 25

Fig. 33 Détail de la fig. 32

Fig. 34  Giovanni Battista Porta, 1570-1575. Copenhague, Galerie nationale. Cat. 26

Fig. 35  Vicenzo Anastagi, vers 1575. New York, coll. Frick. Cat. 27

ses œuvres les plus justement célèbres, l'ouvrage dédié à la Vierge et achevé en 1560 pour le cardinal Farnèse. Le tableau est signé en majuscules grecques, et il est probable que ce portrait fut le modèle de celui qui figure dans la version romaine du *Christ chassant les marchands (fig. 13, cat. 14)*. Les traits accusés, la coupe plutôt large du visage permettent un modelé puissant qui annonce la future typologie du Greco. Car celui-ci, quoique moins nettement que les peintres gothiques, fit toujours passer dans ses modèles un peu de sa personnalité. Le contexte gréco-byzantin de sa première époque a pu l'aider à crée les caractères typologiques de ses personnages, même lorsqu'il faisait leur portrait avec toute la probité et la perspicacité d'un artiste aux dons exceptionnels de dessinateur. Le Greco est tout le contraire d'un peintre d'imagination : le génie qu'il a de transfigurer n'est ni fantaisie, ni imagination pure, mais transformation du réel et contemplation du surnaturel à travers le réel, toujours étroitement subordonnées à l'art pictural.

Nous terminerons l'études des œuvres de cette époque par l'analyse de deux remarquables portraits. Celui de Giovanni Battista Porta, peint à l'huile sur toile, est probablement celui qui figurait en 1641 à la vente Rubens comme autoportrait du Tintoret *(fig. 34, cat. 26)*. La découverte de la signature au cours de la restauration dont il fit l'objet au siècle dernier permit de l'attribuer au Greco. Celui-ci accepte les conventions en train de s'établir à l'époque : personnage de face, légèrement de trois-quarts, mains visibles; un accessoire servant plus ou moins d'attribut; fond lisse, traité en aplat ou en dégradé pour rendre l'espace et donner un meilleur modelé au volume.

Le personnage est traité avec vigueur; dans son visage, la projection typologique paraît faible, pour ne pas dire nulle. C'est que le peintre est parvenu à une parfaite objectivité dans le dessin et le modelé, il a représenté l'homme selon son vrai caractère et avec une extrême fidélité à sa physionomie. Nous irions jusqu'à affirmer que l'attitude de la main droite n'a pas été spontanée chez le modèle, mais suggérée par l'artiste; d'abord en raison de la valeur expressive de ce geste, ensuite parce que dessiner une main dans une telle position est infiniment plus difficile que de la peindre appuyée au corps ou sur un objet — ce qui

est le cas de la main gauche qui repose sur un gros livre. A ce moment là, le Greco commençait une carrière de portraitiste qui devait se révéler aussi féconde que celle de l'iconographe religieux. Et il nous montre ici qu'il en possède toutes les qualités. Ce genre s'engageait alors franchement dans le réalisme et s'écartait du hiératisme et de la froideur si caractéristiques des portraitistes des deux ou trois décennies antérieures. Le Greco, n'eût été sa vocation profonde, aurait pu être un admirable réaliste dans le sens donné à ce mot en parlant de l'art du XVIIe siècle, qu'il précède de près d'un quart de siècle. Plus tard, en Espagne, une subtile idéalisation s'introduira progressivement dans son art et modifiera les données fondamentales du dessin et de la peinture de la forme réelle; mais cette forme triomphe absolument dans le portrait dont nous parlons et donne son sens à l'œuvre. Dans ce tableau le peintre s'intéresse peu à la représentation des détails du costume, bien que la transcription parfaite des matières en constitue l'une des valeurs importantes. Bref, c'est là un portrait robuste, viril, réaliste, plus dense que ceux du Titien qui en ont à l'évidence inspiré la technique.

Vicenzo Anastagi, chevalier de Malte en 1563, fut gouverneur de l'île, prit part à sa défense contre l'attaque des Turcs en 1565 et mourut en 1586 *(fig. 35, cat. 27)*. Son portrait en pied est, surtout du point de vue technique, le meilleur de ce premier groupe, caractérisé par un réalisme très accusé par rapport à l'idéalisation que le peintre introduira — sans préjudice d'ailleurs des qualités objectives — dans ses portraits de la maturité. L'époque à laquelle celui-ci fut exécuté est attestée par la signature de style monumental, épigraphique, propre à ces œuvres de la période italienne. On remarque dans cette peinture qu'il s'agit d'une commande importante. Anastagi est vêtu d'une demi-armure, d'un haut-de-chausses de somptueuse étoffe verte et de bas blancs. La poignée dorée de son épée et l'écharpe qui barre sa cuirasse d'acier témoignent de son rang élevé. La tête vigoureuse, bien plantée, porte une barbe et une moustache noires taillées avec soin. Le caractère de l'homme et les vicissitudes de sa vie de soldat sont sensibles dans tout le personnage, surtout dans son regard pénétrant. Pour le fond, au lieu de rechercher l'accord franc de teintes complémentaires, l'artiste a disposé en oblique un grand rideau marron foncé légèrement violacé dont la couleur est mise en relief par le puissant contraste avec les tons gris-ocre clair et sépia du mur du sol. L'absence de couleurs chaudes — rouge, orangé, jaune — fait converger l'intérêt sur deux éléments : l'acier, admirablement rendu, et le visage; et aussi le dramatisme dont toute la figure est empreinte. C'est d'ailleurs là une sensation diffuse plutôt qu'un caractère nettement marqué; en effet, lorsque le Greco voulait imposer un sentiment, il savait y parvenir par des moyens plus frappants. Ici, il se montre réservé et avant tout réaliste.

La simplicité est également un facteur important de ce tableau, en raison de la sobriété un peu rude du geste et d'une sorte d'indifférence absolue pour tout ce qui entoure le personnage. La densité de la matière picturale, la vigueur de la couleur, la rotondité de la forme passent avant le sujet.

Nous ignorons quand s'acheva le séjour du Greco à Rome et nous n'avons sur ce point aucun indice, en dehors de la vague référence de Mancini. Les biographes du peintre ont parfois accepté l'hypothèse d'un second séjour à Venise, vers 1575, à la suite de l'épidémie de peste qui ravagea alors la Ville Éternelle et ne tarda pas à s'étendre à Venise où elle fut plus meurtrière. Parmi ses victimes figure le Titien.

On a supposé aussi, en se fondant sur le grand portrait d'Anastagi, que le Greco avait séjourné à Malte.

Wethey, qui a détruit tant d'idées qui paraissaient définitivement reçues à propos du Greco, souscrit à l'affirmation de Morovic qui tient pour apocryphe la lettre dans laquelle Giulio Clovio raconte une visite à l'atelier du peintre. Nous citons ce beau texte, non pas comme document, mais comme jugement poétique d'une surprenante exactitude : «Hier, j'ai rendu visite au Greco pour faire avec lui une promenade dans la ville. Le temps était beau, il faisait un délicieux soleil de printemps qui emplissait tout le monde de joie. Toute la ville avait un air de fête. Je fus stupéfait, en entrant dans l'atelier du Greco, de voir les rideaux des fenêtres si bien tirés que l'on pouvait à peine distinguer les objets. Greco était assis dans un fauteuil, il ne travaillait ni ne dormait. Il ne voulut pas sortir avec moi, car la lumière du jour troublait sa lumière intérieure. »

C'est également Wethey qui montra qu'il était faux de croire dirigée contre le Greco une épigramme satirique de Giovanni B. Marino (né en 1569), intitulée *De Pintura goffa : dal Greco*. Elle avait été présentée comme preuve du tollé soulevé dans les milieux intellectuels de Rome par la proposition du peintre concernant le *Jugement dernier* de Michel-Ange.

# II

## vers 1576-1579

HYPOTHÈSES SUR LES PREMIÈRES ŒUVRES DU GRECO EN ESPAGNE – L'«ADORATION DU NOM DE JÉSUS» – LE «MARTYRE DE SAINT SÉBASTIEN» DE PALENCIA – LE «CHRIST EN CROIX ENTRE DEUX ORANTS» DU LOUVRE – LE «GENTILHOMME A LA MAIN SUR LA POITRINE» ET AUTRES TABLEAUX SIGNÉS – ŒUVRES SIGNÉES CHEÏR DOMÊNIKOU – LE «SAINT LAURENT» DE MONFORTE DE LEMOS – LES RETABLES DE SANTO DOMINGO EL ANTIGUO – L'«EXPOLIO» – JERÓNIMA DE LAS CUEVAS

*Hypothèses sur les premières œuvres du Greco en Espagne*

De même qu'on ignore la date à laquelle le Greco quitta l'Italie, de même ignore-t-on celle de son arrivée en Espagne. Il paraît logique de penser, avec tous les historiens, que le peintre alla s'installer dans ce pays dans l'espoir de s'intégrer à l'équipe d'artistes qui étaient au service de Philippe II. La construction du monastère de l'Escurial touchait alors à sa fin et le moment était venu où les peintres allaient y jouer un rôle important. On peut penser que, décidé à offrir ses services au monarque espagnol, le Greco se rendit d'abord à Madrid.

L'étude de l'œuvre du Greco en Espagne commence généralement par celle des retables de Santo Domingo el Antiguo (1577-1579); mais il existe un ensemble de peintures qui paraît correspondre à une étape de transition entre le Greco de Rome et le Greco de Tolède. Ces œuvres, incontestablement exécutées en Espagne, portent une signature en capitales grecques, les unes sous la forme DOMÉNIKOS THEOTOKOPOULOS EPOÏEI placée bien en évidence, d'autres sous la forme de CHEÏR DOMÊNIKOU. Le *Saint Sébastien* de la cathédrale de Palencia, le *Christ en croix* du Louvre, l'un des *Saint François,* le *Gentilhomme à la main sur la poitrine,* l'ébauche de l'*Adoration du Nom de Jésus* et une *Sainte Face* sont signés de la première manière. La seconde apparaît dans une *Sainte Véronique,* un *Saint Antoine de Padoue* et une *Madeleine repentante.*

Ces œuvres nous conduisent à proposer l'hypothèse que le Greco a pu arriver en Espagne en 1576 au moins; il n'existe aucune autre donnée concrète ni en sa faveur ni contre elle, mais elle est techniquement logique : l'étude stylistique de ces peintures où se révèle la maturité de l'artiste et qui sont importantes en qualité et en nombre (il faut en effet y joindre d'autres tableaux non signés) laisse penser que certaines peuvent être contemporaines d'autres œuvres situées avec certitude entre 1577 et 1579.

*L'«Adoration du Nom de Jésus»*

Nous examinerons en premier lieu la composition allégorique complexe relative à Philippe II. Il convient, à notre avis, de conserver à cette peinture le titre que lui donna Camón Aznar : l'*Adoration du Nom de Jésus (fig. 37 à 39, cat. 29).* Le P. Santos, qui la cita pour la première fois en 1657 sous le titre de *Gloire du Greco,* explique en ces termes sa signification : «les cieux, la terre et les enfers adorant Jésus», thème inspiré par l'épître de saint Paul aux Philippiens. Cossío appela ce tableau *Gloire de Philippe II,* pour remplacer le titre absurde de *Songe de Philippe II* donné par Polero dans son catalogue des tableaux de l'Escurial publié en 1857, qui connut un grand succès.

Sir Anthony Blunt vit dans l'œuvre une allégorie de la Sainte Ligue, à son apogée lors de la victoire de Lépante en 1571; pour lui, les cinq personnages agenouillés au premier plan sont le pape Pie V,

Philippe II, le doge Mocenigo, Marcantonio Colonna et don Juan d'Autriche, amiral de la flotte unie. Ce dernier serait la figure idéalisée, à la gauche du pape, et dont les deux mains s'appuient sur une épée. Si l'on se souvient que don Juan d'Autriche mourut en 1578 et qu'un an plus tard son corps fut transféré à l'Escurial, l'hypothèse de Blunt paraîtra plus plausible, selon laquelle ce tableau serait une allégorie en son honneur, placé pour cette raison dans la chapelle du panthéon des princes, où le P. Santos le situe. On en conserve l'esquisse *(fig. 36, cat. 28)* peinte sur bois qui appartint à Gaspar Méndez de Haro. Dans l'inventaire de sa collection, elle est donnée comme faisant pendant à l'ébauche de l'*Expolio* de Upton Downs *(fig. 74, cat. 52)* dont elle a les mêmes dimensions. L'ébauche est signée en majuscules grecques, comme les tableaux de la période italienne. La toile de l'Escurial, qui en est l'agrandissement à peu près littéral, est signée en cursives.

Camón Aznar a émis l'hypothèse que les deux œuvres furent réalisées par le Greco peu avant son installation à Tolède : en effet, la technique de l'esquisse comme de la version définitive, qui témoigne d'une lutte intérieure pour parvenir à une nouvelle formule picturale, semble ouvrir la voie qui devait conduire l'artiste à la magistrale exécution de l'ensemble de Santo Domingo el Antiguo, de l'*Expolio* et du *Saint Maurice,* dont les figures principales ont un étroit rapport avec le portrait présumé de don Juan d'Autriche.

Il y a quelques différences entre l'œuvre définitive et son étude préparatoire : les couleurs ont subi un certain changement, les détails sont plus nombreux dans le tableau, surtout dans la partie supérieure, les tons plus nuancés. L'étude accorde plus d'importance à la zone intermédiaire, aux formes des nuages qui créent des rythmes dynamiques; sa partie supérieure, moins remplie, semble attirer vertigineusement vers l'infini. Dans l'œuvre définitive, le peintre a humanisé la représentation du ciel en agrandissant les figures d'anges de la zone centrale. A droite, les nuages sont plus sombres, par relation avec le sujet de la zone inférieure : en effet, si au premier plan et au centre jusqu'au fond à gauche apparaît la foule des justes, à la tête desquels les grands personnages cités, la partie droite est en partie occupée par les damnés. L'enfer est représenté sous la forme d'un énorme

monstre, qui flotte sur une sorte de mer de feu et dont la gueule grande ouverte — comme dans la tradition médiévale — engloutit les corps des relaps. Dans le fond se dessinent des arcades et tout un monde est créé par la représentation de la mort des méchants (on aperçoit des pendus) dans un espace délimité par une ample courbe qui se prolonge vers l'arrière-plan à droite; dans toute cette partie domine un rouge orangé clair. Une tache de même couleur, de forme triangulaire et allongée, s'étend vers la gauche, entourant la foule des justes qui s'enfonce graduellement dans l'ombre, à l'exception d'un petit groupe situé sur une hauteur à gauche, et parmi les figures duquel se détache celle d'un personnage agenouillé, vêtu d'une tunique rose, faisant un large geste des bras.

Cette merveilleuse scénographie sert de cadre aux personnages principaux du premier plan; de droite à gauche : Philippe II, le pape Pie V, don Juan d'Autriche, Marcantonio Colonna (vêtu d'un manteau bleu et les bras croisés sur la poitrine) et le doge Mocenigo (presque de dos, et portant un manteau jaune à collet d'hermine). La symphonie chromatique du groupe nous fait presque oublier l'originalité de la composition dans son ensemble et concentrer notre attention sur cette zone essentielle. Bleu, blanc, jaune d'or et rouge vif sont les couleurs dominantes, en contraste avec les vêtements noirs de Philippe II, au profil émacié et ascétique. Sauf dans ce portrait, il y a dans toutes les figures une grâce fière d'origine nettement italienne. De là vient que le tableau nous paraisse synthétiser deux thèmes : l'adoration du Nom de Jésus, et l'allégorie de la victoire de Lépante; l'adoration serait une action de grâces pour le triomphe sur les ennemis de la foi chrétienne. Par ce début spectaculaire, le Greco s'ouvrait la voie à toutes les spéculations sur l'espace, la couleur et la forme.

Comme précédents du schéma général de cette composition complexe, signalons le panneau central du triptyque de Modène *(fig. 5),* l'estampe allégorique du XVIe siècle déjà citée et la planche gravée par Andrea Andreani en 1590.

### Le « Martyre de saint Sébastien » de Palencia

Le *Saint Sébastien (fig. 40 à 42, cat. 30)* de la cathédrale de Palencia est d'un caractère monumental

Fig. 37 (détail) et 38  Adoration du Nom de Jésus, 1576-1579. Monastère de l'Escurial. Cat. 29

Fig. 39 Détail de la fig. 38

et d'une relative simplicité de forme dans lesquels on peut voir les conséquences de l'impact de la manière romaine. Depuis quand et par quelle voie ce tableau figure-t-il parmi les toiles ornant les murs des dépendances de l'édifice, on l'ignore. Wethey suggère qu'il a pu être offert ou légué par Diego de Castilla, doyen du chapitre de la cathédrale de Tolède, qui passa au Greco l'importante commande de Santo Domingo el Antiguo, et qui fut chapelain puis chanoine archidiacre de la cathédrale de Palencia. Il est logique de penser que le peintre lui fit présent d'une de ses premières œuvres exécutées en Espagne, et que le doyen l'offrit ensuite au temple où il avait commencé sa carrière. Dans ce tableau, signé en majuscules grecques, le Greco fait preuve de son habituelle retenue en présence de la cruauté. A d'autres représentations où le saint est transpercé d'innombrables flèches, il oppose une figure juvénile blessée par un seul trait. Le centre du champ pictural est presque entièrement occupée par la figure du martyr sur un fond de ciel bleu couvert d'épais nuages blanchâtres, et de paysage planté d'arbres qui rappelle ceux de ses œuvres italiennes. A droite, l'arbre, poteau d'exécution, est, avec les fleurs sauvages que nous verrons au premier plan du *Martyre de saint Maurice (fig. 83),* l'un des éléments les plus réaliste de toute l'œuvre du peintre.

Le canon de cette figure est déjà très nettement allongé : on voit que le Greco est rapidement arrivé à ce que la qualité formelle d'une figure suffise comme sujet d'une œuvre. Si à propos des portraits de la période romaine nous avons insisté sur les multiples possibilités d'un Greco qui eût été strictement réaliste, nous voyons ici quelle voie le peintre s'était fixée. Le modelé du corps est une belle synthèse de la forme en tant qu'élément modeleur de la lumière. Dès lors, il suffira à l'artiste de nuancer, de varier, de compliquer et de déformer plus largement ce qu'il a accompli, sans toutefois le dépasser vraiment. Le *Saint Sébastien* de Palencia marque l'éclosion d'un génie dans lequel n'affleurent pour ainsi dire plus les réminiscences d'un passé révolu. En moins de dix ans, le Greco est passé de la technique « vermiculaire » des icônes à l'imitation des perspectives et des scénographies du Tintoret, et de la représentation figurative du Titien à un art qui n'appartenait qu'à lui.

*Le « Christ en croix entre deux orants » du Louvre*

Un autre tableau signé en majuscules grecques est le *Christ en croix entre deux orants* du Louvre *(fig. 43 et 44, cat. 31).* Il est probable que cette œuvre fut acquise en 1836 par le baron Taylor, à Tolède, au couvent des sœurs hiéronymites de la Reine. Les trois figures se détachent comme des éléments indépendants sur un fond de nuages. La conception appliquée pour la première fois dans le *Saint Sébastien* de Palencia atteint à sa plénitude dans les figures, surtout dans celle du Christ, représenté vivant. Les nuages, comme plus tard les drapés, fournissent au Greco un monde de formes et de couleurs dans le cadre duquel il peut développer sa tendance innée et un expressionisme qui, dans la dernière partie de sa carrière, se donnera libre cours. D'ailleurs, nuages, drapés et carnations seront à peu près les seuls éléments dont il se servira pour déployer les ressources de son éloquence. Cette figure du Christ est l'une des grandes créations du Greco, elle est le premier modèle des Christ en croix qui jalonnent sa carrière et permettent de suivre, parallèlement à d'autres séries iconographiques, l'évolution du style et les vicissitudes de la vie de l'artiste. Le modelé est l'un des plus purs et des plus parfaits de toute sa production. La vigueur et la délicatesse, la sensation de réalité et la pureté de ligne des contours, l'ombre et la lumière se combinent d'une manière accomplie. Il faut signaler le caractère sculptural de la forme, qui chez le Greco ne sera pas toujours aussi net ni aussi intense.

On ignore qui sont l'ecclésiastique en surplis placé à gauche *(fig. 44)* et le gentilhomme vêtu de noir. Il est possible qu'il s'agisse des frères Diego et Luis de Castilla, ce qui prouverait qu'ils étaient devenus les protecteurs du peintre en Espagne au moment où la décision de Philippe II se faisait attendre; ils l'auraient fait venir à Tolède pour exécuter une commande particulièrement importante : les retables de Santo Domingo el Antiguo. Les deux hommes étaient les fils de don Felipe de Castilla, descendant en ligne directe du roi Pierre le Cruel. Le premier succéda à son père dans la charge de doyen du chapitre de la cathédrale de Tolède et mourut en 1584. Don Luis, de vingt-huit ans plus jeune que son frère, naquit en 1540 et devint doyen du chapitre de la cathédrale de Cuenca.

Du point de vue pictural, ces deux portraits sont admirables. Dans le personnage de l'ecclésiastique, le contraste est étonnant entre les mains, d'un modelé ferme et fondu, et le surplis transparent rendu par des touches de matière très dense données en différents sens de telle sorte que la trace des soies du pinceau est parfaitement visible.

### Le « Gentilhomme à la main sur la poitrine » et autres tableaux signés

Le *Gentilhomme à la main sur la poitrine (fig. 45, cat. 32)* est le nom donné par la tradition au célèbre tableau du musée du Prado qui figure en 1794 dans l'inventaire des collections royales. Ce remarquable portrait ayant beaucoup souffert, il est difficile d'en apprécier toute la valeur. La gradation des nuances a été très altérée et l'image présente un aspect plan qu'elle n'avait peut-être pas lorsque le Greco la peignit. Malgré cela, elle produit sur le spectateur un très grand effet. Plusieurs générations ont vu dans ce portrait le type du gentilhomme espagnol du Siècle d'or, dont la main révèle le raffinement, mais dont le regard découvre résolution et hardiesse. Il est superflu de souligner la sobre élégance de la composition : l'harmonie de la carnation et le blanc opposé au noir sur lequel brille la poignée de l'épée finement ciselée, et l'éclat plus fugace d'une chaîne sur laquelle sont posés les doigts du gentilhomme. Cette figure et les deux orants du *Christ en croix* du Louvre sont les premiers représentants de la magistrale galerie de portraits que le Greco devait peindre en Espagne.

La signature DOMÊNIKOS THEOTOKOPOULOS EPOÏEI en capitales grecques se retrouve dans deux autres toiles. La première est le prototype d'une image reprise plusieurs fois par le Greco : la *Sainte Face (fig. 47, cat. 34)*. L'empreinte du visage, d'une impressionnante spiritualité, délicate et vigoureuse à la fois, divine et humaine, ajoute aux qualités de la tradition byzantine le profond humanisme des meilleures créations de la Renaissance. La seconde est le *Saint François d'Assise en prière (fig. 48, cat. 35)*, figure réaliste peinte selon la technique vigoureuse du portrait de Giovanni Battista Porta. La perfection de la forme des mains croisées sur la poitrine, le modelé de la tête de mort sont admirables. L'effet de lumière

même est réaliste; le foyer lumineux placé en haut à gauche permet une division délicate du champ pictural en une zone de demi-pénombre à droite, et une autre de clarté, mais point trop vive, à l'opposé. Le visage est expressif, surtout le regard. Sur ce point, le Greco accéda à une intensité de plus en plus forte en introduisant dans les traits et les regards un pathétique et une gamme de sentiments si étendue que l'image semble émaner de cette expression même : ce n'est pas encore le cas ici. On dirait que le peintre a voulu « faire le portrait » du saint et qu'il s'est appliqué à obtenir une fidélité absolue. La technique, quoique très picturale, accorde plus au dessin qu'il n'est habituel chez le Greco, tant par la structure interne de la forme que par les touches et les coups de pinceau isolés qui animent certaines parties. De cette œuvre, il existe une réplique non signée au musée Lázaro Galdiano de Madrid *(cat. 36)*, dont les qualités et les contrastes de tons sont plus rudes, ce qui rend le modelé plus intense mais un peu moins naturaliste.

### Œuvres signées CHEÏR DOMÊNIKOU

Trois peintures sur toile (une *Madeleine repentante* provenant du collège de los Ingleses de Valladolid, un *Saint Antoine de Padoue* conservé au musée du Prado, une *Sainte Véronique montrant la Sainte Face*) sont signées CHEÏR DOMÊNIKOU, en majuscules grecques, comme le triptyque de Modène dont l'attribution est discutée et que nous avons étudié dans notre premier chapitre. Cette signature ne reparaîtra plus dans l'œuvre du Greco.

La *Madeleine repentante (fig. 46, cat. 33)* du musée de Worcester met en évidence la recherche passionnée de la beauté : la carnation est traitée avec une extrême délicatesse et dans un certain esprit de simplification, la figure exprime à la fois la spiritualité et la sensualité, et rayonne de vie intérieure. Le peintre a voulu composer une œuvre séduisante en tant qu'image. Les grands yeux de la sainte, que l'on retrouve dans d'autres tableaux du Greco, attirent d'abord l'attention. La forme est parfaitement située dans l'espace et l'impression de volume du corps est complète. L'équilibre entre les tons sombres de la montagne et les tons clairs et nuancés des nuages indiquent que ce tableau est chronologiquement

Fig. 40  Martyre de saint Sébastien, 1576-1579. Palencia, cathédrale. Cat. 30

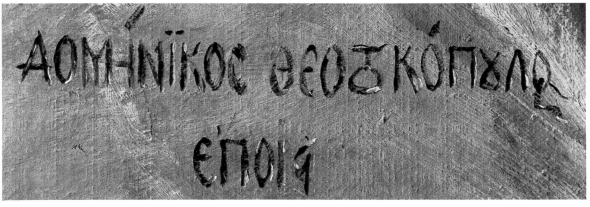

Fig. 41 et 42  Détails de la fig. 40

Fig. 43 Christ en croix entre deux orants, 1576-1579. Paris, musée du Louvre. Cat. 31

Fig. 44 Détail de la fig. 43

proche du *Christ en croix* du Louvre. La Madeleine est entourée d'éléments peu nombreux mais significatifs : le lierre qui serpente sur le rocher nu, le ciel merveilleux et la « nature morte » que composent le crâne et la petite carafe de verre.

Le *Saint Antoine de Padoue* du Prado *(fig. 49, cat. 37),* qui est presque une grisaille, est conçu selon un critère moins conventionnel que le *Saint François en prière.* La tête possède une étrange vigueur, et les traits du visage sont modelés avec une grande intensité. L'exécution de l'habit est plutôt sommaire, non parce que les qualités tactiles ont été traitées à la légère, mais parce qu'il a fait l'objet d'une simplification en quelque sorte géométrique. La main est conçue de même, mais le rendu en est plus délicat. L'étude de l'exécution révèle, surtout dans la tête qui est la partie la plus travaillée, des traces de procédés particuliers employés par le Greco : rayure et frottis, ou rehaut par de légères touches claires sur les tons sombres. Il est intéressant de remarquer ce que de tels moyens permettent au peintre d'obtenir du point de vue de la suggestion des formes et des matières réelles, par exemple dans la chevelure, les paupières et le menton du saint.

Pour des raisons techniques et pour son caractère pictural, nous situons à la troisième place des toiles signées CHEÏR DOMÊNIKOU celle qui représente sainte Véronique. Cette œuvre provient de Santo Domingo el Antiguo de Tolède et se trouve dans la collection de notre excellent confrère María Luisa Caturla *(fig. 51, cat. 39).* Il en existe une autre version, quasi identique, qui de l'église Santa Leocadia de Tolède est passée au musée de Santa Cruz *(fig. 50, cat. 38).* Cette composition est traitée en tonalités assourdies, presque cendrées. Le cadre intérieur du linge, violet, est modulé de reflets jaunâtres qui jouent avec le ton pâle de la chevelure de la figure du Christ. Les contours de la robe violet sombre de la sainte se confondent presque avec le fond noir. Les deux versions de cette *Sainte Véronique* provenant de Tolède, on peut penser qu'elles furent peintes dans cette ville et exécutées en 1577, pendant les mois que demandèrent les formalités et la rédaction des contrats concernant la grande œuvre de Santo Domingo el Antiguo. Le linge sur lequel est imprimée la Sainte Face est, dans les deux versions, l'exacte réplique,

pour la forme et la couleur, de celui étudié plus haut *(fig. 47)* : cette image du Christ, dans ces trois linges, paraît correspondre à une typologie légèrement plus archaïque que celle de l'*Expolio (fig. 69).* Notons enfin que la tête de l'une des Saintes Femmes du premier plan à gauche de l'*Expolio* est la réplique presque littérale de celle des deux visages de sainte Véronique que nous venons d'étudier; cela confirme la situation chronologique et stylistique de cet ensemble de peintures non datées.

### Le « Saint Laurent » de Monforte de Lemos

Un autre tableau — non signé, celui-ci — se place du point de vue du style entre l'ensemble précédent et les retables de Santo Domingo el Antiguo : il s'agit du *Saint Laurent* de Monforte de Lemos *(fig. 52, cat. 40).* Cette œuvre a appartenu à Rodrigo de Castro, inquisiteur du Tribunal suprême de Tolède en 1599 et qui, mort en 1600 alors qu'il était archevêque de Séville, la légua ainsi qu'un *Saint François (fig. 93)* plus tardif au couvent galicien. La tête et les mains du *Saint Laurent* sont d'une structure rappelant celle du portrait de Giovanni Battista Porta *(fig. 34).* La dalmatique de brocart, avec ses carmins et ses jaunes d'or, annonce déjà, par le soin particulier du travail, les vêtements liturgiques du saint Étienne et du saint André de l'*Enterrement du comte d'Orgaz.* La position de la tête, l'intensité et le sens du regard rappellent ceux de la *Madeleine repentante,* bien que la technique soit ici plus abrupte et plus vigoureuse, comparable à celle du *Saint Antoine de Padoue* du musée du Prado. La Vierge et l'Enfant Jésus — assez proches de ceux du petit panneau de la *Fuite en Égypte (fig. 18)* apparaissent sur un nuage, derrière le martyr. La conception picturale de cette œuvre — comme de toutes celles que nous étudions dans le présent chapitre — est évidemment antérieure à celle qui a entraîné le processus d'allongement du canon, de profonde spiritualisation et de déformation expressionniste. Au cours de cette première phase de sa période espagnole, le Greco ne s'était pas complètement révélé à lui-même, ou ne se risquait pas encore sur les voies où le poussait son sentiment intime. Nous rappelerons notre hypothèse selon laquelle ces œuvres se situent au cours des mois d'incertitude qui suivirent l'arrivée du peintre en Espagne; certaines ont pu cependant être réalisées à Tolède, en alternance avec les toiles de Santo Domingo et l'*Expolio,* voire un ou deux ans plus tard. On peut objecter à cela que leur exécution aurait exigé une somme de travail considérable, compte tenu de l'œuvre réalisée entre 1577 et 1579.

### Les retables de Santo Domingo el Antiguo

La réalisation de cet ensemble, le plus important que le Greco ait exécuté de toute sa vie, fut la première raison de son établissement à Tolède. Dans l'un des documents du procès concernant l'*Expolio* (1579), le porte-parole du chapitre déclare «... que l'œuvre qu'il vint faire dans cette ville, à savoir le retable de Santo Domingo el Antiguo, est maintenant achevée et en place...» Cet ensemble est un témoignage de la protection et de l'affection que les frères Diego et Luis de Castilla dispensèrent au peintre, puisque ce fut grâce à eux qu'il obtint cette commande considérable. Le Greco exécuta trois retables entre août 1577 et une date indéterminée de 1579.

Doña María de Silva, dame portugaise de la suite de la reine Isabelle, épouse de Charles-Quint, était la femme de don Pedro González de Mendoza, grand argentier de l'empereur. Devenue veuve, elle se retira au couvent de Santo Domingo el Antiguo à Tolède. Après sa mort, survenue en 1575, les biens de sa succession furent destinés à la construction d'une nouvelle église qui contiendrait son tombeau; elle avait désigné comme exécuteur testamentaire don Diego de Castilla, doyen de la cathédrale. L'édifice fut construit entre 1576 et 1579, grâce à l'activité et à l'aide financière de don Diego, et sur des plans de Nicolás de Vergara modifiés par Juan de Herrera, le grand architecte de l'Escurial. A une date inconnue, mais en tout cas avant le mois d'août 1577, don Luis de Castilla rédigea un *Mémoire des affaires à traiter avec Dominico.* Le document révèle qu'il servit d'intermédiaire entre son frère le doyen et le Greco. Rappelons que le peintre a pu se lier d'amitié avec Luis de Castilla à Rome, au palais Farnèse.

On peut lire dans ce mémoire : «La raison qui fait confier ce travail audit Dominico est la réputation qu'il a d'être éminent en son art et son métier et c'est

pourquoi on a distingué le savoir-faire de sa personne, car nul autre ne peut le remplacer».

Le mémoire précise que le travail sera exécuté à Tolède et que le Greco s'engage à fournir les plans des retables et les modèles des images sculptées complétant l'iconographie de celui du maître-autel. Il doit aussi dessiner la «custode», c'est-à-dire le tabernacle. Le constructeur et sculpteur des retables fut Juan Bautista Monegro.

Un acte passé le 8 août 1577 entre le doyen et le Greco précise que celui-ci devra livrer les peintures de l'ensemble dans un délai de vingt mois, soit en mars 1579. Leur prix est fixé à 1 500 ducats. Dans un document du même jour, le Greco accepte les termes du contrat et propose de réduire la somme indiquée à 1 000 ducats; au bas, il porte la mention suivante : «Yo Domenico Theotokopuli afermo quanto e sopra scrito». Il n'était apparemment pas encore familiarisé avec le castillan. Le lendemain, il accuse réception de diverses sommes destinées à l'achat des toiles et de 51 000 maravédis que «j'avais demandé lorsque je retournai à Madrid», ce qui prouve qu'il résidait dans cette ville avant d'aller s'installer à Tolède. Le 27 juillet 1578, il reçoit le reliquat des 1 000 ducats prévus. Le travail était sans doute alors très avancé, et pourtant il déclare que les peintures ne sont pas achevées, parce que la construction de l'église et la sculpture des retables ne sont pas non plus terminées. Le document contient cette promesse : «Je ne quitterai point la ville de Tolède avant que ladite peinture soit achevée de ma main». Il n'était donc pas encore décidé à se fixer dans la ville et conservait sans doute l'espoir de se rapprocher de Philippe II.

L'ensemble pictural de Santo Domingo el Antiguo se composait de neuf tableaux *(fig. 53).* Les sept premiers (l'*Assomption,* la *Trinité,* la *Sainte Face, Saint Bernard, Saint Benoît, Saint Jean-Baptiste* et *Saint Jean l'Évangéliste*) occupaient les emplacements prévus dans l'élégante et sobre structure du retable principal qui est, ainsi qu'on l'a amplement démontré, une réplique de modèles vénitiens. Les deux autels latéraux ne sont que de simples cadres contenant une *Adoration des bergers* et une *Résurrection,* flanqués de colonnes cannelées et couronnées de chapiteaux corinthiens. A cet ensemble manquent la plupart des toiles originales. Seuls sont demeurés en place le *Saint*

Fig. 45  Le gentilhomme à la main sur la poitrine, 1576-1579. Madrid, musée du Prado. Cat. 32

Fig. 46  Madeleine repentante, 1576-1579. Worcester, Art Museum. Cat. 33

Fig. 47  La Sainte Face, 1576-1579. New York, coll. Basil Goulandris. Cat. 34
Fig. 48  Saint François en prière, 1576-1579. New York, coll. part. Cat. 35
Fig. 49  Saint Antoine de Padoue, 1576-1579. Madrid, musée du Prado. Cat. 37

Fig. 50  Sainte Véronique, 1576-1579. Tolède, musée de Santa Cruz. Cat. 38

Fig. 51  Sainte Véronique, 1576-1579. Madrid, coll. Caturla. Cat. 39

*Jean-Baptiste* et le *Saint Jean l'Évangéliste* du maître-autel et la *Résurrection* de l'autel latéral droit.

Le Greco a apporté le plus grand soin à la réalisation de ces œuvres qui devaient assurer son prestige dans sa patrie d'adoption. Sa réussite, ainsi que l'ont constaté des critiques de tendances opposées, peut s'interpréter soit comme le résultat d'une étonnante métamorphose de sa production antérieure, soit comme la synthèse des composantes traditionnellement reconnues de son art : idéalisme byzantin, couleur vénitienne, composition inspirée en partie du Titien et du Tintoret mais modifiée selon le style héroïque de Michel-Ange, et allongement maniériste du canon des formes. Même ainsi il conviendrait de tenir compte de l'apport du Greco, que l'on peut résumer en quelques principes : typologie profondément personnelle, avec un sens de la forme qui ne paraît rien devoir à quiconque; gamme chromatique originale, synthèse d'un certain primitivisme — dans l'accumulation de figures — et de pressentiments baroques; exaltation de l'éloquence du geste, facteur dominant dans toute l'œuvre du peintre. Par ailleurs, à cette époque, il atteint à un relief du volume dans l'espace et à une plénitude des corps qui le situent au niveau de ses maîtres vénitiens.

Le Greco dut probablement peindre d'abord l'*Assomption,* toile grandiose destinée à la partie centrale du retable du maître-autel, et qui fut achevée en quelques mois *(fig. 54 à 56, cat. 41);* à la suite de la signature en cursives grecques, il a indiqué la date : 1577. On remarque dans cette œuvre un certain souci de la composition en soi et des rapports de la forme avec la structure des volumes dans l'espace. Pour résoudre le problème qui se posait à lui, le peintre a recours au schéma pyramidal qui lui fait accorder une très nette importance à la figure de la Vierge et réduire celle des anges qui l'entourent; ainsi les groupes humains de la partie inférieure acquièrent une plus grande densité. La géométrie lui sert non seulement à déterminer la composition, mais elle l'aide aussi à rendre la forme interne et le modelé, comme on peut le voir dans le personnage qui se tient de dos à gauche et porte une tunique jaune et un manteau rouge l'enveloppant de la taille aux pieds.

Par ailleurs, on observe ici un important progrès dans la division du champ pictural — considéré verticalement — en deux parties : la partie supérieure réservée aux personnages célestes, l'inférieure aux personnages humains. Le point de vue, et par conséquent la ligne d'horizon, se trouve entre les deux, presque au centre de la composition. Les figures sont de taille plus grande que la normale. On remarque un certain manque de connexité entre les groupes de la partie inférieure, qui résulte peut-être du souci de donner plus de précision et de vie à leur représentation typologique. Chacun des apôtres — à une exception près, ils ne dialoguent pas, bien qu'ils soient rapprochés — semble une admirable étude d'après nature et se trouve lié aux autres par un lien plus esthétique qu'humain.

Malgré la tentative — réussie — de résoudre d'une façon satisfaisante les problèmes d'espace, de forme et de couleur, subsistent quelques gestes et attitudes déjà présents dans les œuvres de la période italienne. Le Greco s'est constitué tout au long de sa carrière — dans des études et des croquis qu'il devait conserver — un répertoire de plus en plus riche dont il connaissait exactement la valeur expressive; en effet, une de ses constantes préoccupations était l'éloquence et il possédait pour y atteindre des qualités qu'il est donné à peu de peintres d'avoir. On remarque ici des attitudes, comme celle du vieillard qui porte la main à sa poitrine en signe de contrition, annonçant celles qu'on retrouvera dans les images de saints qu'il peindra plus tard. D'autres, par exemple le bras tendu de l'apôtre de gauche, sont ouvertement déclamatoires, mais jamais grandiloquentes.

On peut observer dans cette composition (cela est assez fréquent chez le Greco) une nette tendance à l'*horror vacui* et à introduire le plus possible de figures et le plus petit nombre d'accessoires (ici, seulement le tombeau ouvert et vide). Cette tendance est renforcée, comme dans bien des xylographies gothiques, par le parallélisme des lignes terminales des formes qui, si on les rapprochait en supprimant les espaces vides qui les séparent, formeraient une masse presque compacte. Le dessin impeccable, un modelé vigoureux et réaliste sont soutenus par une touche libre, dictée par une parfaite connaissance de la forme et des effets visuels des superpositions de tons. La matière est fluide mais très dense, textures et lumières sont magistralement rendues. La technique est celle

Fig. 52  Saint Laurent, 1576-1579. Monforte de Lemos, collège des frères piaristes. Cat. 40

67

d'une peinture rapide mais appuyée, qui permet d'obtenir un équilibre parfait entre le ton, la profondeur, l'éclat et l'expressivité de chaque nuance. Si l'on s'arrête sur les détails, en particulier sur les têtes des personnages de la partie inférieure, on remarque la variété des types unis par un même sentiment, et une maîtrise totale dans la représentation. Chaque ensemble est pensé du point de vue pictural bien plus que du point de vue du sujet; autrement dit, le naturalisme de chaque élément est mis au service de l'idéalisme esthétique de chaque ensemble. On ne sait qu'admirer le plus, des robustes volumes étonnamment expressifs de certaines têtes ou des harmonies des drapés. La manière de traiter le vêtement de la Vierge reparaîtra fréquemment, bien que déformé, jusqu'à la fin de la carrière du peintre. Les anges de la partie supérieure constituent une riche gamme d'attitudes, de raccourcis et d'inflexions. Leurs figures ont été étudiées d'après des modèles vivants comme celles des personnages humains; dans cette partie, la beauté figurative des visages et des carnations fait équilibre à la tendance géométrisante des étoffes amplement déployées, dont les plis, les rides et les parties lisses permettent au peintre d'enrichir les valeurs du coloris.

La composition qui couronne le retable du maître-autel de Santo Domingo el Antiguo est la grandiose *Trinité* conservée au musée du Prado *(fig. 57 et 58, cat. 42)*. La majestueuse figure du Père Éternel, surmontée de la colombe symbolique du Saint-Esprit, soutient le corps de Jésus. Les anges placés de part et d'autre contribuent à rapprocher l'ensemble à la manière d'un gigantesque haut-relief. Ici encore s'impose le principe qui consiste, en faisant des carnations et des drapés les seuls éléments de l'image, à donner toute leur valeur aux corps, portés uniquement par les nuages, par des éclats lumineux ou des éléments figuratifs secondaires, ornementaux ou lyriques selon le cas, tel le groupe de petites têtes ailées aux pieds du Christ. On voit que le tableau a été exécuté rapidement, selon la même technique, un peu plus fondue peut-être, que celle de l'*Assomption*.

Le plein épanouissement de la forme l'emporte dans cette toile sur la puissance du coloris et des tons. C'est là qu'on peut constater ce que la conception monumentale de Michel-Ange a apporté au peintre qui, après des débuts obscurs dans la tradition d'un artisanat séculaire, avait été attiré par les fonds architecturaux du Tintoret. Comme dans presque toutes les œuvres de cette période, et même de la précédente, un certain nombre de détails annoncent ici ce qui sera l'une des passions esthétiques du Greco : la déformation expressive, non par simple goût des formes tourmentées, mais par besoin de montrer le feu intérieur de l'esprit s'imposant à la forme donnée. Il y a une exagération délibérée dans le raccourci de l'ange le plus proche du Père Éternel, à sa gauche, et dans la tête que l'on voit au milieu des trois autres du côté opposé. Notons que chez les peintres qui tendent à déformer les figures, cette tendance apparaît en général très tôt dans des personnages secondaires et marginaux, alors que les personnages principaux sont encore traités avec un parfait naturalisme, comme le Père Éternel et Jésus ici.

Au centre géométrique du retable principal se trouvait une *Sainte Face (fig. 62, cat. 46)*, peinte sur un élégant médaillon soutenu par deux anges sculptés par Monegro d'après un modèle du Greco. Une puissance et une douceur extraordinaire émanent de ce visage que le peintre fixe comme s'il était la clef de toute son iconographie. Aussi cette *Sainte Face* est-elle en quelque sorte la synthèse de deux formules antithétiques : l'archaïsme de l'icône, justifié par le désir de représenter le surnaturel, de respecter et de conserver une iconographie héritée d'époques lointaines, et le naturalisme somptueux que l'on pourrait paradoxalement qualifier de « sensuellement spirituel » des débuts du Baroque. Le dessin est entièrement recouvert par la peinture : le modelé de la forme ne révèle pas sa phase analytique et linéaire. A première vue, on dirait une réplique de la *Sainte Face* étudiée plus haut *(fig. 47)* mais en réalité leurs différences sont profondes. Cette œuvre constitue à la fois une démonstration technique et un véritable document sur la profondeur et l'authenticité des sentiments religieux du peintre.

Sans doute une image comme celle-là pose-t-elle moins de problème qu'une grande composition, mais dans cette simplicité même réside la difficulté : tout se trouve concentré dans un seul visage qui n'apparaît ni accablé par l'ingratitude humaine, ni endolori par les souffrances morales et physiques. D'une expression presque neutre, il regarde fixement le spectateur

Fig. 53  Tolède, église Santo Domingo el Antiguo

Fig. 54 et 55 (détail) L'Assomption, 1577. Chicago,
Art Institute. Cat. 41

Fig. 56  Détail de la fig. 54

Fig. 57  La Trinité, 1577-1579. Madrid, musée du Prado. Cat. 42

Fig. 58 Dét
de la fig. 57

Fig. 59  Saint Jean-Baptiste, 1577-1579. Tolède, église Santo Domingo el Antiguo. Cat. 43
Fig. 60  Saint Jean l'Évangéliste, 1577-1579. Tolède, église Santo Domingo el Antiguo. Cat. 44

Fig. 61  La Sainte Face, 1577-1579. Madrid, musée du Prado. Cat. 45
Fig. 62  La Sainte Face, 1577-1579. Madrid, coll. J. March Servera. Cat. 46
Fig. 63  Saint Bernard, 1577-1579. Actuellement non localisé. Cat. 47
Fig. 64  Saint Benoît, 1577-1579. Madrid, musée du Prado. Cat. 48

et il y a dans ce regard une interrogation et comme un muet reproche. Les traits sont plutôt grands, mais très harmonieux. De fines touches claires, brèves et rapides, rehaussant les parties sombres, donnent une impression parfaite de relief. La carnation est d'un modelé délicat, mais qui présente des contrastes et des ombres profondes. Il est possible de voir dans une petite *Sainte Face* provenant de Móstoles *(fig. 61, cat. 45)*, l'étude préparatoire de ce tableau.

Quatre figures de saints encadrent l'*Assomption* du retable du maître-autel : saint Bernard, saint Benoît, saint Jean l'Évangéliste et saint Jean-Baptiste. Les deux premières, traitées comme des portraits, sont directement lisibles; les deux autres sont traitées d'une manière plus conforme à la représentation idéalisée propre aux sujets religieux. Le *Saint Bernard (fig. 63, cat. 47)* est une image réaliste, dense et vigoureuse. La tête est en harmonie avec le vêtement austère et le fond sombre, dont la teinte n'est pas entièrement plate. La délicatesse du peintre est surtout sensible dans les mains. Le *Saint Benoît (fig. 64, cat. 48)*, d'une conception semblable, est intéressant lui aussi par ses mains, remarquablement belles. La figure est traitée par des contrastes qui renforcent la signification de l'image. Les deux figures sont modelées en pleine pâte, et les touches ne sont pas toujours fondues.

Le *Saint Jean-Baptiste* est plus proche d'un relief par sa conception formelle *(fig. 59, cat. 43)*. Son anatomie est fortement soulignée et les traits de l'ascète sont d'un rendu vigoureux. La lumière fait surtout ressortir l'épaule, le bras droit et les jambes; le torse et le cou sont modelés au moyen d'ombres très fortes, et la tête est en partie plongée dans la pénombre. La technique relativement linéaire de l'Évangéliste est maintenue et accentuée : le tracé des veines est visible sur les bras minces mais vigoureux du Précurseur dont le corps se trouve dans une position d'équilibre parfait : triomphe du style sur le naturalisme, sans que celui-ci disparaisse tout à fait. L'idée de forme l'emporte sur l'idée de représentation tout en la servant : Goya sera l'un des derniers grands peintres à pratiquer une telle synthèse. L'impression en relief n'est pas seulement produite par la position — aussi proche que possible de la position plane — du corps, des bras et de la tête et par la manière d'intégrer la figure

dans un espace rectangulaire en laissant peu de vides permettant de voir le fond, mais par le jeu des tons qui donne à la figure un modelé sculptural sans en faire tout à fait un volume.

*Saint Jean l'Évangéliste*, représenté de face et déjà dans son âge mûr *(fig. 60, cat. 44)*, porte la main droite à hauteur de la bouche, geste qui exprime la concentration mentale et spirituelle. Le fond présente des contrastes nébuleux et sombres qui dramatisent surtout la partie supérieure du tableau. Le manteau dont le corps est recouvert presque complètement révèle des valeurs proprement plastiques de forme, de lumière, de couleur et de mouvement; mais il en émane un sentiment de grandeur qui sert de commentaire à l'expression du visage et à l'attitude. Dans ce portrait idéal, le dessin est plus visible que dans d'autres œuvres du Greco; on peut le constater dans la main droite, la partie nue de l'avant-bras, les pieds admirables et la tête qui, penchée en avant, présente des ombres très poussées au-dessous des arcades sourcilières et sur la joue droite.

L'*Adoration des bergers (fig. 65 et 66, cat. 49)* de l'autel latéral se distingue des autres compositions tant par son caractère lyrique et intimiste, dû au sujet, que par le grand nombre de références auxquelles le Greco fait appel, et qui diffèrent de celles des autres toiles. Ici, il n'y a pas que la composition, la forme et la figure qui ont de l'importance. La lumière et le mouvement, l'espace vide et une certaine tendance, quoique secondaire, à l'anecdote entrent en ligne de compte. Tout cela, de même que le caractère rustique des bergers, nous reporte au monde des Bassano qui influencèrent le Greco pendant sa période vénitienne; mais, comme lorsque l'on parle à son propos du Titien ou du Tintoret, il s'agit là d'une référence extérieure, à l'usage de la critique, plutôt que d'une réalité profonde.

En comparant cette composition à l'*Assomption* du maître-autel, on constate que, sans parler de la différence des critères formels, la structure de la partie supérieure présente une certaine fantaisie dans la façon de traiter les formes, la lumière paraît curieusement concentrée autour du foyer central qui a les contours d'une grande étoile brillante derrière laquelle on aperçoit des anges. Dans la partie inférieure, l'action et les rythmes sont d'une très grande diversité.

Le personnage du premier plan est saint Luc tenant son évangile qu'éclaire une chandelle. Dans le groupe central, la lumière forme une sorte d'irradiation stellaire pour laquelle le Greco a mis à profit, en y introduisant généreusement des variations de nuances, les expériences sur la lumière du *Personnage soufflant une flamme* et de la *Scène de genre* de sa période italienne *(fig. 29, 30, 31, cat. 22, 23, 24)*.

Le visage de la Vierge est d'un modelé très dense, presque sculptural; celui de saint Luc est rendu par des rehauts clairs, denses ou à peine appuyés, disposés d'une manière nettement discontinue. Les bergers sont traités avec une évidente intention réaliste. Beaucoup plus idéalisées sont les deux figures situées au fond à droite, en contraste avec le ciel nocturne où brille la lune. On y remarque ce rendu éblouissant des amples manteaux qui donne au coloris et à la forme une grande richesse esthétique. D'autres détails révèlent l'utilisation de la pleine pâte, dont les grumeaux sont visibles par endroits ou, au contraire, l'emploi de glacis délicats. La technique complexe et l'impétuosité de la composition rendent très visibles les touches discontinues et font que certains visages sont demeurés à l'état d'esquisse. Dans les membres nus, bras et jambes, le modelé est vigoureux comme celui des carnations de la *Trinité*. Les gestes jouent ici un rôle capital, et servent à la fois à exprimer un sentiment et à déterminer des axes rythmiques de composition, subordonnés à ceux que créent la disposition et l'attitude de chaque figure.

En détaillant les visages, on remarque que le Greco, comme de nombreux artistes entre le début du XVIe siècle et le XIXe siècle, utilise dans un même tableau des techniques très différentes selon les effets qu'il veut obtenir ou selon les matières qu'il doit représenter.

La *Résurrection (fig. 67 et 68, cat. 50)* devait obligatoirement être composée suivant un schéma pyramidal; mais le Greco introduit dans cette structure un allongement de la dimension verticale, plus précisément de la hauteur du triangle antérieur de la pyramide. L'effet de troisième dimension n'est pas négligé, comme le prouvent les violents raccourcis du groupe de soldats qui se trouve à droite, mais il est subordonné au rythme vertical du tableau, rythme accentué par les axes croisés que déterminent les gestes variés des principaux personnages. Ici le Christ apparaît comme en transfiguration, élevé au-dessus de l'espace terrestre. Saint Ildefonse, spectateur au geste expressif, se tient au premier plan, parmi d'autres figures principales. A droite, de dos, plongé dans l'obscurité du contre-jour produit par l'éclat qui émane du Christ ressuscité, l'un des gardiens du tombeau regarde Jésus en levant le bras gauche comme pour se protéger les yeux de la lumière. L'équilibre de la figure, comme tentative pour fixer un mouvement instantané, est étonnant. A gauche, un soldat s'avance vers le spectateur : en le laissant dans une zone plus éclairée, le Greco montre à quel point il sut graduer les effets de lumière et combien il en tenait compte pour répartir et nuancer les éléments. Au second plan, plus fondus, deux soldats endormis. Une mandorle quasi imperceptible entoure Jésus triomphant, flanqué de deux admirables drapés, à gauche le manteau, qui laisse son corps nu presque à découvert, et à droite la bannière, signe de sa victoire sur la mort. Un foyer lumineux imaginaire permet au peintre de traiter le modelé avec une grande perfection de forme et de texture. Le bras levé et le regard dirigé vers le bas ne rendent pas l'image théâtrale, parce que les valeurs picturales l'emportent sur les valeurs thématiques. Comme dans l'*Assomption* et dans la *Trinité,* la scénographie est absente de cette œuvre : la forme et la lumière sont entièrement au service de l'image et de la couleur. Le Greco se permet dans le modelé quelques effets un peu violents (qui plus tard le tenteront) dans les éléments secondaires, par exemple ceux qui résultent du contraste nécessaire pour que, à droite, les corps se détachent dans la pénombre. Au premier plan, dans une position symétrique à celle du saint Luc de l'*Adoration des bergers,* se trouve l'image de saint Ildefonse patron de l'église de Tolède : Cossío pense qu'il s'agit d'un portrait du doyen don Diego de Castilla. Nous notons cette hypothèse, en renvoyant le lecteur à ce que nous avons dit à propos d'un des donateurs du *Christ en croix* du Louvre *(fig. 43, cat. 31)*.

### L' « Expolio »

L'*Expolio,* l'un des plus célèbres tableaux du Greco est une œuvre capitale dans l'histoire de la peinture européenne *(fig. 69, cat. 51)*. C'est surtout à elle que

Fig. 65  Adoration des bergers, 1577-1579.
Santander, coll. E. Botin Sanz. Cat. 49

Fig. 66  Détail de la fig. 65

Fig. 67  La Résurrection, 1577-
1579. Tolède, église Santo
Domingo el Antiguo. Cat. 50

Fig. 68  Détail de la figure 67

fig. 69  L'Expolio, 1577-1579.
olède, sacristie de la cathédrale.
at. 51

Fig. 70 Détail de la fig. 69

le nom et la renommée du peintre doivent d'avoir survécu dans la mémoire des Tolédans. Cette composition géniale conjugue intimement les valeurs plastiques, le sentiment exprimé par le sujet et la typologie des personnages. Jésus au Calvaire est représenté au moment où les bourreaux vont le dépouiller de la tunique rouge dont il fut revêtu par dérision lorsqu'on le couronna d'épines. Le tableau se trouve au-dessus de l'autel du vestiaire de la sacristie de la cathédrale de Tolède. Il n'a de précédents ni dans l'iconographie du Moyen Age ni dans celle du XVIᵉ siècle. Azcárate indique que la source littéraire de cette toile est probablement l'ouvrage de saint Bonaventure : *Méditations sur la Passion.*

Le premier document relatif à l'*Expolio* est le reçu d'un acompte de 13 600 maravédis signé par le Greco le 2 juillet 1577. On peut en inférer que le contrat, qui ne nous est pas parvenu, fut établi peu auparavant, peut-être le même jour. Il s'agit donc d'une œuvre exactement contemporaine de l'ensemble de Santo Domingo el Antiguo. Il est probable que ce fut le doyen de la cathédrale, don Diego de Castilla, qui suggéra au chapitre de passer commande de l'*Expolio*. Quoi qu'il en fût, les problèmes soulevés par l'estimation du tableau, résolus avec un si cruel manque d'égards de la part du chapitre, tranchent avec la manière correcte avec laquelle fut menée à bonne fin l'œuvre de Santo Domingo el Antiguo. Il dut se passer entre le doyen et le chapitre quelque chose que les documents ne révèlent pas.

En 1578, 37 500 maravédis et 400 réaux furent versés au peintre. Le 15 juin 1579, le coût de l'œuvre achevée fit l'objet d'évaluations contradictoires. Les experts nommés par le Greco, Baltasar de Castro Cimbrón, peintre, et Martínez de Castañeda, sculpteur, déclarèrent «que le mérite du tableau est si grand qu'il n'a pas de prix [...] mais que compte tenu de la dureté des temps [...] il peut être payé neuf cents ducats de trois cent soixante maravédis chaque». Les experts commis par le chapitre, l'architecte Nicolás de Vergara et le peintre Luis Velasco, l'estimèrent à 227 ducats (2 500 réaux). L'orfèvre Alejo de Montoya, désigné comme arbitre, déclare qu'«attendu que la dite peinture est des meilleures que j'ai jamais vues [...] elle pourrait être estimée à un si haut prix que bien peu de gens, voire personne,

voudraient la payer; mais que, vu la nature des temps et ce que d'ordinaire on paie en Castille pour des peintures de grands maîtres [...]», il propose que l'on verse au Greco 317 ducats (3 500 réaux). Les experts du chapitre tentèrent de justifier leur mesquine estimation par des raisons iconographiques. Il fallait, disaient-ils, supprimer les têtes se trouvant au-dessus de celle du Christ, ainsi que les trois Marie «parce qu'elles n'étaient pas présentes à cette scène». Toutes ces chicanes aboutirent à un procès; le chapitre demanda au peintre de livrer le tableau ou de présenter des garanties, étant donné que, ayant déjà reçu un acompte de deux cent cinquante ducats «il garde la peinture en sa possession et qu'il est étranger [...], qu'il n'a aucun motif de résider dans cette ville et qu'il n'y possède pas de biens [...]» Aux questions du procureur du chapitre, le Greco répond avec hauteur «qu'il n'est pas tenu d'expliquer pourquoi il est venu dans cette ville et qu'à toutes les autres questions il n'a pas à répondre car il n'y est pas tenu». Il ne céda que devant la menace d'être incarcéré, accepta la somme qu'on voulut lui donner, et déclara en outre : «Je suis disposer à supprimer [du tableau] tout ce qu'on voudra que je supprime afin de mettre ainsi fin au procès». En fait, le tableau fut mis en place sans avoir reçu la moindre modification, mais le peintre ne parvint à liquider son compte que le 8 décembre 1581. Ce lamentable épisode marque le début du combat que l'artiste dut mener contre la mesquinerie régnante dans la ville qui devait être son nouveau foyer.

Dans la figure du Christ se retrouvent la tête de la *Sainte Face (fig. 47)* et le geste du *Gentilhomme à la main sur la poitrine (fig. 45);* traitée avec plus d'éclat, elle fait de cette victime d'un grouillement d'infra-créatures de caractères divers un centre d'intérêt privilégié. Dans une attitude de serein triomphe, le Fils de Dieu, archétype de la beauté virile universelle, révèle sa double nature : c'est là une des grandes réussites du peintre. Jésus est entouré d'une foule de personnages sinistres qui gesticulent et lui adressent insultes et imprécations; seul indifférent à cette agitation est le «centurion» revêtu d'une armure, qui, selon Camón Aznar, serait le symbole de l'indifférence de l'État romain. Wethey pense qu'il s'agit de Longin, celui qui devait s'écrier plus tard, en plantant sa lance dans le flanc du Christ : «Cet homme était vraiment le fils de Dieu!» D'autres personnages, des vieillards, dont les visages sont d'une intense vérité, sont plus ambigus et difficiles à interpréter. Au premier plan se trouvent les trois Marie. Le visage de la Vierge exprime lassitude et douleur. Derrière elle apparaît Marie de Cléophas, réplique exacte de la *Sainte Véronique* dont les deux versions ont été étudiées plus haut *(fig. 50 et 51).* Le dessin du Greco, riche en inflexions, atteint une extraordinaire beauté dans la tête et le bras de Marie-Madeleine. A droite, un bourreau enfonce un poinçon dans un des bras de la croix; fortement penché en avant, il fournit au peintre l'occasion d'un violent raccourci très réaliste.

Nous avons vu que le chapitre de la cathédrale tenta d'obliger le peintre à supprimer les têtes qui dominaient celle du Christ (pour se conformer à la hiérarchie traditionnelle dans l'iconographie religieuse), sans comprendre que cette composition était voulue pour créer une impression d'angoisse et de cauchemar, et nous montrer le contraste psychologique entre la sérénité du Christ et l'excitation des soldats, des bourreaux et de leurs valets. Cela permettait en outre de détacher le visage divin, littéralement plongé dans un chaos d'expressions tumultueuses. Les bleus et les tons sombres rehaussent le blanc des carnations, surtout dans le visage de Jésus, et le rouge étonnant de la tunique qui est la raison d'être de la composition : elle est traitée selon la conception qui consiste à créer une forme dans laquelle coloris et lumière, modelé et plis possèdent un intérêt en soi. L'importance que le Greco attachait à ce facteur se remarque dans le fait que la principale modification apportée aux deux études préliminaires (dont il va être question) dans le tableau définitif, réside dans le déplacement des personnages du premier plan vers la droite et vers la gauche, de manière à libérer la partie centrale et à laisser voir presque entièrement le corps du Christ enveloppé de la tunique rouge dont les textures sont rendues soit par des glacis très délicats, soit par des empâtements relativement forts. La déformation est surtout sensible dans l'attitude tendue du bourreau qui, à la gauche du Christ, tient la corde et détache la tunique. Tous ces personnages cruels se pressent pour approcher le Christ, ce qui permet au peintre de varier les raccourcis et le degré d'achèvement de chaque

fragment. Le contraste entre une zone claire, traitée en touches zigzaguantes et une zone plus sombre aux empâtements plus denses, permet le passage de la lumière à l'ombre. Parfois, celle-ci est obtenue non par des tons plus foncés, mais par un empâtement plus dense; parfois, par de légers rehauts sombres sur les tons clairs, comme dans le voile qui recouvre la tête de Marie de Cléophas. L'unité de l'ensemble provient de la tension de toutes les formes vers la partie centrale, et de la verticalité accusée que donne à la composition l'imposante figure du Christ. Le peintre projette plus de lumière sur le visage du Rédempteur et laisse plutôt dans l'ombre les têtes de tous ceux qui le traquent.

Du point de vue technique, l'exécution du visage du Christ et de ceux qui l'entourent est semblable, mais elle semble mieux étudiée, plus sculpturale même, dans le personnage du Christ. Les grands yeux humides, le cou musclé et délicat, la barbe peu fournie, modelés en touches visibles c'est-à-dire pas tout à fait fondues, sont inoubliables.

L'*Expolio,* œuvre majeure des deux années bien remplies qui décidèrent de l'installation définitive du Greco à Tolède, cause du premier procès du peintre, était sans doute l'un de ses tableaux préférés. On en conserve au moins cinq versions anthentiques et plusieurs copies contemporaines, dont l'une est signée par son fils. Il existe probablement d'autres versions, perdues, ce qui signifie que le Greco parvint à affirmer sa personnalité et à imposer dans le milieu fermé et soupçonneux de Tolède un thème iconographique sans tradition ancune qui suscitait des objections passionnées.

Parmi les versions anthentiques, on distingue deux petits panneaux *(fig. 74, 75, cat. 52, 53)* presque semblables, exécutés selon une technique délicate et minutieuse et avec la même vigueur que la grande toile. S'agit-il de deux études préliminaires? Comme on le verra, le Greco peignait d'abord un modèle avant d'entreprendre l'exécution d'une œuvre. Les légères variantes entre les deux petits panneaux et l'*Expolio* de la cathédrale n'affectent pas la composition ni la typologie des personnages. La version de Upton Downs a sensiblement les mêmes dimensions que l'esquisse de l'*Adoration du Nom de Jésus* étudiée plus haut *(fig. 36, cat. 28).* Les deux œuvres portent

Fig. 71  Détail de la fig. 69

Fig. 72  Détail de la fig. 69

Fig. 73  Détail de la fig. 69

Fig. 74  L'Expolio, vers 1577. Upton Downs, coll. vicomte Bearsted. Cat. 52

Fig. 75 et 76 (détail)  L'Expolio, vers 1577. Florence, coll. Contini-Bonacosi. Cat. 53

Fig. 77  Jerónima de las Cuevas (?), 1577-1579. Barcelone, coll. Muñoz. Cat. 55

au dos les initiales D.G.H., qui indiquent qu'elles ont fait partie de l'importante collection Gaspar Méndez de Haro. Les autres versions de l'*Expolio* sont, croyons-nous, plus tardives; elles seront donc étudiées au chapitre IV.

Faisons quelques remarques sur l'indéniable différence de style entre les œuvres exécutées en Italie et celles de la première période espagnole du peintre. Entraîné par son propre dynamisme et en réaction aux échecs qu'il essuya d'abord à la cour (celui du *Saint Maurice* devait être le plus cuisant), il se lance résolument dans la voie de l'originalité. Constatant que son art ne le servira que dans l'essentiel, il rejette tout ce qui pourrait impliquer le moindre compromis. Pour cela, il géométrise les figures : le procédé, qui n'apparaît jamais au cours de la période italienne, signifie une position nouvelle à l'égard du problème de la forme et la renonciation à la facilité acquise au contact des chefs-d'œuvre du Titien et du Tintoret. La gamme devient en même temps un peu plus froide. Les idées sont plus personnelles et toute dette envers le passé tend à s'éteindre. Ainsi, dans les œuvres de Santo Domingo el Antiguo, voit-on apparaître un Greco qui est totalement lui-même, qui a dépassé la période au cours de laquelle il était dominé — et cela d'autant plus en raison de ses modestes origines de *madonnero* — par les maîtres vénitiens et la grandeur de Michel-Ange. Nous avons pu relever dans les œuvres de l'époque italienne quelques signes précurseurs du Greco tel qu'il le devint en Espagne, mais il ne s'agissait jamais que de détails.

En Espagne, le Greco se «recrée». Les grandioses compositions de Santo Domingo sont les témoignages les plus évidents de ses immenses progrès. La géométrisation des formes est dissimulée par le pathétisme pénétrant qui caractérisa si souvent ses œuvres. C'est le moment où son génie s'épanouit et où, son originalité tout à fait conquise, ses créations vont se développer d'une manière de plus en plus personnelle. Ce qu'il a acquis, il le transformera à tel point qu'on peut parler d'une métamorphose excluant toute réminiscence. Il soumettra le facteur réaliste à sa conception mystique et le transfigurera sans le nier ni le bannir. Ajoutons, quoi qu'aient pu dire ses détracteurs à propos du *Saint Maurice,* qu'on ne relève jamais chez le Greco la poursuite de la notoriété mais plutôt un élan ardent qui l'entraîne aux recherches plastiques les plus hardies : chromatismes inédits, harmonies formelles et interprétations des sujets qui n'auront pas toujours l'heur de plaire à ses clients, mais lui valurent la gloire.

### Jerónima de las Cuevas

Pour en terminer avec la brève étape au cours de laquelle se décida l'installation du Greco à Tolède, disons quelques mots du portrait supposé de *Jerónima de las Cuevas (fig. 78, cat. 56)*. C'était la mère de Jorge Manuel, le fils unique du peintre; cela ressort du dernier document en date concernant le Greco (1614) où il parle de «Jorge Manuel, le fils que j'ai eu de Jerónima de las Cuevas». Cette femme est l'un des grands mystères de sa vie. Il dut faire sa connaissance à son arrivée à Tolède, puisque Jorge Manuel naquit en 1578, c'est-à-dire à l'époque où il travaillait aux peintures de Santo Domingo el Antiguo et où il n'avait pas encore décidé de s'établir définitivement dans la ville. La plupart des historiens pensent que Jerónima et le Greco n'étaient pas mariés, peut-être parce que celui-ci avait déjà épousé en Italie une femme qui y vivait encore. Pour Tormo et Camón Aznar, il est impossible d'imaginer que le Greco ait pu vivre en concubinage avec une femme de Tolède pendant son séjour dans cette ville. Le problème a été minutieusement examiné par José Gomez-Menor, qui émet l'hypothèse de la mort de Jerónima à la naissance de Jorge Manuel, avant que le Greco ait pu régulariser leur situation. Selon lui, le nom de Cuevas est très répandu à Tolède dans la classe moyenne, mais il existait aussi en Castille des Cuevas fort riches. Le grand-père de sainte Thérèse de Jésus était un Cuevas. Que Jerónima n'ait pu se marier pourrait s'expliquer par une ascendance morisque possible. Le Tolédan Juan de Cuevas, probablement frère de Jerónima, avait épousé Petronila de Madrid, qui mourut en 1603. Le Greco assista à l'inventaire de sa succession, et en rédigea même une partie. On y trouve la rubrique suivante : «Item, une toile de Notre Dame, de Domynico».

Le rôle que joua Jerónima dans la vie du peintre est impossible à déterminer et demeurera probablement à jamais inconnu. Quant au modèle du portrait sur toile de la collection Maxwell, les premiers biographes du Greco l'ont, sans la moindre preuve, identifié à la mère inconnue de Jorge Manuel. Rien ne permet de croire que Jerónima de las Cuevas est bien cette belle dame, mais nous avons là une peinture magistrale, au coloris simple et pourtant chatoyant; le modelé du visage est d'une extraordinaire justesse plastique. Nous faisons d'ailleurs figurer ce tableau dans notre catalogue sans être absolument convaincu de son authenticité. Beruete l'attribua au Tintoret, mais les spécialistes du grand peintre vénitien ont rejeté cette attribution. L'œuvre est d'origine espagnole, a fait partie de la collection Serafín García de la Huerta, puis est passée à la galerie espagnole du Louvre où elle se trouvait en 1838. Elle fut acquise en 1853 à Londres, par la famille écossaise des Maxwell, au cours de la vente des collections de Louis-Philippe.

Nous reproduisons dans le format de l'original *(fig. 77, cat. 55)* une miniature à l'huile sur papier (collection Muñoz, Barcelone), qui paraît être du XVIᵉ siècle, et dont la ressemblance avec le portrait de femme en question est on ne peut plus frappante; il s'agit d'un simple document sur lequel nous tenons à réserver notre jugement.

Fig. 78  Jerónima de las Cuevas (?) 1577-1579. Glasgow, coll. Maxwell MacDonald. Cat. 56

Fig. 79 (détail) et 80  Martyre de saint Maurice, 1580-1582. Monastère de l'Escurial. Cat. 57

Fig. 81 Détail de la fig. 80

# III

## 1579-1586

LE « MARTYRE DE SAINT MAURICE » DE L'ESCURIAL – TOLÈDE ET LE PALAIS DU MARQUIS DE VILLENA – ŒUVRES ATTRIBUÉES A LA PÉRIODE 1579-1586 – PORTRAITS – L'« ENTERREMENT DU COMTE D'ORGAZ »

### Le « Martyre de Saint Maurice » de l'Escurial

Au cours de l'automne 1579, alors qu'il résidait depuis deux ans à Tolède et que se poursuivaient ses violents démêlés avec le chapitre de la cathédrale, le Greco reçut la cédule par laquelle Philippe II le chargeait de peindre pour le monastère de l'Escurial un tableau consacré à saint Maurice et à ses compagnons martyrs *(fig. 79 à 83, cat. 57)*. On ignore la date exacte de ce document, mais c'est sans doute son contenu qui fit brusquement renoncer le peintre à défendre ses droits à propos de l'*Expolio*. Ses amis tolédans lui conseillèrent sans doute d'éviter tout heurt avec la justice au moment où s'ouvrait à lui une perspective pleine d'avenir, sa collaboration à l'œuvre gigantesque du roi. Dans une autre cédule, datée du 25 avril 1580, le monarque écrit à nouveau à propos du *Saint Maurice* commandé depuis quelque temps : « Il m'a été rapporté que, faute de couleurs fines et d'argent pour travailler à cette œuvre, il ne s'en occupe point. » Et il ordonne qu'on lui fasse tenir un acompte et qu'on lui envoie des couleurs.

Entre mai 1580 et avril 1583, le peintre reçut en quatre versements la somme de 800 ducats. Le tableau, achevé le 2 décembre 1582, déplut au roi. Le Greco n'ayant pas accepté le prix fixé pour la toile, celle-ci fut évaluée une seconde fois au printemps 1583 par les peintres italiens Romulo Cincinnati et Diego de Urbina, lesquels ne furent sans doute pas étrangers à l'opinion défavorable du monarque. Le second, en tout cas, fut chargé de peindre une autre version du *Saint Maurice*, œuvre sans intérêt qu'il livra en août 1584 et qui surmonte l'un des autels de la basilique. Elle fut plus modestement estimée à 550 ducats. Le tableau du Greco est accroché dans la pinacothèque du monastère de l'Escurial.

Le P. Sigüenza écrivait dans son *Histoire de l'ordre de saint Jérôme* (1605) : « D'un Dominico Greco, qui aujourd'hui vit et fait des choses excelentes à Tolède, il est resté ici, dans les salons capitulaires de l'Escurial, un tableau de saint Maurice [...] Le roi n'en fut pas satisfait [...] peu de gens en sont satisfaits, bien qu'on dise qu'il est d'un grand art, que son auteur sait beaucoup et qu'on voit des choses excellentes de sa main. »

En présence du magistral *Saint Maurice,* on ne peut pas ne pas se demander pourquoi cette œuvre déplut à Philippe II. La seule explication, sans parler de l'influence de ses conseillers italiens, est que le monarque ne possédait pas une sensibilité d'amateur de peinture, mais qu'il s'intéressait seulement à son caractère iconographique. Il s'attendait sans doute à un développement du sujet plus clair, plus truculent, conforme à la tradition hispanique et non à un tableau si serein en apparence, dans lequel les exécutions ne sont représentées que dans un arrière-plan assez lointain.

D'après l'hagiographie, le martyre de saint Maurice et de ses compagnons eut lieu en Gaule à la fin du IIe siècle et eut pour origine l'ordre, signifié par Maximien à Maurice et à la légion qu'il commandait, d'adorer les dieux de l'Empire. Après en avoir discuté avec ses compagnons, chrétiens comme lui, le saint décida de refuser. La légion fut décimée et le serment à nouveau exigé. Nouveau refus, nouveau martyre d'un homme sur dix; le même processus se reproduisit une troisième fois. Tous les légionnaires auraient été finalement massacrés, si l'on en croit la tradition dont on ne sait si elle est historique ou légendaire.

Le Greco s'est donné pour but principal d'exprimer la grandeur d'âme de saint Maurice et des chefs de la légion thébaine. L'atmosphère de sublime indifférence qui se dégage de la composition est destinée à mettre en évidence l'attitude des martyrs soumis à l'impératif de leur conscience religieuse et ne redoutant pas le châtiment suprême. C'est pourquoi le peintre a mis en valeur, non pas les exécutions, mais la conversation entre le saint et ses officiers en plaçant au premier plan à droite un prodigieux groupe de figures dont les gestes expriment avec éloquence le débat intérieur. Se conformant dans une certaine mesure à la méthode maniériste, il place à côté de ces grandes figures les petites figures du second plan, où est représentée la décollation des chrétiens récalcitrants. Plus loin, un troisième groupe se dirige vers le lieu du martyre. L'asymétrie de la composition est équilibrée par la partie gauche de la zone supérieure, très vigoureuse : au-dessus des figures les plus petites, se trouvent des nuages et des anges musiciens, alors que du côté opposé le ciel est vide et qu'au centre sont représentés d'autres anges portant des couronnes triomphales. Des rayons de lumière descendent en faisceaux des hauteurs vers la terre.

Selon son habitude, le Greco a habillé ses personnages de tenues variées, les unes de sa propre époque et les autres répondant à l'idée qu'il se faisait des cuirasses romaines auxquelles il ne donne pas d'ailleurs la couleur du cuir, mais qu'il colore de bleus et de jaunes éclatants. Le personnage de droite porte une épée de style arabe, semblable à celle du roi Boabdil, et à droite, au-dessus du groupe de têtes, se profilent des hallebardes et des pertuisanes d'acier bruni ou doré. L'un des cinq personnages principaux est un adolescent – un page ou un écuyer – qui tient un heaume du XVIe siècle.

Des effets secondaires d'atmosphère, d'une grande vivacité et d'un puissant lyrisme, sont placés entre la zone terrestre et la zone céleste. A côté des figures d'anges en pied qui se détachent fortement dans des attitudes et des raccourcis variés, on aperçoit, à peine visibles, des angelots ou des têtes ailées plongés dans la masse des nuages dont ils prennent la couleur. La prodigieuse harmonie de l'ensemble s'impose au spectateur. L'accord chromatique essentiel est celui des couleurs complémentaires : le bleu (avec des nuances très diverses, allant du violacé au bleu presque blanc) et le jaune, plus le rouge, le blanc, l'ocre de la terre, le bleu du ciel et les verts jaunes des tuniques de certaines figures forment cette harmonie fondamentale. Par ailleurs on remarque une tendance, fréquente chez le Greco, au parallélisme dans les formes des figures et les contours des groupes, qui coïncideraient presque si l'on faisait disparaître les espaces qui les séparent. Le rythme dominant est donné par le vide; la structure du tableau est déterminée par la diagonale qui va de l'angle inférieur gauche à l'angle supérieur opposé et sépare l'espace triangulaire contenant les anges (en haut à gauche) de l'espace de même forme qui, en bas à droite, renferme le groupe des personnages principaux.

La gamme chromatique contribue aux effets de forte luminosité qui animent toute l'œuvre et dont le dynamisme est assuré par quelques interférences d'ombres très légères. Le tableau ressemble à un vitrail, et on dirait que la lumière ne vient pas seulement d'en haut et d'une source située à la place du spectateur, mais aussi d'un foyer qui se trouverait derrière la toile. Cette lumière a des qualités différentes suivant la portion de l'espace à laquelle elle correspond et selon les personnages que celle-ci contient. Nous avons là une peinture très caractéristique de cette période où la personnalité du Greco est totalement affirmée et où aucune réminiscence ne peut plus venir troubler l'originalité de son œuvre. Le groupe de têtes de la partie droite annonce la frise de gentilshommes de l'*Enterrement du comte d'Orgaz* sous une lumière plus gaie et avec une densité d'expression moins intense. Les gestes des personnages du premier plan sont presque identiques, mais la main de saint Maurice montre le ciel, alors que l'attitude des autres paraît exprimer l'approbation et l'assentiment au martyre qui les attend. Ces attitudes pourraient paraître conventionnelles, et esthéticiste la nudité des pieds et des jambes, à qui ne connaîtrait pas la valeur du

Fig. 82 et 83  Détails de la fig. 80

Fig. 84  Étude pour le « Martyre de saint Maurice », vers 1580. Montréal, coll. W. van Horne. Cat. 58
Fig. 85 (détail) et 86  Apparition de l'Immaculée à saint Jean, 1580-1586. Tolède, musée de Santa Cruz. Cat. 59

geste dans l'œuvre du Greco. Mais ce tableau, en raison de ses aspects non intelligibles immédiatement, ne prend tout son sens qu'une fois replacé dans le contexte de l'évolution générale de l'artiste, d'une grande cohérence, et dont le *Saint Maurice* marque un tournant important.

Cette œuvre met à contribution une nouvelle formule du Greco, fondée sur la géométrisation des formes et l'adoucissement du modelé, dont on trouvait les prémices dans les tableaux représentant sainte Véronique et la Madeleine. Cette géométrisation fonctionne dans l'agencement général aussi bien que dans les plus petits détails, et constitue une réaction à la technique plus abrupte qui caractérise les toiles de Santo Domingo el Antiguo et l'*Expolio*. Nous en voyons des exemples dans les figures des anges, les nuages et le petit paysage à la maison blanche situé sur la ligne d'horizon.

Cette préoccupation géométrique, qui se traduit par l'accentuation des contours des plans et des volumes, est très apparente et donne un aspect particulier aux grandes figures du premier plan. Dans cette toile s'affirme la tendance du Greco à introduire des personnages de canon allongé, tendance de plus en plus nette par la suite. Si l'on compare l'effet dominant de l'*Expolio* à celui du *Saint Maurice,* la différence est frappante, d'autant plus qu'une année seulement sépare, on s'en souvient, l'achèvement du premier et la mise en chantier du second. Cela implique une intention délibérée de la part du peintre, un effort intellectuel considérable qui justifie la durée de l'exécution du tableau destiné à l'Escurial. Pour éviter des lignes exagérément accusées sous l'effet de la géométrisation, on voit apparaître pour la première fois une relative «destruction de la silhouette» dans les grandes figures, obtenue par des échappées volontaires du pinceau ainsi que par le frottage rapide des amas de pâte. Ce frottage, nettement visible dans les deux têtes qui, dans le groupe du premier plan, regardent le spectateur, fera pendant très longtemps partie des traits distinctifs de la technique du Greco. Un autre aspect de la réaction contre la géométrisation est le naturalisme absolu des fleurs du premier plan *(fig. 83)* au pied d'une souche d'arbre mort, à côté de la signature du peintre tracée sur un rectangle de papier qu'une couleuvre tient dans sa bouche.

Le contraste entre les conceptions plastiques et chromatiques du *Saint Maurice* et celles de l'ensemble homogène formé par les toiles de Santo Domingo el Antiguo et l'*Expolio* a été amplement souligné par les anciens chroniqueurs, ainsi que l'a fait remarquer Cossío. Palomino tente d'expliquer en ces termes un changement si soudain : «Voyant que ses peintures étaient confondues avec celles du Titien, il s'efforça de changer de manière, et il y mit une telle extravagance qu'il finit par rendre méprisable et ridicule sa peinture, tant par le caractère disloqué du dessin que par l'aspect décoloré de la couleur.» Madrazo remarque : «Entre l'*Expolio* et le *Saint Maurice,* une transformation radicale, une véritable infirmité esthétique avait affecté l'artiste. Soit par l'effet de quelque hallucination mentale, soit encore par un entêtement de son amour-propre à ne ressembler à aucun des peintres de son temps.»

La tête de la collection W. Van Horne de Montréal *(fig. 84, cat. 58)* est une œuvre importante par son affinité avec la figure principale du *Saint Maurice*. Il s'agit sans doute d'une étude pour la grande toile de l'Escurial, d'une première approche du sujet en vue de résoudre le problème premier pour l'artiste : donner forme et vie au héros. Cette œuvre exquise a appartenu à Antonio Vives Escudero, l'un des connaisseurs les plus avisés du début du siècle : à cette époque le Greco n'était pas encore copié ou falsifié.

Le *Saint Maurice* marque un moment capital dans la vie du Greco, celui de l'abandon, ou de l'échec définitif, du projet qui très probablement l'avait conduit en Espagne : devenir le peintre de Philippe II ou du moins le collaborateur de son grand œuvre, le monastère de l'Escurial. Cependant, sur les événements de sa vie et ses réactions personnelles, nous ne pouvons que faire des conjectures. Les seules données documentaires qui nous soient parvenues sur ces années sont celles concernant la commande, les estimations et le paiement du *Saint Maurice*.

### Tolède et le palais du marquis de Villena

Avant 1586, aucune commande ne retenait le Greco à Tolède; cependant, comme il travaillait dans cette ville depuis 1577, il décida probablement de s'y établir définitivement. Nous ignorons où il logeait et l'emplacement de son atelier. L'ancienne métropole espagnole, dépourvue et des sources de richesse qui favorisaient l'essor de Séville et des avantages de Madrid, nouvelle capitale du royaume, était sans doute une cité vieillie où palais et résidences avaient été abandonnés par nombre de leurs habitants. Il nous est difficile d'imaginer une Tolède monumentale : les vues de la cité peintes par le Greco nous en livrent une image très proche de celle qu'elle avait encore il n'y a pas si longtemps. Tout y paraît vieux, petit et plutôt pauvre : une infinité de ruelles entourant le majestueux Alcázar, la massive cathédrale, l'hôpital de Santa Cruz et quelques grandes bâtisses. Les églises, couvents et synagogues ne se signalaient pas par un extérieur monumental; bien que Tolède possédât d'autres édifices notables, elle tirait surtout sa beauté de ses recoins discrets, de son mystère et de sa topographie qui avait exigé la construction de deux ponts monumentaux. Sa richesse, à l'époque du Greco comme aujourd'hui, consistait dans ses nombreuses œuvres d'art qui avaient résisté aux transformations de la civilisation.

Un document du 10 septembre 1585 jette un peu de lumière sur les conditions de l'existence matérielle du Greco. Juan Antonio de Cetina lui cède en location une partie des « maisons du marquis de Villena », un vieux palais aujourd'hui détruit qui, selon San Román, occupait une partie de l'actuelle promenade del Tránsito, près de l'édifice appelé de nos jours Maison du Greco, dans l'ancien quartier juif de Tolède, en bordure de la déclivité sud de la ville vers le Tage. Ces « maisons » formaient à ce qu'il semble un ensemble de bâtiments d'une certaine allure, témoignant de ce qu'avait pu être l'une des plus belles résidences de la cité, avec ses éléments de style mudéjar, ses cours intérieures, ses potagers et ses jardins minuscules. Elle avait été édifiée à la fin du XVe siècle par Enrique de Aragón, marquis de Villena, sur ce qui restait du palais de Samuel Leví, trésorier du roi de Castille Pierre Ier le Cruel († 1369). La tradition y situait des passages secrets menant au Tage, où le riche juif aurait caché ses trésors. Amador de los Ríos, qui étudia les ruines du palais, encore visibles à la fin du XIXe siècle, assure qu'il s'agissait de l'un des meilleurs édifices de Tolède, du type du palais récemment restauré du comte de Fuensalida.

A la fin du XVIe siècle, les « maisons » avaient été arbitrairement divisées en lots destinés à la location. Le bail du Greco indique que celui-ci occupa « trois appartements dont l'un est le logis royal avec la cuisine principale et dont l'autre se trouve dans la galerie qui est entre la première et la deuxième cour intérieure, avec cave jouxtant le puits de ladite cour, et aussi une salle royale dite salle des armoires, avec une pièce près le petit escalier du sous-sol ». Il lui en coûtait un loyer de 596 réaux par an, bien supérieur à celui des autres locataires logeant dans le même palais, ce qui permet de croire que le Greco occupait les pièces principales des « maisons ». Leur description est aussi cahotique que devait l'être le palais transformé en labyrinthe d'appartements.

A cette époque, un autre personnage fait son apparition dans la vie du Greco : Francisco Preboste, peintre de profession. Nous savons qu'il était Italien et né en 1554; son nom revient très fréquemment dans les documents concernant notre artiste, où il est présenté comme une personne à son service souvent munie de procurations pour signer des contrats. On ne peut rien avancer concernant sa personnalité de peintre et son éventuelle collaboration à la copieuse production du Greco; disons cependant que nous sommes convaincus que cette collaboration fut très importante. Ce personnage disparaît en 1607.

### Œuvres attribuées à la période 1579 - 1586

Nous allons étudier un ensemble d'œuvres de sujet religieux qui, pour diverses raisons, peuvent être datées de la période s'étendant du *Saint Maurice* à l'*Enterrement du comte d'Orgaz*. Pendant ce bref espace de temps, n'ayant aucune commande expresse, le Greco reprit le genre qu'il avait pratiqué en Italie : la peinture de tableaux de dévotion destinés aux clients éventuels. Nous savons par l'inventaire des tableaux que l'artiste légua à son fils que le Greco conservait quelques-unes de ses œuvres italiennes. Elles lui servirent de modèle pour certains sujets et de spécimen pour ses premiers clients de Tolède. Il organisa son travail comme dans sa jeunesse, selon la tradition des *madonneri* grecs de Venise : sans rien renier de la très haute conception où il était parvenu, il créa un répertoire iconographique qu'il développa au long

Fig. 87 Madeleine repentante, 1579-1586. Kansas City, W. Rockhill Nelson Gallery of Art. Cat. 60

Fig. 88  Saint Paul, 1579-1586. Madrid, coll. marquise de Narros. Cat. 61

Fig. 89  Tête du Christ, 1579-1586. San Antonio, McNay Art Institute. Cat. 62
Fig. 90  Saint François en extase, 1579-1586. Actuellement non localisé. Cat. 63
Fig. 91  Saint François et frère Léon, 1579-1586. Actuellement non localisé. Cat. 64
Fig. 92  Saint François recevant les stigmates, 1579-1586. Actuellement non localisé. Cat. 66

des années, qui peut être éclatant ou hallucinant, et dont nous suivrons l'évolution pas à pas. La confiance dans cette méthode de travail fut renforcée par le fait qu'il se trouvait dans un pays qui, à la différence de l'Italie sensuelle de la Renaissance, n'avait ouvert ses portes ni aux sujets mythologiques ni au nu, et où dominaient encore les traditions médiévales modifiées par les acquisitions techniques du XVIe siècle. Il savait qu'il trouverait à coup sûr une clientèle pour un art profondément religieux, et parfaitement adapté à ses propres dons.

L'œuvre la plus importante que nous attribuons à cette époque est l'*Apparition de l'Immaculée à saint Jean* provenant de l'église San Román de Tolède *(fig. 85 et 86, cat. 59)*. Elle nous est parvenue dans un état lamentable mais, bien qu'une restauration excessive en ait sensiblement altéré l'aspect général, elle n'en est pas moins remarquable. Conception et technique sont très voisines de celles du *Saint Maurice.* La Vierge est l'élément essentiel de la composition et, pour en accroître l'importance, le Greco a opté pour un canon allongé qui lui permet d'améliorer l'image au lieu de la déformer. Le personnage se présente sur une sorte de trône de nuages opaques, transposition des mandorles byzantines. De part et d'autre, à la hauteur du buste, deux anges musiciens sont traités selon un naturalisme idéalisé; auprès d'eux d'autres anges se fondent dans les nuages, de même que les chérubins qui entourent la colombe du Saint-Esprit. Cette vision de saint Jean l'Évangéliste, dont on voit le torse au premier plan, a pour cadre un paysage idyllique aux très beaux effets chromatiques : le Soleil, la Lune, un temple, une source et un bouquet de roses sont autant de symboles allusifs à la Vierge Marie.

La *Madeleine repentante* du musée de Kansas City *(fig. 87, cat. 60),* très proche de la toile de même sujet provenant de Valladolid et précédemment étudiée *(fig. 46),* semble bien appartenir à cette période de 1579-1586. Dans cette nouvelle version, le peintre traite son sujet de plus près. Il change de place les branches de lierre, la tête de mort et le petit vase de verre, mais ne modifie pas la position de la sainte et conserve la ligne rythmique qui va du front à ses mains croisées sur son giron. Le rendu paraît plus délicat, d'une légère sensualité, et les longues mèches de la chevelure, plus ondulées et plus blondes, renforcent

cet effet. La formule picturale ne répond pas à une géométrisation poussée comme dans le *Saint Maurice :* de fait, après ce tableau, le Greco est partiellement revenu à un modelé plus fondu et plus spontané. Si la géométrisation persiste, elle est dissimulée sous la « peau » de la peinture définitive et affecte surtout la structure du dessin.

Le *Saint Paul* de la collection de la marquise de Narros *(fig. 88, cat. 61)* atteint presque à la clarté formelle du *Saint Maurice,* mais son coloris est sourd et austère. Le personnage est représenté dans un intérieur; son geste, éloquent, est l'un de ceux dans lesquels se réfugiait le peintre pour échapper aux limitations de la peinture – muette par essence – et tenter de lui donner la parole. A côté d'une épée à deux mains, attribut du saint, figurent une plume et un encrier symbolisant l'activité de l'auteur des *Épîtres.* Au fond, un escalier et l'embrasure d'une porte ouverte. Le jeu des espaces définis par l'architecture est très habile et ses tons neutres permettent de mettre en évidence la figure du saint, traité comme un portrait : ce visage-là n'est ni impersonnel ni idéalisé par la vision du peintre ou l'interprétation d'un modèle par le peintre; on dirait au contraire que saint Paul en personne a posé pour le Greco. Son regard, qui traduit plutôt l'intérêt que la passion mais exprime d'emblée l'énergie, est carrément dirigé vers le spectateur. L'ample manteau de grosse toile souple qui forme de curieuses courbes, prend qualité de forme abstraite comme dans les drapés gothiques. Nous verrons que le Greco s'intéresse de plus en plus aux étoffes en tant que moyen de créer des formes colorées dotées d'une suffisante puissance esthétique, bien entendu toujours au service des figures, de même que celles-ci donnent l'impression de n'être jamais gratuites, mais toujours au service de l'homme.

Dans le même groupe, nous rangeons une *Tête du Christ (fig. 89, cat. 62),* version simplifiée de la tête de Jésus de l'*Expolio,* peinte comme tableau de dévotion familiale. On notera, compte tenu des différences exigées par la sujet, la similitude de modelé, d'expression et de caractère avec la seconde version de la *Madeleine* que nous avons étudiée *(fig. 87).*

Sont également de la même période, selon nous, trois images de saint François d'Assise. La première, un *Saint François en extase (fig. 90, cat. 63),* se trouvait

Fig. 93  Saint François et frère Léon, 1579-1586. Monforte de Lemos, collège des frères piaristes. Cat. 65

107

dans l'église de Santa Olalla, province de Tolède; c'est une reprise, géométrisée, de la toile dont nous avons parlé plus haut *(fig. 48)*. Composition et sentiment sont identiques; seule a changé la technique; en effet, dans cette seconde version, le Greco utilise largement le frottis pour étendre la matière picturale. On y trouve un autre procédé technique effectiste : certains fonds sont très assourdis et les contours de certains éléments sont soulignés par du noir pur. Cette manière de réchampir en noir sera une formule largement appliquée par le Greco dans des œuvres postérieures.

Le deuxième *Saint François* est celui de la collection Pidal de Madrid *(fig. 91, cat. 64)*, que nous considérons comme une étude préliminaire du troisième, version de format plus grand conservée à Monforte de Lemos, province de Lugo *(fig. 93, cat. 65)*. Ces deux œuvres magistrales sont à peine différentes. Dans le tableau définitif, l'effet spatial est plus ample et plus intense, et la figure y laisse libre un étroit espace au premier plan. Les deux tableaux montrent le saint agenouillé de face, tenant un crâne dans ses mains, et en compagnie du frère Léon en train de prier à sa gauche. Nous pensons que ces deux œuvres représentent les prototypes de la série la plus nombreuse de l'iconographie franciscaine du Greco. Plus de cinquante toiles, y compris les répliques de la main du peintre, les œuvres d'atelier et les copies contemporaines, reprennent cette image. Le *Saint François* de Monforte fait partie, comme le *Saint Laurent* déjà étudié *(fig. 52)*, du legs effectué en 1600 par l'archevêque de Séville don Rodrigo de Cristo. La conception de cette image diffère très sensiblement de celle de Santa Olalla. Dans celle-ci, le saint est représenté d'une manière plus directe; le peintre semble rechercher une relation immédiate avec le personnage, qu'il traite comme un portrait. En revanche, dans le tableau de Monforte et son esquisse, la représentation répond mieux à ce que doit être un tableau de dévotion. L'éloignement spirituel y est plus sensible, et la distance qui sépare le commun des mortels du saint qui obtint à force d'amour que les plaies du Christ s'impriment sur son propre corps. La différence entre l'esquisse et la toile de Monforte provient des effets de rapport entre forme et facture conditionnés par le format. Dans l'esquisse, la touche est très large et visible par rapport à la taille des figures; on remarque

des effets de frottis qui donnent à la robe une texture rayée. Dans le tableau, celle-ci conserve le même aspect, mais elle possède une intensité beaucoup plus grande; le modelé des carnations est plus fondu et plus délicat et les contrastes de tons, quoique peut-être moins abrupts, paraissent plus forts. Le contraste entre les qualités représentées est plus accentué que dans l'esquisse, où s'impose davantage la qualité de la matière picturale proprement dite. Cette différence d'effets entre esquisses ou tableaux de petit format et peintures de dimensions moyennes ou grandes doit toujours être soulignée. Le dessin, non comme infrastructure, mais comme définition précise de la forme, est plus visible dans les œuvres définitives plus grandes. On peut le voir en comparant par exemple dans les deux versions la partie qui contient les mains tenant le crâne, objet de la méditation du saint.

Le *Saint François recevant les stigmates (fig. 94, cat. 97)* de la collection du marquis de Pidal (Madrid) paraît bien être le prototype d'une autre nombreuse série. Le saint est représenté à trois quarts de corps, tourné de trois quarts vers la gauche et légèrement penché en avant dans une attitude offerte. Un admirable ciel nuageux sert de fond et en haut à gauche on peut voir un petit crucifix d'où partent des rayons représentant le tracé des plaies du Christ allant s'imprimer sur le corps du saint. Le modelé de son visage est délicat, mais on y retrouve encore la simplification et la géométrisation des formes du *Saint Maurice*. S'agissant d'un modèle simple et d'exécution rapide, ces caractères s'adaptaient parfaitement à la nouvelle orientation choisie par le Greco pour devenir un peintre professionnel en Espagne. Il exécutera bientôt des répliques et des variantes de ce même modèle, ce qui prouve qu'il savait choisir avec discernement et les sujets et la façon de les traiter. La possibilité de réaliser l'image d'un même saint sous des aspects différents lui permettait évidemment de mieux satisfaire ses clients éventuels. Ce serait cependant une erreur que de considérer du point de vue commercial l'orientation que le Greco donna à son œuvre; et une erreur aussi grave que d'imaginer qu'il pouvait se passer tout à fait de motivations réalistes, lui qui était un étranger fixé depuis peu dans un autre pays, ne jouissant au surplus d'aucune fortune personnelle et d'aucune protection officielle. La grandeur du Greco, et

Fig. 94  Saint François recevant les stigmates, 1579-1586. Madrid, coll. marquis de Pidal. Cat. 67

Fig. 95 La Sainte Famille, 1579-1586. New York, Hispanic Society. Cat. 69

celle d'autres artistes dans un cas semblable, consiste justement à savoir concilier les exigences pratiques de la vie avec la vocation et le désir d'exprimer des sentiments mystiques par des images picturales. Il est possible que la petite toile *(fig. 92, cat. 66)* soit une esquisse préparatoire du tableau dont on vient de parler.

A cette même période appartient la première version connue d'un autre sujet religieux : la *Sainte Famille* de la Hispanic Society *(fig. 95, cat. 69)*. Elle est proche par sa facture de l'*Enterrement du comte d'Orgaz* (1586) auquel elle est certainement de peu antérieure. La Vierge est très belle. Le lecteur peut, après tous les historiens, chercher les ressemblances entre cette Vierge si humaine, donnant le sein à L'Enfant Jésus, et le portrait supposé de Jerónima de las Cuevas. Toutes deux ont le même type de beauté sereine et profonde, modeste dans sa grâce et son éclat. La gamme chromatique de cette toile est l'une des grandes réussites du peintre dans la ligne de sa tendance à la clarté et à la simplification. Il s'éloigne ici de la froideur du *Saint Maurice*, sans tomber dans un excès contraire, et en maintenant un équilibre qui paraît obtenu aisément, sans le moindre effort. Le fond de ciel bleu et de nuages joue un rôle essentiel dans l'unification, non seulement des couleurs mais des valeurs et même des rythmes des formes.

Avec *Les larmes de saint Pierre (fig. 96, cat. 70)* du Bowes Museum, nous nous éloignons de la représentation directe, à la manière d'un portrait, du *Saint Paul* étudié plus haut. Il est possible que cette image soit la première de celles représentant le premier apôtre qui jalonnent la production du Greco. Par l'attitude, l'angle de vision et même quelques détails dans le décor, il rappelle les deux versions de la *Madeleine repentante* dont nous avons parlé. On y retrouve le rocher et le lierre, mais traités selon une conception plus diffuse. Fidèle au procédé maniériste consistant à placer de petites figures en contraste avec de plus grandes – dans un effet de perspective –, le Greco a peint, au fond et à gauche, l'une des Saintes Femmes s'éloignant du tombeau du Sauveur gardé par un ange. Ces images très nébuleuses, qui font pour ainsi dire partie du paysage flou, paraissent se situer entre les anges phosphorescents de l'*Apparition de l'Immaculée à saint Jean* et la foule que contiendra l'*Enterrement du comte d'Orgaz*. Notons une fois encore la tendance

du Greco à renouveler ses images à partir de réalisations antérieures auxquelles il ajoutait des éléments nouveaux. Si le rendu du visage, des yeux, des bras et des mains jointes rappelle de très près celui de la *Madeleine* – compte tenu de la profonde différence entre les deux personnages, cependant animés d'un même sentiment mystique –, l'arrière-plan du ciel et des nuages est ici renouvelé parce qu'il est fondu à la scène à petites figures que l'on peut voir à gauche. Les éclats lumineux surnaturels émanant de cette partie sont en parfait accord avec le mouvement tumultueux des nuages et créent une zone à la fois lyrique et dramatique. En revanche, par le traitement de l'étoffe épaisse de la tunique, ce saint Pierre rappelle dans une certaine mesure le *Saint Paul* de la collection de la marquise de Narros; ici cependant la forme épouse de plus près le corps qu'elle modèle au lieu de lui superposer un système de formes ayant une valeur en soi. La qualité de ce tableau tient aussi au contraste des tons : la tunique sombre se détache sur les parties claires du fond et la carnation claire sur la couleur sombre du ciel. Le lierre joue le rôle d'attribut de la vie du pénitent et le crâne de la Madeleine (allégorie de la mort) a fait place au tombeau vide (preuve de la résurrection du Maître renié par saint Pierre). Le pouvoir d'émotion de l'image provient de la perception presque inconsciente de tous ces éléments, mais surtout du fait que l'expression du personnage suffit à tout exprimer. Il est curieux de noter, du point de vue typologique – ou plutôt psychologique – que l'expression de la Madeleine est plus sereine et plus confiante que celle du premier apôtre, qui paraît presque angoissé : le Greco a su montrer tout cela avec précision et éloquence. Bien que nous accordions dans nos analyses plus d'importance à l'exécution et aux valeurs plastiques qu'à l'iconographie et à ses implications, il n'est pas douteux que chez un grand peintre ces qualités forment un tout; à plus forte raison dans l'univers d'un artiste qui, très éloigné de la conception de l'«art pour l'art», sert la cause de la religion divisée et de la foi ébranlée.

### Portraits

Quatre portraits d'hommes complètent, à en juger par leur technique, l'œuvre de la période qui nous occupe. Par leur conception formelle, ils sont proches des orants du *Christ en croix* du Louvre et surtout du *Gentilhomme à la main sur la poitrine,* et constituent la transition entre ces œuvres et la frise de têtes couronnant la zone inférieure de l'*Enterrement du comte d'Orgaz.* Ces portraits s'intitulent : *Rodrigo de la Fuente,* médecin tolédan mort en 1589 *(fig. 100, cat. 74);* un anonyme *Gentilhomme de la maison de Leiva,* toile provenant de la cathédrale de Valladolid *(fig. 97, cat. 71);* une image supposée mais très probable de *Saint Louis de Gonzague (fig. 98, cat. 72),* représenté à l'époque où le jeune homme n'avait pas encore atteint la gloire (Louis de Gonzague se trouvait à Tolède en 1583 comme page du prince Diego, fils de Philippe II); enfin, l'impressionnant vieillard du Metropolitan Museum, considéré longtemps comme un autoportrait *(fig. 99, cat. 73).*

Dans l'ensemble, ces peintures sont de tonalité sourde, modelées en clair-obscur comme dans une grisaille, au moyen d'effets qui ont tenté tous les grands coloristes de tous les temps, sans doute pour marquer une pause et renouveler leur vision de la couleur. Il serait bien risqué d'avancer des hypothèses sur l'esprit de ces portraits dont les modèles n'ont pas été identifiés avec certitude. Cependant, un facteur de «psychologie collective» est ici indéniable. Dans l'*Enterrement du comte d'Orgaz* aussi nous pourrons constater, malgré certaines différences d'expression, d'attitude, d'âge et de sentiment, un caractère d'unité chez les gentilshommes qui assistent à l'inhumation. Cette unité est déjà sensible dans ces quatre portraits conçus séparément.

Le *Gentilhomme de la maison de Leiva* est un homme jeune de trente à trente-cinq ans, portant un habit noir qui contraste avec ses manchettes et son col de dentelle blanche. On ne peut qu'admirer, dans ces modes du XVIᵉ siècle, combien les costumes et les rares accessoires d'ornement contribuaient à l'harmonie des visages. Avant l'époque où les couleurs les plus rutilantes furent de règle pour le vêtement de luxe, ces seigneurs de la Renaissance choisissaient pour leur tenue d'apparat des soies ou des velours noirs qui mettaient admirablement en valeur la délicatesse de leur carnation et la distinction de leurs traits. La technique de ce tableau est relativement complexe, car chaque type de texture fait l'objet d'un traitement distinct. Il y a une grande beauté dans la façon de rendre les dentelles en écrasant la pâte blanche sur la toile pour la faire s'épanouir : on retrouvera cette manière dans les portraits des gentilshommes de l'*Enterrement.* Remarquons par contre le riche jeu de transparences du costume noir, les reflets des lumières, la densité des parties complètement sombres. Par contraste, la carnation est traitée en un modelé fondu très délicat, en fait très linéaire.

Le *Saint Louis de Gonzague,* vu de plus près, un livre ouvert devant lui et la main droite levée, rappelle certains portraits de la période romaine du Greco par la manière sèche de rendre le visage. Le personnage semble empreint de volonté et de détermination; malgré son visage apparemment inexpressif, on le dirait consumé d'un feu intérieur. Ici, le noir du costume est d'une densité très forte et quelques légers rehauts de gris clair marquent les reliefs et la lumière.

La toile longtemps tenue pour un autoportrait du Greco se rapproche du *Saint Paul* déjà cité, mais elle représente un homme plus âgé de vingt ans au moins. D'après la date attribuée à cette œuvre, qui correspond à l'époque où le Greco avait environ quarante ans alors que l'homme du portrait en paraît plus de soixante, on peut dire qu'il ne s'agit pas d'un autoportrait. C'est l'une des toiles les plus travaillées du groupe que nous étudions ici. La fourrure du vêtement donne au peintre la possibilité d'un contraste supplémentaire de textures, mais l'intérêt du tableau est cependant concentré sur la tête. On notera surtout la manière de rendre les tempes au moyen de légères touches de blanc appliquées sur la couleur foncée, le subtil dégradé du front, la mobilité du regard, la légère asymétrie du visage.

Dans le portrait du docteur Rodrigo de la Fuente, apparaît, en même temps que des qualités semblables, le désir de représenter le caractère propre à l'homme de science. La présence ici, comme dans les *Saint Paul* et le *Saint Louis de Gonzague* présumé, d'un livre ouvert sur lequel s'appuie la main du personnage nous permet de remarquer des différences plutôt que des analogies. Saint Paul traduisait par son geste la transcendance du livre dont sa main semble désigner un passage précis. Dans le *Saint Louis de Gonzague* le rapport est moins précis, mais l'invocation au texte demeure. Au contraire, le docteur de la Fuente pose

Fig. 96  Les larmes de saint Pierre, 1579-1586. Barnard Castle, Bowes Museum. Cat. 70
Fig. 97  Gentilhomme de la maison de Leiva, 1579-1586. Montréal, Musée des beaux-arts. Cat. 71
Fig. 98  Saint Louis de Gonzague (?), 1579-1586. Santa Barbara, coll. Converse. Cat. 72
Fig. 99  Tête de vieillard, 1579-1586. New York, Metropolitan Museum. Cat. 73

Fig. 100  Rodrigo de la Fuente, 1579-1586. Madrid, musée du Prado. Cat. 74

avec autorité sa main sur le livre pour signifier que la science est contenue en lui autant ou plus que dans les textes. L'image est d'une vigueur indéniable, mais empreinte d'humanité malgré son caractère austère et rigoureux. La fraise, tout arbitraire qu'elle soit, ne peut en rien modifier l'effet produit par la ferme implantation du personnage, du visage naturellement expressif et comme modelé par des années d'étude et d'expérience. Admirable est le dessin de la main droite, au tout premier plan, exactement dans l'axe de la composition et à l'aplomb de la barbe blanche du personnage. Le vêtement est traité d'une manière un peu diffuse, mais ne se confond pas toutefois avec le fond vert foncé : son rôle est évidemment de souligner la prestance de la tête d'une grande dignité et d'une grande intensité.

### L'«Enterrement du comte d'Orgaz»

Cette troisième étape de la vie du Greco s'achève avec la plus célèbre de ses œuvres, l'*Enterrement du comte d'Orgaz (fig. 101 à 108, cat. 75),* qui se trouve aujourd'hui à son emplacement d'origine dans l'église Santo Tomé de Tolède.

Un gentilhomme nommé Gonzalo Ruiz de Toledo, chancelier de Castille, précepteur de l'infante Beatriz et seigneur de la ville d'Orgaz, fit reconstruire à ses frais l'église Santo Tomé. Il mourut en 1323 et fut enterré dans l'une des chapelles. L'inscription gravée en latin et en castillan sur le tombeau rappelle le miracle qui se produisit lors de son enterrement : «Au moment où les prêtres se disposaient à le mettre en terre, fait étonnant et insolite !, saint Étienne et saint Augustin, descendus du ciel, l'inhumèrent de leurs propres mains.» L'apparition des deux saints fut considérée comme un témoignage de reconnaissance envers le charitable gentilhomme qui avait procuré un logis aux religieux augustins et fait ériger une église dédiée à saint Étienne. L'inscription dit encore : «Il disposa dans son testament que le curé de cette église et les pauvres de la paroisse recevraient deux moutons, seize poules, deux outres de vin, deux charges de bois de chauffage et huit cents pièces que nous appelons maravédis, qui leur seraient remis chaque année par les habitants d'Orgaz». Les années passèrent et il semble que les autorités du bourg de la province de Tolède se refusèrent à verser cette contribution annuelle à la paroisse de Santo Tomé. Le curé Andrés Núñez de Madrid leur intenta un procès qu'il gagna en 1570, en mémoire de quoi l'évêque Quiroga autorisa l'exécution du tableau. Le contrat passé avec le Greco fut signé le 18 mars 1586. Le peintre tint sa promesse d'achever son travail pour Noël de la même année : donc, en neuf mois à peine il réalisa une œuvre particulièrement complexe de 4,80 m sur 3,60 m.

Luis de Velasco et Hernando de Nuciva estimèrent l'œuvre 1 200 ducats. A la demande du conseil de fabrique de Santo Tomé qui trouva ce prix excessif, une nouvelle évaluation fut confiée à Hernando de Ávila et Blas del Prado. Ceux-ci vantèrent l'excellence de l'œuvre et en portèrent le prix à 1 600 ducats. Finalement, le 20 juillet 1588, après de longs débats de procédure, les deux parties tombèrent d'accord sur le chiffre de la première estimation. Le peintre dut accepter d'être payé en partie en nature (on lui offrit un ostensoir), en partie en argent; celui-ci passa directement aux mains de Medina, «négociant linger», et d'autres créanciers du Greco. Malgré le différend qui les avait longtemps opposé, le peintre fit présent au curé de Santo Tomé d'une toile représentant Andrés Núñez en prière devant le Crucifié; cette œuvre, selon le comte de Cedillo, fut ensuite léguée par son possesseur à l'église de Navalperal en 1601.

Le grandiose *Enterrement du comte d'Orgaz* est depuis toujours le chef-d'œuvre le plus admiré par les visiteurs de Tolède. De l'église construite par le charitable gentilhomme (qui ne porta jamais le titre de comte, octroyé à ses descendants), il ne subsiste que l'élégant clocher mudéjar. Si, comme on l'a vu, le Greco avait déjà atteint quelques années plus tôt la maturité de sa technique et de son style, et s'il était parvenu à la synthèse des composantes fondamentales de son art, c'est dans ce tableau que cette synthèse acquiert sa pleine signification spirituelle et s'épanouit de la manière la plus complète et la plus convaincante.

En comparant cette composition à d'autres, dans lesquelles le Greco utilise la division en deux zones, l'une céleste et l'autre terrestre, on constate que l'espace réservé à la première est nettement plus grand. Fidèle au principe qui lui fait écarter les éléments de décor et d'atmosphère, le peintre a conçu la partie inférieure de manière qu'elle serve simplement à l'exposition du motif central du tableau : le miracle de l'enterrement. Notons d'ailleurs que dans ce tableau, une certaine communication est établie entre les deux espaces par le fait que deux personnages célestes deviennent les protagonistes d'une action terrestre. Pour les gentilshommes, l'enterrement de leur ami n'est pas seulement une cérémonie, mais l'occasion de méditer sur leur propre condition de mortels. Ainsi la zone céleste, outre qu'elle exprime la vision du peintre, est aussi l'image évoquée par chaque personnage. Des nuages d'une rare densité, traités au moyen de cette matière particulière déjà utilisée dans le *Saint François recevant les stigmates* une quizaine d'années plus tôt *(fig. 17)*, nuancés de tons opalins et peuplés d'anges, forment la masse sur laquelle s'élève le séjour des bienheureux. L'ensemble de cet espace dynamique, comme attiré par le mouvement d'un tourbillon autour d'un vide central qui traduit le contact direct entre Jésus placé tout en haut et le monde terrestre, renferme des contrastes de tons et de nuances qui vont de la couleur franche à des valeurs indéfinissables. De part et d'autre du seuil de cette zone céleste, la Vierge et saint Jean accueillent l'âme du gentilhomme qui, portée par un ange, arrive au Paradis sous la forme d'un petit enfant translucide comme un brouillard léger.

Au centre de la zone inférieure, saint Étienne jeune et saint Augustin, à la barbe blanche, soutiennent le corps du gentilhomme revêtu de son armure d'acier rehaussée d'ornements dorés. Le Greco se sert du costume des deux saints pour introduire des peintures dans la peinture, comme la petite scène de la lapidation de saint Étienne ou les figures de saints ornant la bande verticale du vêtement de saint Augustin. L'or, le blanc jaunâtre et le rouge dominent dans ce groupe central, et aussi les qualités métalliques de l'armure du comte. Celle-ci reflète la figure du protomartyr, la main du chevalier de Santiago qui se tient au milieu du groupe des assistants et d'autres subtiles images qui font penser, sous une technique abrupte d'une miraculeuse précision, aux trouvailles naturalistes des quattrocentistes flamands.

Cette œuvre frappe, dès l'abord, par le sujet conçu comme un tout qui s'impose au spectateur, qu'il soit amateur passionné de peinture ou profane doué

de sensibilité. La seconde valeur qui s'affirme est le complexe et prodigieux équilibre des effets statiques et des mouvements suggérés. Le groupe central semble être en mouvement; la frise de gentilshommes, le prêtre de droite dans son attitude d'étonnement stupéfait sont au contraire statiques. Dans la zone supérieure, l'attitude réservée de la Vierge contraste avec celle, éloquente, de saint Jean, et avec le rythme spiral du nuage qui découvre les figures de David, Moïse et Noé assis à gauche; plus haut, saint Pierre équilibre le groupe dense situé à droite. Parmi les vénérables sont assis deux personnages connus : Philippe II, qui régnait encore lorsque ce tableau fut peint, et le défunt cardinal Tavera.

Dans cette œuvre le Greco n'a pas recherché à produire un effet unique, mais une première impression frappante qui devait être suivie d'une série d'effets secondaires savamment dosés selon leur importance hiérarchique. De bas en haut, le réalisme de la vision s'atténue peu à peu sans aller jusqu'à se perdre dans le vague, par une progression logique de dématérialisation, de l'armure du comte à la figure idéalisée du Rédempteur qui, bien que placé près de sa Mère et du Précurseur, semble occuper son espace propre à la fois proche et lointain.

Le talent du Greco pour peindre les gestes trouve à nouveau l'occasion de se manifester, bien que dans l'ensemble l'œuvre surprenne par sa retenue et sa sévérité. L'ange qui porte l'âme, l'angelot de droite, le nu de saint Jean, de canon allongé et d'une anatomie parfaite, le geste de son bras et la position de ses jambes sont à coup sûr les éléments les plus dynamiques du tableau. Si le groupe central produit un effet de dynamisme latent, c'est d'abord par l'extraordinaire expression de vie donnée aux personnages et ensuite parce que la position des saints qui le portent et sont penchés sur lui rendent sensible le poids du cadavre. Autant de sentiments sont exprimés par les visages et par les gestes des mains ornées de manchettes en dentelle, dont le blanc contraste avec le noir des costumes et le rouge des croix de Santiago. Ces figures de gentilshommes et de prêtres ont ici hérité du réalisme qui caractérisait la période romaine du Greco : déjà alors en pleine possession de ses moyens, il est maintenant parvenu à une facilité exceptionnelle qui s'impose aux yeux du spectateur.

Fig. 101 Enterrement du comte d'Orgaz, 1586.
Tolède, église Santo Tomé. Cat. 75

Fig. 102  Détail de la fig. 101

Fig. 103  Détail de la fig. 101

 Fig. 104 et 105  Détails de la fig. 101

Fig. 106  Détail de la fig. 101

Fig. 107  Détail de la fig. 101

Fig. 108  Détail de la fig. 101

Chaque tête est un chef-d'œuvre, chaque main révèle une totale maîtrise du dessin. Les diverses expressions des personnages (résignation, soumission à la volonté de Dieu, espoir, curiosité, muette admiration pour les vertus du défunt, etc.) témoignent de l'exceptionnelle acuité psychologique du peintre; de son don inné de comprendre et de représenter les êtres humains, non moins remarquable que son aptitude à dépeindre la hiérarchie des bienheureux et les êtres divins en idéalisant des types traditionnels.

L'extraordinaire qualité chromatique de la composition provient de ce que l'on pourrait appeler un « pathétisme somptueux », marqué par la prédominance du noir et des tons profonds, qui constituent le fond sur lequel se détachent des blancs et des gris clairs, des jaunes-verts ou des jaunes d'or, des rouges diversement nuancés, ainsi qu'une gamme secondaire plus discrète de violets, de bleus, de verts et de lumières nacrées; sans parler des étonnantes carnations. L'étude des détails révèle la prodigieuse sûreté du peintre, sa technique faisant alterner modelés délicats et touches abruptes, établissant aussi de surprenants contrastes de textures. Les fraises et les dentelles sont d'un blanc pur et d'une pâte un peu grossière. Les mains, délicatement tracées en blanc, ont été ensuite modelées par des ombres roses très douces; et les yeux, auxquels le Greco sut donner un éclat humide, sont ici des éléments essentiels; même lorsqu'ils sont mi-clos, la vigueur du trait laisse deviner l'intensité du regard. Les étoffes offrent au Greco l'occasion de prouver sa maîtrise technique, qu'il s'agisse du surplis transparent du prêtre, à droite, en harmonie avec la tunique blanche du Christ, ou des lourds brocarts des dalmatiques de saint Étienne et de saint Augustin. La tête du gentilhomme mort est d'une puissance extraordinaire, en raison surtout du contrepoint qu'elle forme aux figures humaines qui l'entourent, animées d'une vie intérieure plus que corporelle.

L'enfant vêtu de noir qui, au premier plan, tient une torche dans la main droite et de l'autre montre le miracle, est Jorge Manuel Theotokopoulos le fils du Greco *(fig. 106)*. Le peintre facilite l'identification du modèle en inscrivant sur le mouchoir qui dépasse de la poche de son fils sa date de naissance : 1578. Il se détache par son éclatante beauté de la magistrale galerie de portraits qui forment l'âme de cette peinture.

Ce tableau, qui avec l'*Expolio* a assuré la renommée du Greco, a suscité au cours des siècles des commentaires inépuisables et généralement passionnés. Le premier d'entre eux se trouve dans la *Description de la Cité Impériale de Tolède* composée en 1612 par F. de Pisa qui écrit: « C'est l'une des meilleures peintures qui existe en Espagne; les étrangers qui viennent voir ce tableau sont pleins d'admiration, et les gens de la ville ne se lassent jamais de l'admirer, et ils y trouvent toujours des choses nouvelles ». On pense que tous les assistants à l'inhumation miraculeuse sont des contemporains du Greco. Des identifications ont été proposées, mais en fait aucune n'est sérieusement fondée. Il semble cependant qu'Antonio de Covarrubias, le célèbre humaniste ami du Greco, est l'ecclésiastique à barbe blanche, de profil devant le prêtre de dos du premier plan. Il est possible que le gentilhomme qui, au centre, ouvre les mains soit le duc de Benavente, dont le portrait par le Greco est conservé au musée de Bayonne. L'ecclésiastique qui porte la croix représente peut-être Rodríguez de la Fuente, fils du médecin de même nom peint par le Greco et apparenté à la Mère Jerónima de la Fuente dont Velázquez fit le portrait (conservé au musée du Prado). On suppose que le prêtre en dalmatique est Andrés Núñez, curé de Santo Tomé, qui intenta le procès à la municipalité d'Orgaz et commanda au peintre ce tableau commémoratif. On imagine enfin que l'artiste s'est représenté parmi les assistants; nous reviendrons sur ce point à la fin de cet ouvrage à propos des autoportraits supposés du Greco.

En conclusion, rappelons que ce tableau capital, synthèse d'une époque et d'une culture, est l'une des expressions artistiques les plus hautes de la pensée espagnole de ce temps, et que, au moment où le Greco le créait, se trouvaient à Tolède saint Jean de la Croix, sainte Thérèse de Jésus, Lope de Vega et Cervantès.

## IV

### 1587-1597

LE RETABLE DE TALAVERA LA VIEJA – NOUVEAUX MODÈLES – LA «PIETÀ» DE LA COLLECTION NIARCHOS – ICONOGRAPHIE FRANCISCAINE – ŒUVRES DIVERSES – PORTRAITS – RÉAPPARITION D'UN MODÈLE ITALIEN

*Le retable de Talavera la Vieja*

Nous voici parvenu à une époque de l'existence du Greco que l'on peut qualifier de stationnaire dans tous les sens du mot. Au cours de cette période, la seule œuvre datée est le retable de Talavera la Vieja, exécuté en 1591. Le maître et ses aides continuaient à peindre des tableaux de dévotion, ce qui n'excluait pas l'invention constante de nouveaux modèles. Les renseignements biographiques sur ces années sont très peu nombreux. Le 1er juillet 1588, le Greco et Francisco Preboste donnèrent procuration à deux personnes résidant à Séville pour encaisser le montant d'un *Saint Pierre* et d'un *Saint François* livré à don Diego de Velasco. Ce premier indice d'une extension de l'activité du peintre au-delà des limites de Tolède semble indiquer qu'il existait un contrat d'association entre l'artiste et son serviteur ou aide. Le 27 décembre 1589, le Greco s'engagea à payer le loyer du palais du marquis de Villena où il habitait et travaillait depuis la fin de 1585. Cet engagement ne paraît pas avoir été tenu, car dans les derniers jours de 1589 le peintre se vit dans l'obligation de prendre un logement moins coûteux et plus modeste : cela prouve que les ventes de tableaux à des particuliers ne rapportaient sans doute pas autant qu'il l'avait pensé.

Les toiles que nous allons étudier permettent de déterminer l'existence de trois «niveaux» chez le Greco : les grandes compositions importantes, telles que le *Saint Maurice* et l'*Enterrement du comte d'Orgaz;* les tableaux de sujet religieux d'une certaine complexité

et de tendance coloriste; les images de dévotion, enfin, qu'il exécutait non certes d'une manière routinière, mais sans atteindre à l'éclat qui caractérise les peintures des deux premières catégories et les portraits. Un peintre qui ne pouvait régulièrement compter sur des commandes importantes et qui, lorsqu'il en recevait, était souvent payé tard et mal ou se trouvait engagé dans des procès; qui menait une vie difficile dans une ville en décadence, ne pouvait que revenir à la conception médiévale de la production picturale. Il peignait pour vivre et réalisait un nombre d'œuvres très supérieur à celui qu'il aurait dû exécuter, ce qui l'obligeait à utiliser des procédés propres à lui faciliter la tâche : le premier consistant à reprendre des éléments des compositions antérieures dont il conservait les études préparatoires; le second, à accepter la collaboration de son atelier, dont le fidèle et mystérieux Preboste était peut-être alors l'unique membre.

La seule œuvre attribuée avec certitude à la période qui nous occupe est le retable de la Vierge du Rosaire de l'église paroissiale de Talavera (province de Cáceres), conservé à peu près dans son état primitif jusqu'en 1936. Dans son *Catalogue des monuments de la province de Cáceres,* Mélida se réfère longuement au contrat établi pour cette œuvre, conservé dans les archives notariales de Tolède. Le retable se composait d'une statue centrale en bois doré et polychrome, et de cinq toiles peintes à l'huile représentant l'Annonciation, la Présentation de Jésus au Temple, le Couronnement de la Vierge, saint Pierre et saint André; les deux premières ne sont pas, selon

Fig. 109  Couronnement de la Vierge, 1591-1592. Tolède, musée de Santa Cruz. Cat. 76

Fig. 110  Couronnement de la Vierge, 1591. Madrid, musée du Prado. Cat. 77

Fig. 111 Saint Pierre, 1591-1592. Tolède, musée de Santa Cruz. Cat. 79
Fig. 112 Saint André, 1591-1592. Tolède, musée de Santa Cruz. Cat. 78

Fig. 113 Saint Louis, roi de France, 1587-1597. Paris, musée du Louvre. Cat. 80

Mélida, du Greco. Paul Guinard a publié les seules photographies connues du retable *in situ,* où n'apparaît pas nettement la structure de la statue. L'église ayant été dévastée en 1936, le retable fut démembré et après bien des vicissitudes les trois tableaux du Greco entrèrent au musée de Santa Cruz de Tolède. Le contrat entre le Greco et les représentants de la confrérie du Rosaire de Talavera (parmi lesquels le curé Hernando Márquez, frère d'un prestigieux orfèvre tolédan et ami du peintre) fut passé le 14 février 1591. Il stipule que l'œuvre doit être livrée le 25 juillet suivant; toutefois, le paiement des 600 ducats prévus dans le contrat n'est enregistré dans les archives paroissiales qu'à une date très avancée de l'année 1592.

Les trois peintures du retable de Talavera la Vieja nous donnent de précieuses indications sur la manière dont le Greco peignait à cinquante ans, soit cinq années après l'*Enterrement du comte d'Orgaz.* On conserve au musée du Prado la toile *(fig. 110, cat. 77)* qui fut très probablement l'étude préparatoire partielle du *Couronnement de la Vierge (fig. 109, cat. 76).* Comme nous le verrons, cette étude ou modèle servit à d'autres compositions plus tardives. Le processus de spiritualisation est aisé à suivre en comparant la figure du Père Éternel de cette composition, avec celle de la *Trinité (fig. 57)* de Santo Domingo el Antiguo. Dans cette dernière toile, Dieu, dans toute sa majesté et sa beauté, était encore traité selon un certain réalisme qui le rendait proche d'un être humain; ici le Créateur est une figure distante, majestueuse, respirant une profonde paix et très idéalisée, mais en aucune façon impersonnelle ou vague. L'humanité du peintre n'est jamais absente; on la constate dans toutes les figures de cette composition, qui marque un progrès vers la liberté, vers l'image pour l'image.

La grande hardiesse de l'artiste apparaît ici dans la nette asymétrie, nullement compensée, de l'équilibre chromatique. Jésus et la Vierge sont revêtus de tuniques d'un rouge presque pourpre, et de manteaux bleus, qui apportent des notes de couleur intenses. A droite, le Père Éternel porte une tunique et un manteau d'un blanc éclatant; il est placé sur des nuages de couleur beaucoup plus claire que ceux de gauche. Les rythmes sont plus vifs aussi du côte opposé. Dans l'œuvre définitive, la composition est complétée par un chœur de saints, représentés un peu de trois-quarts, entourant le calice de saint Jean. Le groupe est presque parfaitement symétrique; une légère asymétrie est toutefois ménagée au profit de la partie gauche, qui contient quatre personnages contre trois dans la partie droite. En fait, ce déséquilibre est compensé par l'intense luminosité dégagée par la blancheur du Père Éternel: cela prouve la valeur que le Greco accordait à la lumière dans la composition et démontre aussi qu'il avait une parfaite conscience de ses possibilités, et n'acceptait de se plier à aucune conventions. La conception picturale de cette œuvre est inspirée de celle du *Saint Maurice,* mais la signification mystique en est plus accentuée et la forme, dont la souplesse s'adapte d'une manière étonnante à l'idée iconographique, plus étroitement soumise. La conception de la forme pour la forme, déjà présente dans des compositions remontant à quelques lustres, par exemple celles de Santo Domingo el Antiguo, ainsi qu'un certain formalisme, pratiqué dans le *Saint Maurice,* ont été ici abandonnés. Si frappante est l'impression de souveraine aisance qui se dégage de ce *Couronnement de la Vierge,* qu'on dirait que l'artiste n'a eu besoin ni de le penser ni de le construire au préalable. Le geste joue toujours un rôle important dans la composition, surtout chez les personnages humains.

Le *Saint André* et le *Saint Pierre (fig. 112, cat. 78 et fig. 111, cat. 79)* répondent à la conception des figures isolées déjà appliquée par le peintre dans les images de Santo Domingo el Antiguo : canon allongé, figure occupant la quasi totalité du champ pictural et traitée presque comme une sculpture ou un relief. Coloris, matières, gestes, expressions, fonds nébuleux, amples drapés, autant d'éléments picturaux éblouissants. Malgré l'indéniable simplification des figures, chaque détail est doté d'une intensité et d'une vigueur suffisantes. La tête de saint André, très fortement tournée vers la gauche, est si puissamment expressive qu'on ne lui trouve guère de précédents dans l'œuvre du Greco. Ces deux toiles ont été récemment restaurées : nous les reproduisons avant restauration, et l'on peut voir qu'elles n'avaient pas été gravement endommagées. Dans les détails, on constate que la simplification n'est pas si poussée que le laissent croire au premier abord le canon allongé, le caractère monumental et l'intensité tonale et chromatique des amples drapés. Il n'y a pas dans la position des bras, des jambes et des pieds, la moindre distorsion; l'allongement et l'amincissement qui en résulte sont conformes à l'idée du canon. L'emploi des ombres est aussi judicieux que la technique plus complexe des têtes où l'on trouve des repeints, des glacis, des frottis, des petites touches claires dans les barbes et les chevelures, qui permettent de rendre exactement chaque matière.

### Nouveaux modèles

Abordons maintenant un ensemble de peintures attribuées à la période de 1587 à 1597. Leur place dans la chronologie est fondée sur les conclusions de l'analyse stylistique, compte tenu des repères que constituent les œuvres datées. Il s'agit pour la plupart de nouveaux modèles qui viennent enrichir la série de types du Greco, et qu'il reprendra dans d'autres versions ou utilisera comme prototypes d'œuvres d'atelier.

En premier lieu, nous placerons *Saint Louis, roi de France (fig. 113, cat. 80)* dont on connaît une seule version conservée au Louvre. La simplicité de la gamme chromatique (fond sombre, resplendissante armure noire à ornements dorés, or de la couronne, du spectre et de la main de justice, rouge du manteau royal, blanc et sépia du costume du page, nuances des carnations) n'empêche pas le peintre de se montrer coloriste raffiné. Il réaffirme ici son indifférence pour les accords de couleurs complémentaires, et cherche de préférence à agencer les diverses parties de la forme par une savante gradation d'intensité de couleurs-tons. Cette image du roi de France est conçue comme un portrait, non comme une image de dévotion ni comme une version idéalisée. En ce qui concerne la typologie, on peut penser que le Greco ne connaissait pas les miniatures ou autres représentations anciennes du monarque, car il invente littéralement le personnage et lui donne une physionomie beaucoup plus espagnole que française. Il a considéré que les attributs du pouvoir royal et l'expression vaguements mystique communiquée à saint Louis suffisaient à la vraisemblance de l'effigie. Les contrastes entre les qualités des matières sont très accusées : nous avons là une des œuvres les plus véristes du peintre. Le modelé des tons prend toute son efficacité et l'impression de présence et de proximité du personnage finit par devenir obsédante. Pour éviter l'effet archaïsant d'immobilité, le peintre place le spectre et la main de justice à des niveaux différents, bien que les mains soient à peu près à la même hauteur. Le manteau, d'une exécution brillante, est l'élément le plus révélateur du Greco visionnaire, par les qualités adoucies, les reflets soudains de l'étoffe, dont l'aspect vaporeux très accusé donne une plus grande intensité au métal dur de l'armure. Le page est une figure charmante qui sert également à mettre en relief la force et la puissance du roi. Peut-être s'agit-il d'un nouveau portrait de Jorge Manuel.

Le Greco a peint à plusieurs reprises saint Pierre et saint Paul réunis dans un même tableau. Son penchant pour l'éloquence, son attitude d'artiste de la Contre-Réforme le portaient à représenter ensemble ces deux saints qui sont les piliers de l'édifice du christianisme historique. L'art médiéval avait établi dès la fin de l'Antiquité une typologie des personnages du Nouveau Testament. Le Greco la reprend et la modifie en fonction de son tempérament et de ses dons. L'impressionnante toile du musée de Barcelone *(fig. 114, cat. 81)* nous paraît être sa première version connue du sujet. Il y présente les deux saints comme des compagnons intimement liés; il place leurs têtes à la même hauteur et joint leurs mains. Il les revêt de manteaux « à l'ancienne » d'une époque imprécise; mais l'attribut de saint Paul est, ici comme dans d'autres versions, une épée à deux mains du XVI^e siècle. Le Greco savait admirablement choisir ses modèles, il les modifiait en fonction de l'« idée » qu'il se faisait de ses personnages et sous l'influence de sa sensibilité, mais se conformait aussi plus ou moins à la typologie traditionnelle. Dans les têtes, empreintes de gravité et de force intérieure, la peinture suit de près le dessin; on remarque une certaine déformation dictée plus par le désir de souligner la signification spirituelle des personnages que par une intention délibérée dont l'effet sera surtout sensible ultérieurement, dans les raccourcis des compositions complexes. La technique est moins réaliste, la construction moins nette que dans le *Saint Louis,* mais la représentation n'a ici rien de visionnaire. Le ciel du fond est d'une nuance différente pour chaque personnage, sans rien perdre de son unité. Ainsi, la figure de saint Pierre se détache sur du bleu, et celle de saint Paul sur des gris-

Fig. 114  Saint Pierre et saint Paul, 1587-1597. Barcelone, musée de Arte de Cataluña. Cat. 81

Fig. 115 et 116 (détail) La Sainte Famille avec sainte Anne, 1587-1597. Tolède, hôpital San Juan Bautista de Afuera. Cat. 82

Fig. 117 et 118 (détail) Pietà, 1587-1597. Paris, coll. Niarchos. Cat. 83

Fig. 119 Adoration des bergers, 1587-1597. Valence, collège del Patriarca. Cat. 84

Fig. 120 La Sainte Famille avec sainte Madeleine, 1587-1597. Cleveland, Museum of Art. Cat. 85

Fig. 121  Saint François recevant les stigmates, 1587-1597. Monastère de l'Escurial. Cat. 86

Fig. 122 Saint François d'Assise en prière, 1587-1597. Barcelone, coll. Torelló. Cat. 89

blancs et des tons dégradés. Le coloris éclatant des manteaux l'emporte ici sur l'intérêt de la forme rendue par des rythmes enveloppants et majestueux.

Au cours de la même période, le Greco peignit un autre tableau justement célèbre, la *Sainte Famille avec sainte Anne* de l'hôpital Tavera de Tolède *(fig. 115 et 116, cat. 82)*, pour lequel il utilisa l'étude préparatoire de celui de la Hispanic Society, dont nous avons parlé *(fig. 95, cat. 69)*. La beauté et la profonde humanité de la Vierge ont porté de nombreux critiques à identifier celle-ci à Jerónima de las Cuevas. Le visage constitue le centre de la composition : tous les éléments semblent s'ordonner en fonction de la tête rose à la chevelure châtain à demi recouverte d'une mantille transparente ocre rose. La figure a pour auréole celle habilement formée par une ouverture dans les nuages laissant voir le fond bleu du ciel. Signalons également un effet à coup sûr voulu qui montre la fidélité du Greco à des formules archaïques malgré le progrès dont témoigne son style : la présence de deux petites ouvertures symétriques dans les nuages au-dessus des têtes de sainte Anne et de saint Joseph. Les nuages, plus épais au centre, forment comme un grand arc au-dessus de Marie et accentuent le profond effet de symétrie qui s'impose au spectateur; toutefois, cette symétrie s'anime par la représentation de la vie et le mouvement des drapés ordonné autour du vêtement rose vif de la Vierge. La justesse des tons est très délicate et, comme c'est souvent le cas chez le Greco, le jeu des mains donne un rythme sensible et plastique qui anime l'ensemble.

### La « Pietà » de la collection Niarchos

L'œuvre la plus importante de l'époque qui vient après l'*Enterrement du comte d'Orgaz* est à notre avis la célèbre *Pietà* de la collection Niarchos *(fig. 117 et 118, cat. 83)*. Bien qu'on puisse voir dans certains détails des réminiscences du Tintoret, l'ensemble ne perd rien de son originalité ni de sa merveilleuse force. Ce qui surprend d'abord, c'est la manière de concevoir l'image. Pour réaliser une *Pietà* d'un plus puissant effet que celles qui avaient précédé la sienne, le Greco s'introduit pour ainsi dire au cœur même de l'action et rapproche les figures d'une manière impressionnante. Le champ pictural est presque entièrement occupé par quatre personnages qui ne laissent dans la partie supérieure qu'un espace réduit dans lequel on aperçoit le pied de la croix et le ciel. C'est dans la Madeleine et aussi un peu dans le personnage de gauche que l'influence du Tintoret est la plus apparente. On peut l'admettre aussi dans l'aspect monumental du Christ placé au tout premier plan. Mais il s'agit là d'une réminiscence et non d'une imitation dans la conception ni même d'une parenté étroite de style. Ici, fond, effets de perspectives, sensualisme sont absents, tandis que le drame de la Passion du Christ s'affirme dans un vérisme implacable. Peu d'œuvres offrent une cohérence aussi parfaite et nécessaire de tous les éléments. Le corps de Jésus est le facteur dominant du tableau, non seulement parce que le sujet l'exige, mais parce que le peintre a disposé la forme de manière à concentrer sur elle l'intérêt, à en faire l'élément qui lie entre eux tous les facteurs de la composition. Le mouvement vertical du bras droit retombé nous conduit à la couronne d'épines, symbole de la Passion. La tête, délicatement soutenue par la main droite de la Vierge, est un élément essentiel. Le personnage masculin barbu (Joseph d'Arimathie) rapproche sa tête de celle du Rédempteur, et cette tête chauve se détache sur l'ample manteau qui limite là partie gauche de la composition. Le bras gauche étendu au-dessus du corps exsangue détermine un axe horizontal très net. La main repose sur les genoux. La Madeleine prend dans les siennes cette main transpercée. Nous retrouvons ici ce beau personnage féminin, dont nous avons déjà vu les traits dans les versions de la *Madeleine repentante* antérieures à cette *Pietà*. Même le vêtement est ici très semblable. Blonde chevelure flottante, voile transparent, avant-bras nus. Les plis majestueux du manteau de la Vierge servent de fond au corps du Christ mort. Le fait que l'artiste ait peint ses personnages de si près non seulement accentue le caractère monumental des figures et le dramatisme de la scène, mais accroît l'intensité vitale du coloris, de la forme, de la qualité et des effets picturaux indispensables à la représentation de chaque matière. Le regard est attiré par la beauté de la matière picturale dans une certaine mesure indépendante de la réalité qu'elle traduit. Cela est surtout sensible dans la ferme et onctueuse matière blanchâtre de l'épaule et du bras gauche du

Christ, dans la carnation et le manteau de Marie, dans tous les détails du vêtement de la Madeleine, et en particulier dans son voile de gaze, traité avec cette prodigieuse liberté de facture qui est l'apanage du génie. Il n'est pas douteux que le Greco s'appliquait bien plus, et c'est logique, lorsqu'il créait une nouvelle composition. D'où la valeur de tous ses prototypes, compte tenu de la part de spéculation que peuvent contenir nos jugements : une grande part de l'œuvre du Greco est perdue et nous demeure inconnue, et il est possible que les tableaux que nous tenons pour des modèles n'en soient pas en réalité.

L'*Adoration des bergers* léguée au collège del Corpus Christi de Valence par son fondateur le bienheureux Ribera et figurant dans un inventaire établi en 1611 *(fig. 119, cat. 84)* est une composition agencée selon des rythmes discontinus qui donnent lieu à une série de mouvements flamboyants en diverses parties de la scène, à laquelle le mouvement donne une unité plus profonde que les structures statiques. Les déformations ne sont plus seulement optiques; elles relèvent déjà d'un certain expressionnisme dont témoigneront des tableaux plus tardifs du Greco. Mais elles sont aussi un moyen de concevoir les visages, inscrits dans un ovale clairement visible, d'un volume accusé et d'un modelé simple bien que net; l'ovale subit dans certains cas des torsions latérales qui ne nuisent jamais à la beauté et ne tendent pas à la caricature, bien qu'on puisse parler ici d'un certain maniérisme.

Étoffes et attitudes conditionnent toujours chez le Greco l'expression rythmique qui, avec le coloris, donne au tableau son agencement. Cette œuvre contient certains détails intéressants d'unification des lignes. On peut voir par exemple que la ligne brisée du mur du fond, exactement au-dessus de la pointe du lange que soulève la Vierge, est presque parallèle à la ligne du dos, de l'épaule, du cou et de la tête d'un berger, pour que le contour de celui-ci se détache mieux sur la nuit obscure que laisse voir cette ligne brisée. Le fait que cette toile ait été reproduite dans une gravure de Diego de Astor datée de 1606, dont nous parlerons plus loin, n'implique pas que la peinture soit de la même date.

La *Sainte Famille avec sainte Madeleine (fig. 120, cat. 85)* qui se trouve actuellement au musée de Cleveland provient du couvent d'Esquivias à Torrejón de Velasco (province de Tolède). Le tableau est d'un grand effet, malgré son mauvais état de conservation que n'ont pas amélioré des restaurations successives. On y voit, dans une vive harmonie de couleurs, les trois personnages de la Sainte Famille revêtus de leurs habits traditionnels, en compagnie de la Madeleine drapée dans un grand manteau écarlate qui recouvre même en partie sa blonde chevelure. Cette composition offre au Greco l'occasion de créer l'une des Vierges les plus juvéniles et les plus belles de son œuvre, où l'iconographie mariale occupe une si large place. Le contraste qu'il établit entre Marie et la Madeleine en rapprochant de très près leurs visages ne peut mieux contribuer à l'exaltation de Notre-Dame : en effet, le visage de la sainte, rendu en raccourci et penché en avant, révèle une psychologie que l'on devine complexe et tourmentée et qui met en évidence la rayonnante sérénité de la Vierge. Saint Joseph est lui aussi peint en demi-raccourci et un peu de biais, de sorte que son rythme dominant suit l'axe oblique déterminé par la main droite de la Vierge et celle de l'Enfant Jésus. Les amples drapés de la partie inférieure et de la partie droite, ainsi que les nuages, entourent et font ressortir cet admirable ensemble de qualités. Comme nous pourrons le voir dans le chapitre suivant, cette composition est, par certains de ses éléments, un précédent immédiat de la toile qui orne un des autels latéraux de San José de Tolède.

### Iconographie franciscaine

La beauté et le profond sentiment religieux qui se dégagent des toiles franciscaines du Greco justifient ces mots de Pacheco dans son *Art de la peinture* : «Il est certain que si Antonio Mohedano avait suivi ces données, il eût été selon moi le meilleur peintre de saint François que l'on eût connu en ce temps. Mais nous laisserons cette gloire à Dominico Greco, qui se conforma plus fidèlement à ce que rapporte l'histoire. Et qui plus est, il le revêtit d'une serge rude et grossière comme un récollet, alors que cet habit ne fut point le sien...» On peut penser que cette objection à la qualité du costume, par laquelle le scrupuleux Pacheco tempère son éloge spontané des toiles franciscaines du Greco, reflétait une opinion à peu près unanime à cette époque. N'oublions pas que la

Fig. 123  Saint François d'Assise en prière, 1587-1597. Valence, coll. Montesinos. Cat. 90

Fig. 124  Saint François recevant les stigmates, 1587-1597. Cadix, hôpital Nuestra Señora del Carmen. Cat. 92
Fig. 125  Saint François méditant à genoux, 1587-1597. Bilbao, musée de Bellas Artes. Cat. 94

Fig. 126  Saint Dominique en prière, 1587-1597. Madrid, coll. J. Urquijo Chacón. Cat. 95
Fig. 127  Saint Dominique devant un crucifix, 1587-1597. Newport, coll. J. Nicholas Brown. Cat. 96
Fig. 128  Saint Pierre et saint Paul, 1587-1597. Leningrad, musée de l'Ermitage. Cat. 97
Fig. 129  Tête du Christ, 1587-1597. Prague, musée. Cat. 98

Fig. 130  La Vierge Marie, 1587-1597. Strasbourg, Musée des beaux-arts. Cat. 99

Fig. 131 et 132 (détail) Saint André et saint François, 1587-1597. Madrid, musée du Prado. Cat. 100

conception que l'on avait alors du réalisme faisait de la précision iconographique un principe inviolable, quoique cette précision fût moins rigoureusement requise dans le costume : on a vu que le Greco représentait les guerriers de l'Antiquité en armure du XVIᵉ siècle.

Une belle toile de l'Escurial représente *Saint François recevant les stigmates (fig. 121, cat. 86)* : avec une expression d'étonnement stupéfait, le saint voit apparaître le Christ en croix au milieu de nuages resplendissants. L'artiste s'est attaché à mettre en relief tous les éléments et toutes les parties de la forme, ainsi qu'on le voit dans le rendu remarquable de l'habit, d'un modelé particulièrement net et précis. Le Greco montre ici une tendance qu'il exploitera dans plusieurs représentations de même type : il donne à l'étoffe des inflexions qui la rendent expressive en soi sans que la texture et la forme perdent rien de leur réalisme. Le contraste des tons, très accentué, s'atténuera dans les versions suivantes : l'artiste dut prendre conscience que la délicatesse d'expression et de traitement convenait mieux à saint François qu'une dramatique opposition entre le clair et l'obscur, à peine atténuée par l'apparition du Christ.

A cette époque, le Greco manifeste de nettes préoccupations pour la lumière et il a recours à des sujets voisins, voire textuellement repris, pour utiliser la lumière comme facteur de variation et de changement. Un nouveau modèle de l'image est le *Saint François d'Assise en prière,* dont nous connaissons trois versions authentiques, et qui se distinguent entre elles par l'effet de lumière, par certaines qualités de textures et aussi par l'aspect physique du saint. Dans la version du Joselyn Museum d'Omaha *(cat. 88)* celui-ci est présenté en pleine lumière; dans celle de la collection Torelló de Barcelone *(fig. 122, cat. 89),* il est baigné d'une lumière crépusculaire; enfin dans la version de la collection Montesinos de Valence *(fig. 123, cat. 90),* la lumière est lunaire. Les trois versions sont empreintes d'une même émotion, d'une même éloquence sereine et contenue traduite par le geste. Elles montrent l'extraordinaire faculté que possède notre peintre de capter la psychologie de ses personnages idéaux, faculté évidemment fondée sur son aptitude à transférer sa propre capacité d'émotion aux modèles représentés.

Dans ces tableaux aux coloris moins vif que dans l'ensemble de l'œuvre du Greco, aux tonalités et à l'expression les plus tristes que sont ces images de saint François, on remarque de géniales trouvailles. Pouvoir comparer ces trois versions, ou plus précisément pouvoir regarder ensemble les trois tableaux permettrait de voir comment le peintre a su donner de la variété à une même composition et à un même sujet par d'efficaces gradations et modifier d'une version à l'autre l'éclairage ainsi que la physionomie du saint, mais sans toucher à ses traits essentiels. Sans parler de leur valeur esthétique, ces variations furent probablement pour le Greco un moyen lui permettant de reprendre les images sans se répéter tout à fait. Pour s'en rendre compte, l'étude directe des répliques est indispensable; en effet les tableaux qui peuvent apparaître, dans des photographies en noir et blanc, comme des répliques exactes sont en fait des toiles auxquelles le changement de ton, d'éclairage et de facture confèrent une originalité propre.

On peut mesurer le chemin parcouru par le Greco en examinant l'étonnant *Saint François recevant les stigmates* de l'hôpital de femmes de Cadix *(fig. 124, cat. 92).* Son pouvoir d'émotion provient de sa véhémence et du rapport étroit entre l'espace et les figures, la lumière et les attitudes. Le réalisme de la scène, l'effet de lumière et le rapprochement du point de vue annoncent le Caravage, de même que le vif contraste des tons. Le peintre crétois n'a pas, cependant, l'obsession naturaliste des oppositions tranchées de lumière et d'ombre dont le Caravage fit la caractéristique fondamentale de son style.

Dans cette œuvre, on est frappé par la qualité des textures et leur vérisme, également sensible dans tous les détails, en particulier dans les habits des moines et les cordes qui leur servent de ceintures. L'éblouissante explosion de lumière, dans l'angle supérieur droit, est un signe suffisant de la vérité du miracle. On comprend qu'un art de ce genre ait été bien reçu par les Espagnols de la fin du XVIᵉ siècle (et cela mériterait une étude approfondie). Le Greco est un des peintres qui ont le plus contribué à populariser saint François en Espagne. L'impressionnante série de ses peintures franciscaines, authentiques ou d'atelier, constitue un indiscutable hommage dont le chef-d'œuvre est le tableau conservé à Cadix.

Fig. 133 Saint Jérôme en cardinal, 1587-1597. New York, coll. Frick. Cat. 101

Bon nombre de toiles reprennent un autre modèle du saint d'Assise, nouveauté iconographique dans la période qui nous occupe. Le Greco représente le saint en prière dans une grotte, devant un crucifix appuyé sur un crâne. Comme c'est le cas pour le modèle précédent, les répliques se ressemblent beaucoup, et il est difficile de déterminer la part qui revient au peintre et celle qui revient à son aide. Bien qu'il existe d'autres exemplaires authentiques de même qualité, nous reproduisons comme appartenant à la période que nous étudions le tableau conservé au musée de Bilbao *(fig. 125, cat. 94)* et provenant de Cuerva (province de Tolède). Il se peut que l'impact de l'inédit sur le spectateur soit très profond, car cette image de saint François dont le profil se détache sur le fond d'ombre, contenant la remarquable nature morte composée du bréviaire, du crucifix et du crâne, semble bien révéler une nuance nouvelle de la mystique franciscaine du Greco. En regardant le tableau avec plus d'attention, on remarque l'emploi du frottis pour donner de la qualité aux détails et surtout pour produire cette impression de mouvement qui anime le personnage. La représentation du saint est ici aussi éloignée que possible du plus parfait et du plus pur « dessin enluminé ». Peintre avant tout, le Greco est le premier à user de procédés qui seront courants chez Goya; il va même plus loin dans certains détails ou pour mieux dire il s'engage très avant dans d'autres voies (visionnaires et idéalistes plutôt qu'expressionnistes). Le visage est impressionnant par son graphisme, mais surtout par sa facture, qui révèle un savant mélange de discipline et de liberté pour résoudre le problème de la représentation de la forme. La qualité de l'œuvre est sensible dans les plus petits détails.

### Œuvres diverses

On retrouve le même pouvoir d'émotion dans le *Saint Dominique en prière* de la collection Urquijo de Madrid *(fig. 126, cat. 95)*. La figure du saint agenouillé est vue de très près et de bas en haut, ce qui lui donne un caractère monumental et la projette littéralement sur le ciel. Mais cet effet ne confère aucune héroïcité au personnage, dont l'expression est d'intense recueillement et d'humilité. Le saint est représenté hors de toute contingence, tout entier à sa contemplation.

Un ample ciel couvert de nuages permet les nuancements les plus riches et forme le cadre de l'intense contraste de tons de l'habit de dominicain.

Le *Saint Dominique devant un crucifix,* de Newport (Rhode Island), est une adaptation littérale du *Saint François en prière* dont nous avons étudié diverses versions, mais la typologie et l'expression sont différentes *(fig. 127, cat. 96)*. Alors que les effigies du saint d'Assise étaient conçues comme des expressions du don total de soi, ici le mouvement des sourcils du saint, l'imperceptible mouvement des lèvres qui semblent s'entrouvrir et le geste esquissé de la main gauche traduisent plutôt l'interrogation.

Le musée de Leningrad possède une autre version du groupe *Saint Pierre et saint Paul* qui, bien que reproduite dans une gravure par Diego de Astor en 1606, nous paraît cependant de l'époque que nous étudions *(fig. 128, cat. 97)*. Les deux figures sont ici dans un intérieur. Au fond se dessine un long rectangle vertical, sorte d'élément architectural un peu estompé séparant les deux personnages dans l'espace. On dirait même que chacune des figures est empruntée à une typologie différente antérieurement exploitée par l'artiste, et ici réunies. C'est pourquoi, à la différence du tableau du musée de Barcelone, chaque figure de l'œuvre du musée russe paraît comme isolée dans son propre monde, plongée dans son propre univers intérieur. Le saint Pierre (à gauche) rappelle par sa typologie la version déjà étudiée du saint Pierre pénitent *(fig. 96)* mais ici la tête est vue sous un angle différent. Le saint Paul a également un précédent déjà étudié lui aussi *(fig. 88)*. Ces deux personnages sont ici moins conformes aux types de l'iconographie traditionnelle, dont ils ne s'écartent cependant pas pour l'essentiel. C'est par leur caractère qu'ils s'en écartent : saint Pierre est un sentimental et un rêveur; saint Paul, un homme d'action sûr de lui. Nous avons là deux hommes préoccupés par une tâche qui paraît au-dessus des forces humaines. Ces remarques ont leur importance parce qu'elles révèlent que les préoccupations du Greco étaient à la fois d'ordre technique et d'ordre psychologique; grâce à celles-ci, mais aussi grâce à la magie de ses couleurs phosphorescentes et de ses formes contorsionnées, le peintre a touché le cœur des masses qui n'attachent que peu ou pas du tout d'intérêt aux qualités picturales proprement dites.

Fig. 134  La montée au Calvaire, 1587-1597. Barcelone, musée de Arte de Cataluña. Cat. 106

Fig. 135 et 136 (détail)  Portement de croix, 1587-1597. New York, fondation Oscar B. Cintas. Cat. 111

Fig. 137  Adieux du Christ à la Vierge, 1587-1597. Sinaïa, palais royal. Cat. 113

Fig. 138  Adieux du Christ à la Vierge (détail), 1587-1597. Tolède, musée de Santa Cruz. Cat. 115

Fig. 139  Madeleine repentante, 1587-1597. Sitges, musée du Cau Ferrat. Cat. 116

Fig. 140 Christ en croix, 1587-1597. Cleveland, Museum of Art. Cat. 117

Fig. 141 Christ en croix, 1587-1597. Séville, coll. marquis de Motilla. Cat. 118

Fig. 142 Christ en croix, 1587-1597. Tolède, musée de Santa Cruz. Cat. 119

Fig. 143 Christ en croix, 1587-1597. New York, Wildenstein Galleries. Cat. 120

Fig. 144 L'Expolio, 1587-1597. Munich,
Alte Pinakothek. Cat. 121

Fig. 145 L'Expolio (détail). 1587-1597. Coll. part. Cat. 122

avec la paupière inférieure, l'arcade sourcilière et la pommette, est suggéré et dont le dessin est plutôt sous-jacent qu'explicite et linéaire.

Parmi les compositions de la même époque, nous étudierons maintenant les *Adieux du Christ à la Vierge,* petite toile ayant appartenu à la collection du roi de Roumanie et que nous pensons être une esquisse ou une étude préparatoire *(fig. 137, cat. 113);* la version définitive est la toile aux figures en grandeur nature de la collection Danielson *(cat. 114).* On remarque dans la première ce rapport «court» entre la forme et la touche qui caractérise toutes les peintures de petit format. Elle a cependant été exécutée avec une extrême délicatesse; le peintre est parvenu à donner aux valeurs de tons leur pleine qualité, surtout dans la figure de la Vierge qui est l'une des plus réussies du Greco, non seulement par le profil du visage et la main posée sur la poitrine, mais par la grâce et l'originalité de forme des plis du manteau. De toutes les peintures du Greco, celle-ci est une de celles où s'établit le mieux le rapport réel entre deux figures; il est fréquent, nous l'avons dit, que dans ses tableaux à deux personnages ou plus ceux-ci soient liés par une action, mais sans que leur participation s'exprime de façon claire par le sentiment. Cet élément, baroque avant l'heure, relève chez le Greco d'une tendance archaïsante, au même titre que sa préférence pour le canon hyperallongé. Toutefois, dans ces *Adieux,* l'expression suffit à faire comprendre ce qu'éprouve chacun des personnages, sans que le peintre ait eu recours à une conception anecdotique. La lumière, plus vive autour de la tête du Christ, surtout dans la partie centrale, ne traduit pas comme dans d'autres images un éclat surnaturel, mais elle en a cependant la signification. Ne pouvant peindre sur des fonds d'or comme les primitifs, le Greco leur substitue des nuages et des luminosités, seul équivalent admis à une époque où avait cessé d'avoir cours, dans les tableaux de sujet religieux, l'inclusion d'un paysage aux détails anecdotiques (dans l'art flamand et ses séquelles). C'est là une simplification importante, régressive, que le Greco réalise en pleine connaissance de cause.

Comme il attache une très grande importance aux valeurs plastiques, l'harmonie des gestes et des sentiments suggérés a pour lui autant de valeur que le coloris, la forme ou l'arabesque de la ligne. Tout cela est confirmé de manière éclatante dans ces *Adieux.* On y observe également la tension de la vie spirituelle, qui conduira plus tard le peintre à exagérer la forme en soi, à la distordre, à donner une vibration plus intense aux couleurs, presque à rompre la représentation littérale pour obtenir un type d'images unique dans toute l'histoire de la peinture. Les précédents que l'on pourrait invoquer ne sont en effet rien par rapport à la modification radicale que le Greco fait subir aux éléments qu'il put recueillir ici où là au cours de sa formation, ou qui lui furent transmis par la tradition au temps où il était encore *madonnero.* Cette originalité est si évidente qu'il paraît superflu de la rappeler; mais elle est si forte et si parfaitement mise au service de la beauté et de l'iconographie qu'elle mérite d'être soulignée. La version définitive de cette étude préliminaire des *Adieux* provient de San Pablo de Tolède. D'après Wethey, elle fut probablement offerte par le cardinal Niño de Guevara.

Dans une autre version du même sujet, conservée au musée de Santa Cruz de Tolède *(fig. 138, cat. 115),* seule la partie supérieure est authentique. Une ligne visible la sépare de la partie inférieure, où les mains et les drapés sont l'œuvre d'un imitateur, d'ailleurs habile, qui modifia également l'effigie de la Vierge. Il s'agit bien d'une œuvre du Greco et de son atelier. La forme, chez notre peintre comme chez tout grand artiste, est débordante de pensée, d'une vie intérieure qui la justifient et l'expliquent. En revanche, dans la création d'un copiste, si habile fût-il, la forme est reproduite de l'extérieur et manque de cette puissance et de cette spontanéité qui font des imperfections ou des parties inachevées les signes même de la vie et de la plénitude intérieure. La tête de Jésus est certainement de la main du Greco. Le fond de nuages et de luminosités est tout à fait conforme à la conception de cette période, ce qui justifie que nous l'ayons étudiée ici.

Nous allons examiner une série d'œuvres que leur sujet, leur style et leur technique permet de grouper, en admettant comme simple hypothèse cohérente de travail qu'elles se sont succédé dans l'ordre où nous les étudions. Il n'est pas douteux qu'elles appartiennent toutes à la période 1587-1597, car leurs caractéristiques les situent entre les grandes œuvres antérieures datées avec précision et celles postérieures à 1597.

La *Madeleine repentante,* troisième modèle d'une image que le Greco reprit plusieurs fois, fut achetée en 1894 à Paris par le peintre catalan Santiago Rusiñol et transportée à sa maison du Cau Ferrat de Sitges accompagnée d'une procession d'intellectuels et d'artistes *(fig. 139, cat. 116).* Cet événement, qui marque la redécouverte du Greco, fut commémoré par l'érection du premier monument au grand Crétois. Le schéma général et les éléments essentiels de ce tableau dérivent du *Saint François devant un crucifix,* dont nous avons présenté trois versions. La sainte a troqué le costume mondain de l'imagerie antérieure pour une ample et flottante tunique orangée, traitée comme un élément formel intéressant en soi, modelée par des rehauts clairs sur le rouge dans les parties éclairées, mais surtout par l'introduction de noir dans les creux des plis et des drapés. Aux cheveux blonds fait place ici une chevelure châtain rougeâtre et, à l'expression de visionnaire, une expression de douceur sereine et méditative. L'expérience acquise par le peintre dans le traitement des sujets franciscains a joué ici un rôle évident. L'harmonie entre le rouge, le bleu clair du ciel et les tons de la carnation est essentielle dans la composition. On retrouve encore, à droite, le lierre des saints pénitents.

Le thème du *Christ en croix* ne pouvait manquer d'entrer dans l'iconographie du Greco destinée à la dévotion populaire. Il lui suffit pour cela d'adapter l'image de la grande toile du Louvre, étudiée plus haut. Dans les nombreuses peintures représentant le Crucifié, les lignes générales du premier modèle sont reprises, mais la facture et la forme témoignent d'une évolution évidente. La plupart de ces toiles sont des œuvres d'atelier, et nous ne pouvons en tenir compte ici. Deux *Christ en croix* sur toile, de grand format mais point tout à fait de grandeur nature, sont sans doute entièrement l'œuvre du peintre, ainsi que le prouve leur analyse, qui permet en outre de les attribuer à la période qui nous occupe. L'un d'eux se trouve au musée de Cleveland *(fig. 140, cat. 117);* la partie inférieure est tronquée, et il n'en subsiste qu'une partie de paysage contenant un dôme, probablement celui de l'Escurial. Les effets de contraste chromatico-tonal des nuages sont vifs et dynamiques. La figure du Christ est longue, idéalisée et modelée sous une lumière très intense, mais sans contrastes accusés. La

forme ondoyante, la tendance à réchampir les volumes, annoncent la manière du Greco dans sa dernière période et constituent les prémices d'un expressionisme original. La tête ressemble à celle du *Portement de croix* précédemment étudié, tant par sa typologie que par sa technique, ce qui prouve qu'un bref espace de temps sépare les deux œuvres. A des lustres de distance, le Greco pouvait répéter une composition, mais ne reprenait jamais littéralement les effets techniques, l'expression et la typologie; il lui était d'ailleurs rigoureusement impossible de le faire, car ces facteurs sont intimement liés à l'évolution de l'artiste. Le *Christ en croix* de la collection du marquis de Motilla (Séville), est la deuxième version du même sujet *(fig. 141, cat. 118).* Dans le paysage, on aperçoit le monastère de l'Escurial, souvenir nostalgique pour le Greco, et un chemin que suivent des gens à pied et à cheval. Le corps du Sauveur, qui se détache ici aussi sur un ciel nuageux, est plus aminci et plus tendu encore que dans le tableau précédent; le modelé, aux ombres intenses, est plus accusé. Deux toiles de format plus petit *(fig. 142, cat. 119 et fig. 143, cat. 120)* peuvent être considérées comme des variantes authentiques du *Christ en croix.*

Il existe deux versions de l'*Expolio* qui répondent aux tendances dominantes de cette période et se caractérisent par une certaine tendance à la technique de désintégration. Il est difficile d'expliquer pour quelles raisons l'artiste peignit un si grand nombre de versions d'un sujet aussi rare dans l'iconographie religieuse. On peut imaginer qu'un amateur, ayant vu l'original, en commanda une réplique au Greco; que celui-ci s'intéressa de plus près au sujet et pensa qu'il pouvait réaliser plusieurs œuvres semblables destinées à des acheteurs éventuels. Des deux versions que nous allons étudier (il en existe plusieurs, mais l'une est signée de Jorge Manuel et les autres sont des œuvres d'atelier), la plus intéressante est une réplique partielle du premier *Expolio,* au format en largeur, où sont représentés à mi-corps les personnages principaux de la partie centrale *(fig. 145, cat. 122).* Elle se trouvait au XIXᵉ siècle dans le palais du marquis de la Cenia à Majorque où elle fut «restaurée» par Vicente López dont les repeints généreux masquèrent la totalité des nuages et une grande partie des figures. Un récent nettoyage a restitué le tableau dans son état

The text visible within the painting reads:

Julian Romero
de llas Azañas N.
d'Antequera Com.or
enda Origa. de S. Tiago
M.tre d Campo el
mas famoso d los
Egercitos d'Italia
y Flandes de cuios
hechos Gloriosos
estan llenas las
Historias

Fig. 146 Julián Romero "el de las Hazañas" et saint Julien, 1587-1597. Madrid, musée du Prado. Cat. 123

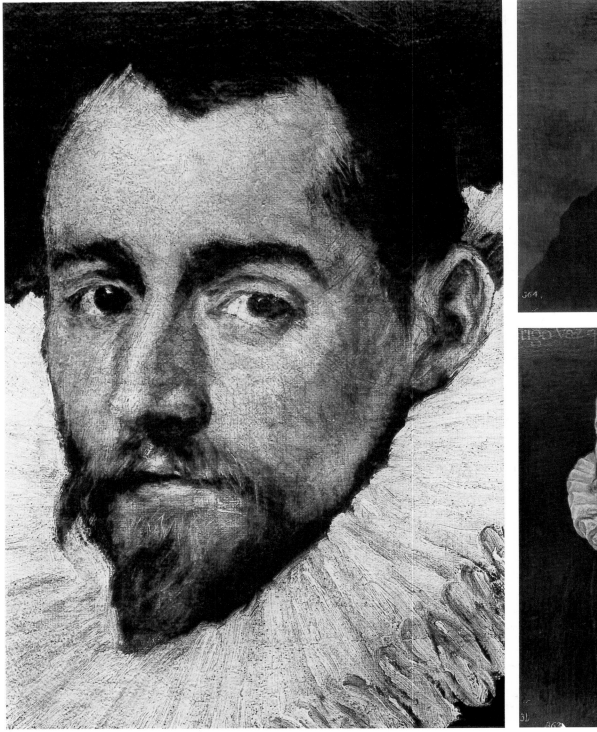

Fig. 147 Gentilhomme inconnu, 1587-1597. Madrid, musée du Prado. Cat. 124
Fig. 148 Gentilhomme inconnu, 1587-1597. Madrid, musée du Prado. Cat. 125
Fig. 149 Rodrigo Vázquez, 1587-1597. Madrid, musée du Prado. Cat. 126

original; il est très beau et certainement de la main du Greco, comme en témoignent sa technique, sa facture et sa haute qualité. Il diffère sensiblement de la toile de la cathédrale de Tolède, que nous croyons antérieure à celle-ci de plus d'une décennie, par sa technique et par les variations introduites dans l'espace. Le dramatique amoncellement de figures autour du Sauveur est moins dense et le fond de nuages prend une plus grande importance. L'expression s'adoucit et le dramatisme, sans être absent, est moins intense. L'atmosphère, plus mystique, est suggérée par une technique floue, riche en curieux contrastes d'ombres et de lumières. La figure du Rédempteur est aussi admirable dans toutes les versions de ce tableau.

Une autre version de l'*Expolio* (reproduction quasi littérale de la toile de Tolède) présente certains détails d'exécution qui nous portent à la considérer comme un œuvre d'atelier mais en grande partie du Greco *(fig. 144, cat. 121)*. La variante la plus évidente par rapport à l'original est une tête de vieillard qui apparaît de dos derrière le bourreau dépouillant Jésus de sa tunique carmin. Cette tête est introduite comme subrepticement et du point de vue réaliste ne s'adapte pas d'une manière parfaite à l'ensemble. On remarque d'autre part ici certaines géométrisations de la forme qui «académisent» en quelque sorte les solutions propres au Greco. Cela ne veut pas dire qu'il s'agisse de modifications radicales, ni même importantes; mais le fait est assez significatif pour qu'il en soit tenu compte dans une analyse détaillée. Un autre *Expolio,* provenant de Santa Leocadia de Tolède et actuellement au musée de Santa Cruz, est très proche du précédent : il fait partie des toiles sur la paternité desquelles on ne peut être totalement affirmatif.

## Portraits

Voici maintenant une série de portraits de la même période. Tout d'abord celui de Julián Romero, conservé au musée du Prado, dont la composition et la typologie introduisent une variante notable dans l'iconographie du Greco *(fig. 146, cat. 123)*. Le personnage est identifié par une longue inscription qui, à en juger par les erreurs historiques qu'elle contient, a dû être ajoutée plus tard. Julián Romero, maître de l'ordre de Santiago, mourut en 1577 dans une bataille près de Crémone, après avoir combattu dans l'armée espagnole en Flandres, en Italie et en France. Il est le héros d'une pièce de Lope de Vega. Il paraît probable, comme l'a supposé Tormo, qu'il s'agit d'un tableau votif. Le gentilhomme, auprès duquel se tient saint Julien, est agenouillé et en prière; il est revêtu de la grande cape blanche de son ordre. Le saint patron porte une armure semblable à celle du seigneur d'Orgaz. Dessin, forme et expression sont admirables; pourtant, la facture lisse déconcerte par son caractère inhabituel malgré une savante souplesse. La nette tendance à l'éloquence chez les deux personnages est tout à fait dans la manière du Greco.

De la même période sont probablement quatre portraits d'homme qui depuis le XVIIᵉ siècle figurent dans les inventaires des collections royales espagnoles. Il est difficile d'établir leur chronologie d'après des critères techniques, car l'évolution de la conception picturale du Greco est moins évidente dans les portraits que dans les autres compositions. Le premier *(fig. 147, cat. 124)* est un buste de jeune gentilhomme portant une large fraise, exécuté en touches fermes et avec une grande sensibilité : c'est l'un des personnages les plus attirants parmi les portraits du Greco.

Un autre, d'une technique plus simple, se rapproche du précédent par la manière dont le personnage est présenté. La personnalité de cet inconnu est rendue avec beaucoup de relief, mais avec moins d'intensité; rien ne le différencie vraiment des portraits de nobles et d'hidalgos peints par le Greco. La technique présente des particularités curieuses : le contour a subi un frottis qui le rend plus flou. La fraise est traitée dans une technique légère et souple du plus grand effet, qui donne une certaine sensualité au blanc contrastant avec la carnation et le noir du costume *(fig. 148, cat. 125)*.

Dans le portrait de Rodrigo Vázquez, également au Prado, le personnage est représenté d'une manière analogue. Mais la technique est ici très différente, opaque et plutôt dure, ce qui l'a fait classer par Wethey parmi les copies. En ce cas, il s'agirait d'une copie contemporaine exécutée dans l'atelier du Greco par une main douée d'un incroyable pouvoir mimétique : nous avons là un élément capital pour l'étude du délicat problème des aides du peintre. Le dessin est plus net dans ce portrait, qui est plus précis, moins hardi et d'une technique moins avancée que les deux précédents. Un buste d'homme vêtu de noir et portant une fraise est une des plus belles toiles de la période qui nous occupe *(fig. 150, cat. 127)*. Le personnage est conforme à la typologie que le Greco immortalisa dans la frise de portraits de l'*Enterrement du comte d'Orgaz*.

### Réapparition d'un modèle italien

On peut attribuer avec certitude à cette période deux peintures reproduisant la *Scène de genre*, cette mystérieuse toile peinte par le Greco pendant sa période romaine *(fig. 31, cat. 24)*. L'une se trouve dans la collection Harewood de Londres *(fig. 151, cat. 128)*; elle porte une signature en minuscules grecques qui confirme l'attribution des trois tableaux presque identiques, mais d'une technique et d'une conception picturale différentes. C'est pourquoi nous situons les deux dernières versions au cours de ces années où l'art du Greco connaît son plein épanouissement, mais qui furent traversées de difficultés financières. L'exemplaire qui paraît le plus tardif (collection Oliver, Jedburgh) montre que le peintre a mis à profit ses récentes trouvailles *(fig. 152 et 153, cat. 129)*. Des lumières diffuses et des lueurs dans la pénombre répondent à la tendance à la désintégration caractéristique de cette période, et qui affecte même les contours des figures. Les détails de cette œuvre révèlent une qualité fondamentale pour suivre l'évolution technique du Greco : à nouveau triomphe chez le grand visionnaire idéaliste l'habileté à capter un moment de la réalité. Des joues gonflées, une bouche déformée par l'action de souffler sur une braise, et le profil d'un compagnon qui sourit. La spontanéité de la scène est étonnante, et l'exécution, commandée par le sujet, aussi : chaque élément, suggérant les mouvements déjà réalisés et ce qui est sur le point de se passer, est parfaitement à sa place. Les contrastes de tons modèlent les formes et donnent en même temps son caractère expressif à l'ensemble. Dans la version de la collection Harewood, la composition est identique, mais on note des différences de facture dans les effets de lumière comme on peut le remarquer dans les mains, surtout dans la main gauche de la femme qui souffle.

Nous ne pouvons qu'imaginer ce qu'eût été l'évolution de l'art du Greco si, au lieu de se consacrer aux sujets religieux, il s'était attaché à capter la réalité qui l'environnait dans un strict naturalisme. Il n'est pas douteux qu'en ce cas il aurait devancé bien des réussites de l'art espagnol du XVIIe siècle.

Fig. 150  Gentilhomme âgé, 1587-1597. Madrid, musée du Prado. Cat. 127

Fig. 151  Scène de genre, 1587-1597. Londres, coll. Lord Harewood. Cat. 128
Fig. 152  Scène de genre, 1587-1597. Jedburgh, coll. Mark Oliver. Cat. 129

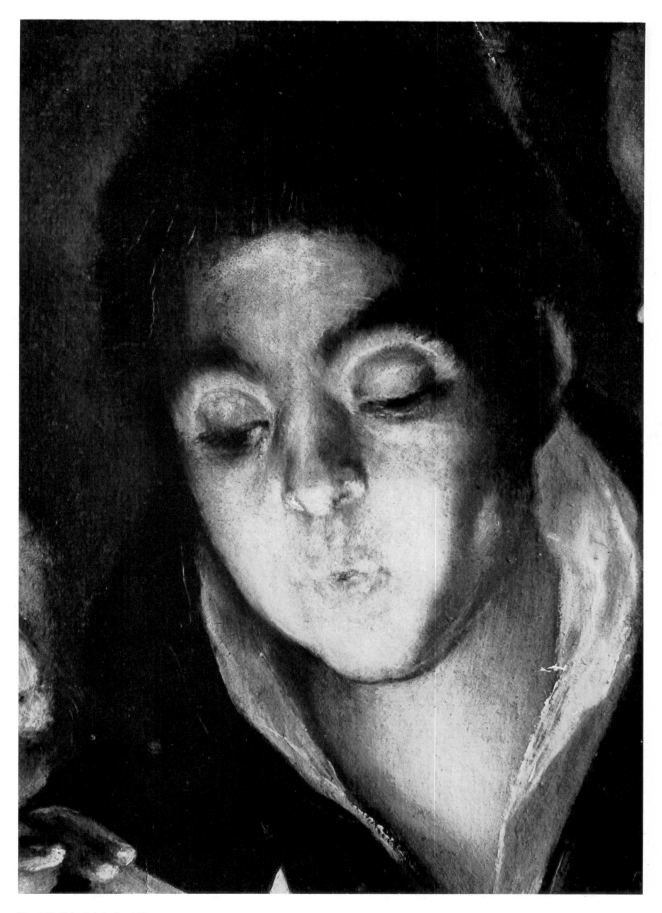

Fig. 153  Détail de la fig. 152

Fig. 154  Tolède, église San José

# V

## 1597-1603

LES RETABLES DE SAN JOSÉ DE TOLÈDE – LE RETABLE DU COLLÈGE DE DOÑA MARÍA DE ARAGÓN
A MADRID – LA «VUE DE TOLÈDE» – ŒUVRES ATTRIBUÉES A LA PÉRIODE 1597-1603 – PORTRAITS

Cette période est marquée par la réalisation de deux œuvres importantes : les retables de l'église San José de Tolède et celui du collège de Doña María de Aragón, à Madrid. A part les données et les documents concernant ces deux ensembles, nous possédons sur la vie et l'œuvre du Greco au cours de ces six années les renseignements qui suivent.

Le 16 avril 1597 fut enregistré un contrat en vue de la construction du retable principal du monastère de Guadalupe. Le délai d'exécution de l'œuvre, certainement importante, était de huit ans; son prix total était estimé à 16 000 ducats. Le document précise qu'en cas de décès de Dominico, son fils Jorge Manuel et Francisco Preboste devraient achever le travail. Ce contrat resta lettre morte, car le retable de Guadalupe fut construit par le sculpteur Giraldo de Merlo quelques années après la mort du Greco.

Le 24 mai 1597, le Greco et Francisco Preboste donnent solidairement procuration à Agustín Ansaldo, un Gênois résidant à Séville, pour «demander et exiger, recevoir et recouvrer des sommes de Pedro de Mesa, brodeur de Séville» qui avait reçu, dit le document, «des images de peinture, toiles et autres» afin de les vendre. Ansaldo est mandaté pour s'informer sur le sort des œuvres en question et encaisser le montant de celles qui auraient été vendues. Ce document est du plus haut intérêt : il montre que le Greco avait tenté d'établir à Séville un dépôt de ses œuvres destinées à la vente, ce qui confirme également qu'il avait organisé son atelier en vue de la production de peintures religieuses, et peut-être de tableaux d'ornement ou de décoration, destinés à d'éventuels acheteurs. L'opération dont parle ce document ne fut sans doute pas la seule en son genre. On en trouve la confirmation dans les *Apologues dialogables* publiés par Francisco Manuel de Melo cinquante ans après la mort du peintre : « Poussé par la nécessité et écoutant le conseil de ses amis, Theotokópouli partit pour Séville à l'époque du départ de la flotte pour les Indes, et ainsi il réussit à vendre tant de peintures qu'il devint riche. »

Il faut croire qu'à ce moment le Greco disposait d'un atelier très important : sa décision d'accepter des commandes aussi considérables que celles dont nous venons de parler en est une preuve. Jorge Manuel, qui atteignit en 1598 sa vingtième année, devait déjà faire partie de l'atelier paternel en qualité d'apprêteur, car ses qualités de peintre étaient fort limitées. Cela incita son père à s'organiser de manière que son atelier pût exécuter la totalité des grandes structures en bois sculpté qu'étaient alors les retables, leur dorure, et bien entendu les peintures qu'ils contenaient. Mais nous n'avons aucune référence précise à ce sujet. Il paraît logique de penser qu'à l'époque dont nous parlons, le Greco était assisté, en plus de son fils et du fidèle Preboste, de plusieurs ouvriers et aides rétribués. Faire la discrimination entre ce qui est de la seule main du Greco et ce qui revient à ses aides est un problème capital en raison du grand nombre d'œuvres qui se situent autour des ensembles décrits dans les contrats par lesquels le peintre s'engageait à les exécuter «de sa seule main».

On se souvient que le Greco avait dû quitter quelques années plus tôt le spacieux palais du marquis de Villena. Un document daté du 12 décembre 1600 révèle qu'il occupait alors une maison appartenant à Juan Suárez de Toledo : il s'agit d'un reçu de 2 535 réaux pour solde de loyers impayés. En plusieurs versements effectués entre février et juillet 1601, le Greco se libéra d'une dette de 83 214 maravédis envers les héritiers de Juana López. Tout cela rend évidentes les difficultés financières du peintre.

Les pourparlers préliminaires à la construction du grand retable destiné au collège de Doña María de Aragón ont précédé le contrat relatif à ceux de San José de Tolède ; cependant, nous étudierons d'abord ces derniers car, à en juger par la conception des peintures, leur exécution est antérieure.

### Les retables de San José de Tolède

L'église San José (fig. 154), construite grâce aux fonds légués par Martín Ramírez († 1569), fut consacrée en 1594. La construction de ses trois retables, conservés *in situ,* fut ratifiée le 9 novembre 1597 par un contrat passé entre un autre Martín Ramírez, neveu du fondateur, et le Greco. Celui-ci s'engage à exécuter la totalité de l'œuvre : structures architecturales, sculptures complémentaires et toiles peintes. Le document précise les sujets des deux tableaux du retable principal : l'image de saint Joseph au centre, et le « Couronnement de Notre Dame avec deux vierges à ses côtés » dans l'attique. A la signature, l'artiste reçut 1 600 réaux ; il avait déjà touché à la commande, à une date inconnue, 7 000 réaux. Il devait encore en recevoir 1 400 à la fin de janvier 1598, et 1 500 autres lorsque les retables seraient en place : la date prévue était la fête de la Vierge, en août 1598. Aux termes d'un arrangement conclu le 13 novembre 1599, l'exécuteur testamentaire liquida la dette envers le peintre, qui se montait à la somme de 2 827 ducats (31 328 réaux), après un déport considérable, l'estimation faite par des experts (qui nous sont inconnus) ayant été jugée excessive.

Le *Couronnement de la Vierge* situé dans l'attique du retable principal (fig. 155, cat. 130) est fait d'après l'étude destinée au retable de Talavera la Vieja (fig. 110). Mais le format en largeur de cette nouvelle version du sujet contraignit le peintre à rapprocher du groupe du Couronnement les saints de la partie inférieure, et à les inclure presque dans celui-ci. Parmi ces saints apparaissent de nouveaux modèles : l'apôtre saint Jacques et un saint Jean l'Évangéliste dont la tête est tournée vers le spectateur. Nous croyons reconnaître dans cette dernière effigie les traits de Jorge Manuel : il suffit de la comparer avec le portrait du fils du Greco tenant une palette étudié dans le chapitre suivant (fig. 196). Le tableau central représente *Saint Joseph guidant l'Enfant Jésus (fig. 159, cat. 133);* comme celui-ci il parcourt le monde les pieds nus. Ce « monde » est une vue panoramique de Tolède reproduisant presque littéralement les éléments de la fameuse toile du Metropolitan Museum de New York *(fig. 172),* qui fut peut-être une étude préparatoire pour le tableau de San José. Certes, le Greco put avoir l'idée de peindre, sans autre intention, un paysage, étant donné la liberté totale qui présidait à ses créations. Quoi qu'il en fût, le rapport entre les deux paysages est indéniable. Pour contrebalancer le sens profondément humain dans lequel sont traités les deux personnages principaux, trois anges portant une couronne et des fleurs et descendant du ciel occupent la partie supérieure du tableau. Comme dans d'autres cas, leurs positions sont très variées, et le jeu de leurs rythmes donne à cette partie du dynamisme et une troisième dimension. Les anges entourent la tête du saint et lui font une auréole ; de chaque côté, des échappées et des nuages, surtout à droite, avec ces étonnants effets de nuées ébouriffées que le peintre savait magistralement traduire en mêlant des gris, des blancs et des bleus ou en les opposant pour obtenir des effets de tons. Les fleurs, en bouquets ou éparses, sont de vives et délicates notes de couleur qui contribuent au puissant lyrisme de cette image, œuvre capitale dans l'iconographie de saint Joseph. Comme dans d'autres représentations de personnages bibliques ou de saints, la figure tire son expressivité de la tête raffinée et mélancolique, des grandioses drapés de la tunique et du manteau que le Greco prit l'habitude de traiter comme des éléments aussi importants que l'expression des visages. Il en est de même, quoique avec une moindre intensité, de la petite figure de l'Enfant Jésus. La finesse accomplie du dessin est visible dans chacun des détails du tableau. Le jeu des

Fig. 155  Couronnement de la Vierge, 1597-1599. Tolède, église San José. Cat. 130

Fig. 156  Saint Jacques le Majeur en pélerin, 1597-1599. New York, Hispanic Society. Cat. 131

Fig. 157  Saint Joseph guidant l'Enfant Jésus, 1597-1599. Tolède, musée de Santa Cruz. Cat. 132

Fig. 158  Détail de la fig. 157

rythmes des drapés aux axes diagonaux et aux somptueuses surfaces confère une relative abstraction aux figures sans pour autant les déshumaniser. Nous sommes ici, sans nul doute possible, en présence du plus intime secret du Greco : secret qui émane de son moi profond, tire son origine de son byzantinisme, ou provient de ces deux sources indissociables. Le Greco a su mieux que personne rendre compte de la double nature matérielle et spirituelle de l'homme, et exprimer avec une intensité particulière ce dualisme dans les saints qu'il a personnifiés. Un des meilleurs exemples en est ce saint Joseph qui date de la période où l'artiste, délivré de tous les problèmes techniques et de toute préoccupation pour ce qui est représentatif en soi, parvient à plier la réalité à l'expression de ce mystère du divin, ou du spirituel, que l'homme porte en lui. Le déploiement d'anges, de nuages, de fleurs ne constitue qu'un accompagnement à cette constante manifestation de l'élément religieux dans l'homme dont témoigne toute son œuvre.

Le tableau est la reprise fidèle de l'étude préliminaire conservée au musée de Santa Cruz de Tolède (*fig. 157 et 158, cat. 132*). L'œuvre n'est pas peinte en « style d'étude », mais avec un fini accompli et chaque détail est aussi net que possible. L'exécution est soignée, plus lyrique que fougueuse, comme on peut le voir dans la partie la plus difficile à réussir du tableau : autour de la tête de saint Joseph, où sont placés les anges descendant du ciel et portant des couronnes; mais aussi, en bas et à droite, dans la vue de Tolède formant le fond de paysage.

L'ensemble de San José de Tolède comprend en outre deux retables latéraux de structure très simple contenant chacun une toile. Les tableaux originaux, remplacés il y a quelques années par des copies, se trouvent à la National Gallery de Washington. Le retable latéral gauche est consacré à *La Vierge et l'Enfant Jésus, avec sainte Martine et sainte Agnès (fig. 160 et 161, cat. 134)*. Il est d'une rigoureuse symétrie. La simplicité de cette composition, uniquement rehaussée d'effets de lumière et de têtes ailées d'anges à demi fondus dans les nuages, est compensée par deux facteurs : la délicatesse longuement méditée des gestes mesurés et le raffinement de la technique qui surpasse ce qui paraît ne pas pouvoir être surpassé, c'est-à-dire les autres compositions du retable et l'étude dont on vient de

parler. Les valeurs sont d'une délicatesse et d'une vigueur qui semblent difficiles à concilier. La hiérarchisation des personnages se traduit par le degré d'individualisation de leur visage : l'Enfant Jésus, l'image de Notre-Dame, le visage et les mains des saintes, enfin les figures d'anges plus impersonnelles.

Nuages et lumières forment une sorte de tapisserie blanche d'où émergent avec force, en raison de l'intensité de la forme et du coloris, le remarquable modelé de la figure de la Vierge et les amples drapés, presque aussi expressifs que les visages et les mains. Au contraire d'autres toiles, la déformation est ici moins forte dans la partie supérieure que dans la partie inférieure. On dirait que le Greco a voulu donner à la Vierge et aux anges des formes objectivement sereines. L'Enfant Jésus est rendu avec une plus grande hardiesse formelle. Mais le peintre concentre sur les saintes tout son élan lyrique, traduit par des déformations d'une vive et délicate expressivité. Grâce au modelé, les formes subissent des élargissements et des rétrécissements doux et ondoyants, qui leur donnent à la fois une tension — point trop dynamique ni pathétique — et un intérêt en soi. La densité des étoffes des manteaux, la douceur soyeuse des tuniques, la clarté des carnations, le vaporeux du voile posé sur la tête de la sainte de droite, autant de réussites picturales des plus parfaites dans toute l'œuvre du Greco. L'artiste semble ici se complaire davantage dans son travail de peintre proprement dit, dans son habileté à faire surgir de la toile des formes parfaites assimilant la déformation comme un élément complémentaire, indispensable à leur qualité. C'est que la déformation ne résulte pas d'un élan instinctif, mais de motivations optiques qu'il exagère et ne contrarie pas, et surtout d'une nécessité mystique qui nous reporterait aux images allongées de Byzance si nous voulions rechercher sa source lointaine; dès ses débuts, l'artiste a senti que la représentation des êtres divins ou proches du monde céleste devait être différente de la vision réaliste des mortels; ce qui est une notion indubitablement byzantine.

Le retable de l'autel latéral droit représente saint Martin partageant sa cape en deux, avec son épée, pour en donner la moitié à un pauvre. C'était un thème très répandu au Moyen Age (*fig. 162, cat. 135*). Le saint patron de la cavalerie est revêtu, comme le seigneur d'Orgaz, d'une armure d'acier bruni et doré; mais les dorures sont ici plus nombreuses et l'armure est éclairée d'une lumière rayonnante. Le fait que le cheval blanc occupe une grande partie du champ pictural projette le saint vers le haut. Des nuages sur un ciel bleu, et un paysage reproduisant en partie la vue de Tolède déjà citée, constituent l'atmosphère. Le corps du pauvre, presque nu, est modelé dans un rythme tel qu'il semble grandir, comme nous l'avons déjà remarqué à propos d'autres figures du Greco. La forme suit une série de courbes soulignées par un ton ondoyant qui lui donne un aspect de flamme. L'opposition entre l'espace et les figures est peut-être ce qu'il y a de mieux réussi dans cette œuvre d'une expressivité contenue. Les gestes sont sobres quoique éloquents. La main droite du pauvre semble montrer sa nudité. Le regard du saint et sa tête penchée paraissent exprimer le sentiment du devoir accompli plus que la compassion. Par son dessin et sa qualité, le cheval est en harmonie avec l'ensemble; cependant, alors que les deux hommes ont été traités selon le procédé cher au Greco d'«allonger pour spiritualiser», le cheval est représenté conformément au canon normal.

Le coloris est aussi très important dans ce tableau. Le Greco s'est accordé là toutes sortes de libertés: au lieu d'accords de couleurs complémentaires, il crée des harmonies ton sur ton; on peut le voir dans l'effet produit par la cape verte en rapport avec le paysage vert de la partie inférieure du fond. Ces deux derniers tableaux sont signés; le premier, des initiales du peintre en cursives grecques. C'est la première fois que l'on voit apparaître cette forme de signature que nous retrouverons dans diverses œuvres de plus petit format, en particulier dans les *Apostolados* étudiés dans notre dernier chapitre.

### Le collège de Doña María de Aragón à Madrid

Une œuvre capitale dans la période 1597-1603 et même dans la vie du Greco, la seule qu'il exécuta pour un édifice de Madrid, est le retable destiné au maître autel de l'église de la Encarnación, dépendant du collège de Doña María de Aragón. Philippe II céda en 1581 le terrain sur lequel devait être construit ce «collège de religieuses de l'ordre de saint Augustin» qui, édifié aux frais d'une dame d'honneur de la reine

Anne d'Autriche, fut baptisé du nom de la donatrice, María de Aragón. Le contrat concernant le retable, qui n'a pas été conservé, fut signé en décembre 1596; le Greco s'y engageait à l'achever et à le mettre en place pour Noël 1599. Une procuration donnée par le Greco à Francisco Preboste le 20 du même mois nous apprend que le peintre devait recevoir 500 ducats «immédiatement», 500 à la livraison des plans, 2 000 à la fin de chaque année que durerait le travail et «le reliquat du montant dudit retable» quinze jours après son évaluation.

Comme toujours, l'exécution traîna en longueur, et c'est seulement le 12 juillet 1600 que furent prises les dispositions nécessaires au transport du retable de Tolède à Madrid, transport qui coûta 1 800 réaux. Une fois en place, l'œuvre fut estimée par Juan de la Cruz pour le compte des exécuteurs testamentaires de María de Aragón, et par Bartolomé Carducho pour le compte du Greco. Le montant total, très élevé, de 63 500 réaux (5 920 ducats), fut accepté par les deux parties. Ce prix comprenait les sculptures, la polychromie et la peinture des toiles. Les paiements ne furent pas effectués aussi ponctuellement que prévu, car le Greco fit mettre sous séquestre les revenus des biens successoraux de María de Aragón, en partie situés sur le territoire d'Illescas dans la province de Tolède. Le 2 juin 1601, le Greco donnait un nouveau pouvoir à Preboste pour le recouvrement de 125 000 maravédis à valoir sur le montant du travail. On manque de renseignements précis sur l'agencement et les sujets de ce retable. Par de vagues références antérieures à la dispersion des éléments qui le composaient, on sait que l'*Annonciation* du Musée de Villanueva y Geltrú était la composition centrale *(fig. 164 et 166, cat. 138);* le catalogue du musée de la Trinidad indique que le *Baptême du Christ,* actuellement au Prado, en provient également *(fig. 168 et 169, cat. 140);* en raison de son sujet et de son format très voisin *(fig. 171, cat. 142)* la composition qui faisait pendant à ce tableau est, pense-t-on, l'*Adoration des bergers* de Bucarest. Des sculptures que, d'après les documents, contenait le retable, nous ignorons tout.

Les études préparatoires des trois tableaux sont conservées, la première dans la collection Thyssen, les deux autres à la Galleria Nazionale de Rome

Fig. 159 Saint Joseph guidant l'Enfant Jésus (détail), 1597-1599. Tolède, église San José. Cat. 133

Fig. 160 La Vierge et l'Enfant Jésus avec sainte Martine et sainte Agnès, 1597-1599. Washington, National Gallery. Cat. 134

Fig. 161  Détail de la fig. 160

Fig. 162 Saint Martin et le pauvre, 1597-1599. Washington, National Gallery. Cat. 135

*(fig. 163 et 165, cat. 136; fig. 167, cat. 139; fig. 170, cat. 141).* Comme toutes les études du Greco, elles sont à la fois d'une grande délicatesse et d'une vigueur extraordinaire. Tout y est parfaitement agencé et, si les versions définitives ne sont que des répliques d'un format considérablement plus grand, chaque élément y est recréé dans une magie nouvelle sans modification sensible de la forme. Seule l'analyse détaillée fait apparaître les transformations profondes dues à la différence des formats qui sont à l'origine des nouveaux rapports de grandeur entre la forme donnée et la touche, mais dues aussi au fait que le Greco ne reprenait jamais exactement un procédé, tout en respectant le coloris, l'agencement, le schéma général et celui de chaque détail.

L'*Annonciation* révèle (et c'est ce qui la distingue de la quasi totalité des peintures sur le même sujet) la conception que l'on peut appeler «symphonique» de l'artiste. Le Greco sait que, au moment où l'archange Gabriel a transmis à Marie le message du Très-Haut, il s'est passé quelque chose de très important dans le monde céleste; c'est ce qu'il veut représenter. Pour y parvenir, il divise, selon un procédé qui lui est habituel, la composition en deux zones : dans le bas se déroulent les événements terrestres; dans le haut se trouve la vision du ciel, ici réduite aux seuls anges musiciens. Nous avons déjà souligné l'intérêt formel de la «zone intermédiaire» qui sépare et en même temps unit le ciel et la terre. C'est une sorte de trombe de lumière qui met en communication les deux parties. La «glose» de l'*Annonciation* par le Greco ne se réduit pas au sujet, c'est-à-dire à la représentation de quelques anges jouant d'instruments de musique dans le ciel pour célébrer l'événement qui a lieu sur la terre. Ce motif sert de prétexte au Greco pour refuser la composition usuelle : la terre — ou le sol —, les personnages et l'espace fermé ou ouvert mais limité par le bord supérieur du tableau. La division en deux zones lui permet d'inventer un type nouveau de composition, qui donne lieu à des rythmes et à des mouvements dynamiques internes nouveaux dirigés vers le haut (c'est une de ses obsessions) et lui permet aussi de varier et de multiplier les jeux d'harmonies formelles, tonales et chromatiques.

Dans cette *Annonciation,* tout cela apparaît avec une netteté et une force rarement aussi révélatrice du fait que le sujet n'est ici qu'un prétexte. Si nous coupons la composition en suivant la ligne déterminée par l'aile de l'archange, à droite, le tableau se désintègre. Le plus important n'est pas les personnages, mais le mouvement ascendant de lumière qui part de la figure de la Vierge et aboutit au centre de la partie supérieure en passant par le blanc intense de la colombe du Saint-Esprit. De petites têtes d'anges se trouvent insérées dans la masse de nuages qui permet au peintre de créer ce «conduit» de communication entre la partie céleste et la partie terrestre du tableau. Mais ce mouvement se trouve en partie contrecarré par le vigoureux axe oblique et ascendant déterminé, de gauche à droite, par le livre ouvert sur le pupitre, le contour de la tête de Notre Dame, la tête de l'archange et l'extrémité de son aile gauche. Cette ligne a une parallèle inférieure sur laquelle se situent les pieds de la Vierge Marie — dissimulés sous la tunique carmin rose, et chacun à une hauteur différente — et ceux de l'archange Gabriel.

Cette relation exalte la communication entre les deux figures et le contraste — non de couleurs complémentaires — entre le vert vif de la tunique de l'archange d'une part et d'autre part le bleu et le carmin du manteau et de la tunique de la Vierge. Le jaune, verdâtre, blanchâtre et grisâtre du fond unifie le tout, et forme cette base neutre, dans la partie supérieure aussi, sur laquelle se détachent de prodigieuses figures d'anges répartis en deux groupes, l'un à droite, et l'autre, plus important, au centre et à gauche. La forme allongée et en zig-zag de l'ange du centre, dont la jambe recouverte par une tunique carmin orangé est projetée vers le bas, sert d'autre part à établir une communication rythmique avec la figure de l'archange.

Les subtilités et les harmonies de ce tableau sont inépuisables. L'étude préparatoire n'en diffère que par l'exécution; la touche y est plus visible en raison du format plus réduit, la technique plus spontanée et plus floue à la fois, le dessin moins soigné. Mais dans l'œuvre définitive, le Greco laisse dans les formes un certain vague, son procédé de frottis donnant du flou à leurs contours. En revanche, il suit de très près sa première version en ce qui concerne l'expressivité, ainsi qu'on peut le constater à certains détails de la tête de la Vierge. Le contour du visage est légèrement modifié, l'exécution n'est pas absolument semblable, mais le mouvement des lèvres et le regard traduisent dans les deux cas le même sentiment. Cette aptitude à répéter une même expression tout en variant la facture suffirait à prouver le génie du Greco. Même dans la réplique de cette étude préparatoire (au musée de Bilbao), un peu plus «lasse» ou moins tendue, l'expression est identique *(cat. 137)*.

Dans cette œuvre, on peut constater que le Greco, comme Rembrandt et Velázquez, a compris le secret de la peinture, qui consiste à former un tout harmonieux des divers éléments dont elle est faite : une touche a la même importance qu'une couleur, une forme ou la manière, apparemment arbitraire, de donner vie à un raccourci, que l'ensemble de la composition et des motifs. Tous ces éléments ne sont artificiellement séparés que dans l'analyse : au niveau de la création, ils naissent d'un acte unique.

Le *Baptême du Christ*, autre peinture du retable du collège de Doña María de Aragón *(fig. 168 et 169, cat. 140),* diffère peu de son étude préparatoire par l'agencement de la composition et de ses éléments. Outre la différence de facture maintes fois signalée (qualités plus lisses et formes plus nettement dessinées dans l'œuvre définitive) on ne remarque ici que de très légères modifications : le Greco a augmenté la hauteur du rocher sur lequel se tient le Précurseur afin que sa gigantesque stature, par rapport à celle du Christ, fût mieux justifiée. En outre, et ceci est très important, ses traits sont plus réalistes dans l'étude; mais comme le peintre voulait donner l'impression d'éloignement dans la partie haute du tableau, il a adouci et simplifié les figures de sorte qu'elles sont plus idéalisées. L'effet d'optique déjà observé dans d'autres œuvres se reproduit ici : dans la partie supérieure, l'espace semble basculer vers l'arrière ou être situé sur un plan plus profond ou plus lointain. Dans la partie inférieure, le peintre a eu recours à un procédé d'une grande valeur picturale : il fait tenir par cinq anges (dont l'un, en pied, entre Jésus et saint Jean) l'ample manteau du Sauveur, entre celui-ci et le deuxième plan. Ainsi le très beau corps du Christ, modelé en courbes ondoyantes, se détache sur le vêtement largement déployé ne laissant voir que les mains et les têtes de quatre anges. La simplification des formes ainsi que la déformation par accentuation des raccourcis, ici très nettes, produident un effet qu'on

pourrait qualifier d'impressionniste. Toute étiquette mise à part, nous sommes en présence d'une partie de tableau parmi les plus hardies et les plus belles de toute l'histoire de l'art.

Cependant, la simplification et la déformation sont plus accusées dans la partie supérieure. Le Père Éternel est la représentation d'une idée plutôt que d'un être. Nous voici bien loin de l'humanisation de Dieu le Père dans la *Trinité* de Santo Domingo el Antiguo. Pour idéaliser et transfigurer ces représentations du ciel, le Greco anime davantage les matières du vide — fond de lumière et de nuages flamboyant — et réduit considérablement le caractère concret des textures des personnages qu'il y situe. Il diminue ainsi le contraste, la différence entre figures et fond, et crée — sans tomber dans la confusion ni dans l'informe — un monde nouveau de beautés et d'expressions inédites avant lui. Tout cela est justifié par le vertigineux mouvement de fuite vers le haut qui donne son rythme à cette composition. La partie inférieure, avec ses mouvements sinueux et fulgurants, est agencée de manière à attirer vers le haut le regard, attiré en outre par tous les éléments actifs de la zone intermédiaire : colombe lumineuse du Saint-Esprit, anges qui semblent littéralement s'envoler, groupe d'angelots aux positions les plus diverses et en porte-à-faux, et surtout flot jaillissant de lueurs qui se résout dans le blanc de la tunique du Père Éternel.

Du point de vue des couleurs, la partie inférieure paraît traité presque comme un relief, par le rapport étroit entre les personnages et la justesse des rythmes. Mais dans le haut, depuis le groupe de têtes d'anges jusqu'au sommet de la mandorle de lumière qui entoure le Très-Haut, se développe une symphonie de lueurs et de couleurs qui emporte l'ensemble tout entier vers le haut. Dans l'étude préparatoire, ce mouvement ascendant est peut-être moins intense parce que la touche, plus forte, donne aux éléments une intensité moins différenciée. En revanche, les raccourcis sont respectés et les déformations quasi identiques dans les deux œuvres, sauf en ce qui regarde le traitement et l'exécution proprement dite.

A première vue, on remarque dans l'*Adoration des bergers* du musée national de Roumanie *(fig. 171, cat. 142),* certains aspects (effets de lumière, personnages secondaires, etc.) qu'on pourrait qualifier de

Fig. 163 L'Annonciation, 1597-1600. Lugano,
coll. Thyssen-Bornemisza. Cat. 136

Fig. 164 L'Annonciation, 1597-1600. Villanueva
y Geltrú, musée Balaguer. Cat. 138

183

Fig. 165 Détail de la fig. 163
Fig. 166 Détail de la fig. 164

Fig. 167  Baptême du Christ, 1597-1600. Rome, Galleria Nazionale, Cat. 139
Fig. 168  Baptême du Christ, 1597-1600. Madrid, musée du Prado. Cat. 140

186

bassanesques. C'est parce que le Greco, lorsqu'il reprenait ces sujets traditionnels de l'iconographie religieuse, partait toujours de ses œuvres antérieures; ainsi, malgré les métamorphoses qui jalonnent son évolution, ses œuvres contiennent toujours des éléments provenant de ses premières périodes : typologie, gestes, expression de sentiments et d'effets d'atmosphère. On remarque dans cette version un mouvement ascendant plus accentué : les deux parties sont plus élevées, la zone céleste est séparée de la zone terrestre par des éléments architecturaux qui sont les voûtes de la pièce où se tiennent les personnages sacrés. Il y a dans la composition une double suggestion dynamique, ascendante et giratoire. Ce second mouvement a pour centre l'axe vigoureux, quoique discontinu, de la partie intermédiaire, matérialisé par le pilier soutenant les voûtes. Mais par des effets de déplacement vers le spectateur et vers le fond — courants chez le Greco — dans la partie inférieure le centre se trouve en avant du pilier en question : c'est la petite figure de l'Enfant Jésus, baignée d'une intense lumière. Le mouvement des anges et des phylactères de la partie supérieure suit le même rythme.

Rose, carmin, lueurs blanches et rosées ou légèrement jaunâtres contrastent avec des bleus denses. La forme est traitée avec une grande hardiesse de touche; des détails à demi désintégrés se «reconstituent» lorsqu'on regarde d'ensemble la composition.

Dans ces trois œuvres destinées au collège de Doña María de Aragón se trouve confirmé ce que nous avons dit des peintures postérieures à 1590. Le Greco s'écarte délibérément des jugements et des valeurs de son milieu social, de toute préoccupation personnelle pour le «formalisme». Après ses grandes réussites «classiques» de la période antérieure — du retable de Santo Domingo el Antiguo à l'*Enterrement du comte d'Orgaz* —, se sachant parfaitement maître de son art, il n'est plus limité par ce qu'on pourrait appeler retenue, correction, exactitude formelle : ou plutôt il n'en ressent plus le besoin. Il s'appuie sur une technique, une conception et un univers qui lui sont propres, caractérisés par des déformations de plus en plus hardies, par une *horror vacui* de plus en plus sensible et, en particulier dans ces compositions de 1597-1599, par les échappées vers le haut et l'allongement

du canon. Le répertoire de gestes, qui joue un rôle important dans l'œuvre du Greco, s'enrichit d'un nouvel élément : les deux bras levés de l'ange du premier plan au centre du *Baptême du Christ*, geste qui perdra bientôt la fonction pratique qui est ici la sienne, pour devenir pathétique, par exemple dans la vision de l'Apocalypse de la dernière période.

Malgré la légère nuance de sentiment, imposée par le sujet, qui les sépare, ces trois dernières compositions présentent une parfaite unité d'agencement, de forme, de coloris et de mouvement rythmique. Le Greco a conscience de ses moyens et de ce qu'ils lui permettent d'accomplir, malgré les échecs matériels ou les traitements indignes dont il est parfois l'objet et qui, à la fin de sa vie, le mèneront à une quasi pauvreté.

L'étude des peintures de San José de Tolède permet de situer à la même époque deux tableaux de date inconnue : le *Saint Jacques le Majeur en pèlerin* de la Hispanic Society de New York *(fig. 156, cat. 131)* et la célèbre *Vue de Tolède* du Metropolitan Museum de la même ville *(fig. 172 et 173, cat. 143)*. Le premier est probablement antérieur au *Couronnement de la Vierge (fig. 155)* du retable de San José, dans lequel l'image du saint est littéralement reprise.

### La «Vue de Tolède»

La *Vue de Tolède* a servi de point de départ au Greco pour certains paysages de fond, tels ceux du grand *Saint Joseph* et de son étude préparatoire, et du *Saint Martin*. Ce tableau est donc antérieur à 1597. Les documents concernant le Greco mentionnent parfois des «paysages». Dans l'inventaire, dressé en 1629, des biens formant la succession de Salazar de Mendoza, figure «un paysage de Tolède du côté du pont d'Alcántara», dont l'auteur n'est pas mentionné. Il pourrait s'agir, selon l'hypothèse de San Román, du tableau qui nous occupe; en effet, Mendoza avait été administrateur de l'hôpital de Afuera, importante fondation du cardinal Tavera qui, nous le verrons au chapitre VII, joua un grand rôle dans les dernières années de la vie du Greco. Par ailleurs, les inventaires dressés par Jorge Manuel après la mort de son père contiennent des toiles désignées par les mots «un Tolède» et «deux paysages de Tolède».

La *Vue de Tolède* du Metropolitan Museum, ou un tableau très semblable, servit aussi de modèle pour les fonds d'autres compositions probablement peintes après 1600. Avant Tolède, c'est l'Escurial que le Greco avait représenté dans ses fonds. Ce paysage — l'un des premiers dans l'histoire de la peinture espagnole depuis le Moyen Age — se déploie sous un ciel d'orage projetant vers la terre des lueurs livides. Il n'est donc pas étonnant que, mis à part quelques ocres légers, les trois nuances prédominantes du tableau soient le vert, le gris-blanc bleuté (dans les édifices), le bleu et le gris dans les nuages de tempête. Une des grandes réussites de la composition est le déplacement vers la droite de la masse centrale de l'« acropole » de Tolède, dominée par la puissante masse de l'Alcázar; à gauche se trouvent le pont d'Alcántara et le château de San Servando. Du même côté part un chemin abrupt montant vers la tour qui commande l'entrée du pont, puis suit la pente douce d'une colline située à la même hauteur.

Nous avons là une des plus prestigieuses peintures du Greco, auquel on pourrait cependant reprocher la disproportion des personnages minuscules, évidemment trop petits, que l'on voit au second plan, près du fleuve. Ceux qui suivent le chemin menant au pont sont de proportions plus justes. Mais ces détails sont sans importance au regard de l'expressivité de l'ensemble. Jamais on n'a fait un « portrait » de ville où soient captées de manière aussi géniale toutes les forces intimes et profondes qui semblent affleurer ici sous la lumière livide de l'atmosphère d'orage. L'articulation des rythmes et le rapport parfait entre les masses de terre recouvertes de végétation et le ciel nuageux — d'une ampleur presque égale — de part et d'autre de l'axe formé par les édifices gris contribuent à former un ensemble unique. L'exécution de chaque élément est minutieuse et brillante, avec des contrastes successifs très nuancés entre zones de lumière et zones d'ombre qui modèlent les plans à partir du premier d'entre eux, avec ses feuillages, ses broussailles et son fleuve sombre, jusqu'à la pointe du clocher de la cathédrale. Le Greco a intentionnellement rendu opaque la partie inférieure du ciel pour obtenir un contraste plus violent avec les édifices gris. Nous avons là une œuvre où la force picturale n'a d'égale que l'intensité psychologique.

## Œuvres attribuées à la période 1597-1603

Nous allons étudier une importante série d'œuvres non datées que nous croyons pouvoir situer, en raison de leur style et de leur facture, dans cette période à cheval sur deux siècles. Il s'agit de compositions à plusieurs figures, d'images de saints, de portraits, dont les sujets sont divers mais le style semblable. Dans certains cas, les nouvelles images reproduisent des modèles antérieurs, à la fois vivifiés et simplifiés. Mais la plupart d'entre elles témoignent de l'inépuisable faculté de renouvellement du peintre crétois.

Parmi les premières on trouve l'*Annonciation* du musée de Toledo, Ohio *(fig. 174, cat. 144)*, dérivée du petit modèle apporté par le Greco d'Italie en Espagne, et qui se trouve au Prado *(fig. 24, cat. 18)*. La différence est évidemment très grande entre les deux toiles, et le peintre a poussé plus avant le processus de simplification déjà mis en œuvre dans la version de la collection Contini-Bonacosi *(fig. 26)*. Les seuls accessoires sont ici le panier à ouvrage placé à terre, au premier plan, près du petit vase de fleurs sauvages : belle et simple nature morte qui annonce la curieuse et angoissante simplicité qui caractérise la série des tableaux espagnols de même genre. Le jaune légèrement dégradé de la tunique de l'archange s'harmonise avec les gris-bleus et les blancs-gris de ses grandes ailes et du fond. La forme est remarquable et les effets obtenus par le contraste des qualités donnent une impression de relief, surtout dans la figure de Gabriel, dont le visage est de profil et le bras gauche supérieurement modelé. Il existe plusieurs répliques de cette toile, dont certaines probablement exécutées au cours de la période suivante.

La *Sainte Famille avec sainte Anne et saint Jean-Baptiste enfant* date de la période qui nous occupe, si l'on en juge par la conception picturale d'une version de petit format conservée à la National Gallery de Washington et qui, par sa qualité, paraît en être le modèle original *(fig. 175, cat. 147)*. Comme toujours, la première œuvre d'une série typologique possède la vigueur de l'idée vierge, la spontanéité et l'enthousiasme qui caractérisent toute création. Bien que la répétition du sujet n'entraîne pas de lassitude, les répliques sont des œuvres sans problèmes, qui naissent pour ainsi dire résolues d'avance; c'est pourquoi leurs

Fig. 169 Détail de la fig. 168

Fig. 170  Adoration des bergers, 1597-1600. Rome, Galleria Nazionale. Cat. 141
Fig. 171  Adoration des bergers, 1597-1600. Bucarest, musée national de Roumanie. Cat. 142

Fig. 172 Vue de Tolède, avant 1597. New York, Metropolitan Museum. Cat. 143

Fig. 173  Détail de la fig. 172

Fig. 174  L'Annonciation, 1597-1603. Toledo (Ohio), musée. Cat. 144

Fig. 175  La Sainte Famille avec sainte Anne et saint Jean-Baptiste, 1597-1603. Washington, National Gallery. Cat. 147
Fig. 176  La Vierge et l'Enfant Jésus avec sainte Anne, 1597-1603. Tolède, musée de Santa Cruz. Cat. 148
Fig. 177  La Vierge et l'Enfant Jésus avec sainte Anne, 1597-1603. Hartford, Wadsworth Athenaeum. Cat. 150
Fig. 178  Saint Jean-Baptiste, 1597-1603. San Francisco, M. H. de Young Memorial Museum. Cat. 151

éléments ne s'articulent pas avec la force ou la fraîcheur des prototypes. Dans la version de Washington, chaque élément est d'une vie et d'une richesse extrêmes, bien que la distorsion du visage de la Vierge, due au raccourci exigé par son attitude penchée, soit plus intense que dans les autres versions connues. Le musée de Tolède possède celle qui est, selon nous, contemporaine du tableau de grand format *(fig. 176, cat. 148)*; l'image de saint Joseph en a été inexplicablement éliminée, sans doute par le peintre lui-même, car l'esquisse de la tête est visible sous le modelé des nuages qui la recouvrent. Le Wadsworth Athenaeum de Hatford possède une autre version authentique, plus simplifiée encore : la Vierge Marie et sainte Anne n'y sont représentées qu'à mi-corps et ni saint Joseph ni le petit saint Jean n'y figurent *(fig. 177, cat. 150)*. Il existe enfin au musée du Prado une réplique du modèle complet où saint Joseph a une barbe noire *(cat. 149)*. Le jeu de drapés est extraordinaire dans toutes les versions : il s'agit là d'une des qualités les plus caractéristiques de la peinture du Greco, qui néglige généralement les accessoires au profit des carnations, des draperies, des ciels et de l'éloquence des gestes.

Le *Saint Jean-Baptiste* en pied *(fig. 178, cat. 151)*, conservé au De Young Memorial Museum de San Francisco, provient du couvent des carmélites déchaussées de Malagón (province de Ciudad Real). Probablement peint au cours de la période 1597-1603, il est le premier d'une série d'images reproduites par le Greco et son atelier. Il constitue le plus éclatant exemple de la conception de l'homme qui était celle du peintre à l'apogée de sa carrière. Ce saint Jean est une image parfaite de l'ascète qui mit ses qualités viriles et toute sa force d'âme au service du combat contre les passions. Le paysage, qui contient la vue de l'Escurial que nous connaissons déjà, acquiert dans le lointain de brillantes qualités grâce aux effets d'éclairage du ciel, formé içi encore de nuages à demi déchirés qui se heurtent, et de trouées laissant voir le bleu. On remarquera l'habileté dans la composition du paysage avec ses gradations délicates de nuances jusqu'à la colline du fond, ses lumières et ses ombres alternées, ses bouquets d'arbres, ses zones de pénombre; tout cela est réaliste, mais transfiguré par une vision unique. Le canon nettement héroïcisé situe la tête de saint Jean à une hauteur anormale mais elle est si bien équilibrée par les rythmes ascendants des membres et par le jeu de formes ondoyantes qu'elle accentue seulement le mysticisme du personnage. Le musée de Valence conserve une autre version authentique, moins brillante, du même modèle, et sans doute de peu postérieure à la précédente *(cat. 152)*.

Au même groupe appartient le *Saint Jérôme en pénitent,* presque complétement nu, de la National Gallery de Washington *(fig. 179, cat. 153)*. L'homme, d'âge avancé, est d'une anatomie nerveuse, plutôt musclée : un dessin parfait et un modelé vigoureux mais non cerné, un empâtement souple qui permet de savants jeux de lumière et d'ombre, s'adaptent à merveille à la typologie. Le saint est représenté en pénitence dans une grotte ouverte en haut et à gauche, entouré de quelques éléments végétaux et de lumières intenses en contraste avec le fond sombre. Il y a un certain dynamisme dans la position du saint tourné vers la gauche et levant les yeux vers le ciel qu'il voit par l'ouverture de la prison où il s'est retiré en solitaire. Il est possible que l'œuvre soit inachevée, mais peut-être le peintre l'a-t-il intentionnellement laissée dans son état actuel.

A la même période appartient un nombre considérable de toiles destinées au client éventuel, aux églises et aux communautés religieuses. Elles reprennent des modèles antérieurs, souvent modifiés et améliorés conformément à l'évolution de l'artiste; par exemple le *Saint François et frère Léon méditant sur la mort,* modèle dont on connaît plus de vingt exemplaires. La composition est la même que dans la toile étudiée plus haut, conservée à Monforte de Lemos et exécutée au début du séjour à Tolède *(fig. 93)*. Le Greco avait beau travailler vite, il est impensable qu'il n'ait pas été largement aidé par ses collaborateurs. Déterminer quels tableaux sont des répliques de la seule main du Greco, quelles toiles sont des versions d'atelier auxquelles il a pris une part plus ou moins grande, quelles œuvres enfin sont de pures et simples copies, voilà qui pose un délicat problème. Dans certains cas, on ne peut aboutir à une conclusion satisfaisante qu'après étude des œuvres une fois nettoyées et débarrassées d'anciennes restaurations qui en font trop souvent de véritables énigmes. Et comme une telle étude est généralement impossible,

Fig. 179 Saint Jérôme pénitent, 1597-1603.
Washington, National Gallery. Cat. 153

197

les énigmes subsistent. Nous avons choisi trois versions du *Saint François* qui nous paraissent de la plus grande qualité : celle de la collection Max Bollag de Zurich *(cat. 155);* celle du musée d'Ottawa, provenant de l'église de Nambroca, province de Tolède *(fig. 180, cat. 154),* et celle de la Barnes Foundation (États-Unis), anciennement au collège des Demoiselles nobles de Tolède *(cat. 156).* Dans les trois œuvres, image et technique sont très semblables.

Il faut y revenir : le Greco avait su donner à ses collaborateurs une discipline technique équivalant au mimétisme. Or ce mimétisme atteint un tel degré de perfection qu'il pose en bien des cas de sérieux problèmes d'attribution même au spécialiste disposant d'éléments de comparaison adéquats. Dans les trois tableaux en question, la similitude est si grande que, de toute évidence, le peintre a purement et simplement repris un même modèle. Agencement de l'espace, situation du personnage, expression du visage, typologie, gamme très réduite des couleurs, sont quasi identiques; il en est de même du dessin.

Dans la peinture de la collection de Max Bollag, le fond est plus fermé, ce qui peut accentuer son opacité, d'ailleurs en partie due à son mauvais état de conservation. La toile du musée d'Ottawa, en meilleur état, a au contraire un fond très ouvert donnant plus de clarté à la gamme. Le canon du saint est un peu plus élancé que dans les trois autres versions (mais dans toutes même les plis des vêtements sont semblables) où les habits sont rendus comme épais, rudes, d'une étoffe rugueuse, et présentent parfois des qualités qui leur donnent l'apparence de fourrures. Le Greco représente saint François tel que probablement il fut : une nature méditative et lyrique, profondément marquée par l'ascèse et la vie religieuse qui formèrent son caractère, son expression, son aspect et ses gestes. Parce qu'il a souvent traité ce sujet, le Greco est devenu un spécialiste de l'imagerie franciscaine, le plus éminent sans doute de son temps.

D'après leur facture, il faut situer aussi au début du XVII<sup>e</sup> siècle un autre groupe de toiles consacrées au saint d'Assise et qui reprennent, avec d'importantes variantes, un des modèles de la période précédente. Parmi les versions indubitablement authentiques, citons celle de la collection Araoz, provenant du couvent des capucines de Tolède *(fig. 181, cat. 158),*

et celle de la collection Blanco Soler, toutes deux de Madrid *(cat. 159).* Ici les gestes du saint sont d'une grande éloquence : il porte la main droite à sa poitrine et tend le bras gauche en avant, au premier plan; derrière se trouve le crucifix appuyé sur le crâne. L'ouverture dans le fond de rochers, par où l'on voit le ciel couvert de nuages, est plus grande que dans les compositions antérieures, ce qui contribue à aviver la gamme chromatique. La qualité de la touche est plus libre et plus rugueuse que dans les deux groupes dont nous avons déjà parlé, et plus grande la ressemblance des étoffes avec des fourrures. Les traits du visage sont plus accusés, probablement dans le but d'obtenir une communication plus intense. Le jeu des tons est plus riche en nuances, mais la qualité des œuvres de ce sous-groupe n'est pas supérieure à celle de la version dont nous avons un peu plus haut souligné la nouveauté.

La typologie franciscaine du Greco s'enrichit à cette époque d'une autre image du saint en extase, mieux adaptée aux formats réduits : un saint François visionnaire, dont le regard ne se porte ni sur la croix (ici absente) ni sur le crâne (qui se trouve devant lui) mais vers le ciel. La réduction du format répondait sans doute au désir de créer un type d'œuvres destinées à une clientèle plus modeste. Toutes ces séries d'images durent connaître un grand succès, et le peintre comptait sur leur vente régulière, sans quoi on ne pourrait expliquer ces nombreuses reprises d'un même sujet. Il existe de ce dernier modèle plusieurs versions authentiques et une infinité de copies d'atelier présentant surtout entre elles des différences de facture. Le plus bel exemplaire de la main du Greco est conservé au musée de Pau *(fig. 182, cat. 160).* La popularité durable de ce modèle parmi les peintres du XVII<sup>e</sup> siècle est attestée par une copie littérale signée par Blas Muñoz en 1683 (musée de Tolède). Le saint est présenté comme une victime de l'adoration qu'il porte au Christ crucifié dont il a fait l'unique objet de ses aspirations, dans la solitude où il vit dans la constante compagnie du Seigneur. On comprend le succès de tels sujets dans une Espagne où la mystique connaissait son plein épanouissement. Sainte Thérèse et saint Jean de la Croix étaient morts depuis peu (en 1582 et 1591 respectivement) mais l'esprit de leurs œuvres était encore vivant.

Fig. 180  Saint François et le frère convers, 1597-1603.
Ottawa, National Gallery of Canada. Cat. 154

Fig. 181 Saint François en extase, 1597-1603. Madrid, coll. Araoz. Cat. 158
Fig. 182 Saint François en extase, 1597-1603. Pau, Musée des beaux-arts. Cat. 160
Fig. 183 Saint Augustin, 1597-1603. Tolède, musée de Santa Cruz. Cat. 165

Fig. 184  Allégorie de l'ordre des camaldules, 1597-1603. Madrid, Institut Valencia de Don Juan. Cat. 166

Fig. 185 Saint Jacques le Majeur
en pèlerin, 1597-1603. Tolède,
musée de Santa Cruz. Cat. 168

Le Greco n'a jamais peint une réplique d'un de ses originaux sans y introduire des variantes plus ou moins visibles, plus ou moins «secrètes» qui infirment l'attribution à l'un de ses collaborateurs. On peut le constater une nouvelle fois en comparant deux petites toiles consacrées à l'ordre des Camaldules, qui malgré les apparences sont loin d'être semblables (fig. 184, cat. 166). Lorsque Sánchez Cantón publia la version appartenant à l'Institut Valencia de Don Juan, de Madrid, il proposa de la situer vers 1597, année où frère Juan de Castañiza sollicita du monarque l'autorisation de fonder en Espagne des communautés de cet ordre. La composition est surprenante parce qu'elle est construite comme une gravure : le paysage de la partie supérieure est traité selon une perspective admise seulement dans les représentations emblématiques. On voit en bas saint Benoît et saint Romuald munis de leurs attributs, vêtus l'un de noir et l'autre de blanc, de part et d'autre d'une architecture contenant des textes, et dont le soubassement porte aussi des inscriptions. Cette peinture est probablement postérieure à la date indiquée par Sánchez Cantón; en effet, si le paysage de la partie supérieure se rattache à la *Vue de Tolède* étudiée plus haut, le traitement des deux figures de saints est d'une technique plus avancée et semble relever du style que le Greco pratiqua après 1600.

Fait intéressant : le Greco a représenté un terrain sur lequel s'élèvent des cellules individuelles réparties à intervalles réguliers autour d'un temple — ce qui donne à ce paysage un certain aspect «primitif» —, mais sa technique est, par les qualités et les lumières, d'un délicat naturalisme qui permet de rapprocher ce paysage de la célèbre *Vue de Tolède*. En haut, au delà de l'enceinte des ermitages, on voit des montagnes, des traînées et des ombres très intenses et effectistes animant cette partie de l'œuvre; mais l'espace réduit qui leur est réservé dans le champ pictural ne leur permet pas de contraster vraiment avec le reste du tableau, obligatoirement conçu selon les conventions imposées par le sujet. Plus net est le contraste entre les ermitages et l'architecture de la partie inférieure dont les grandes inscriptions, couronnées d'un fronton de ligne baroque, contribuent à donner à la composition l'aspect d'une gravure, voire d'un frontispice de livre. En revanche, les deux images de saints

sont d'un impressionnant effet pictural. De canon très allongé, elles sont traitées selon une technique à la fois complexe et simple, intense et très subtile; le peintre emploie le frottis mais donne aussi à la ligne, dans les mains et les doigts par exemple, des valeurs expressives intenses bien que strictement réduites à de tels détails.

La réplique conservée au collège du Corpus Christi de Valence, et qui a peut-être appartenu au bienheureux Juan de Ribera, présente des variantes (cat. 167). La plus remarquable affecte la partie inférieure. Le fronton aux courbes compliquées est inscrit à l'intérieur d'un autre fronton triangulaire, et les courbes latérales de l'architecture de la première version sont contenues par de strictes verticales. L'enceinte des ermitages a la même forme, mais ici avec de subtiles différences dans l'exécution, également visibles dans les montagnes et le ciel nuageux de la partie supérieure. Les figures des saints sont plus dramatiques et leurs traits mieux accusés. Elles ont plus de force, peut-être une plus grande rigidité, en particulier celle de saint Benoît.

Le retable provenant de San Nicolás de Tolède comprend une figure sculptée de sainte Barbe dans la niche centrale et trois panneaux où saint Augustin, saint François d'Assise et saint Jacques l'apôtre sont représentés en pied. Le *Saint Augustin* (fig. 183, cat. 165), revêtu des ornements épiscopaux, tenant la crosse dans la main droite et dans la gauche une maquette de sanctuaire, ressemble d'assez près par le canon et les traits du visage au *Saint Jérôme* déjà étudié. Il porte aussi une longue barbe blanche, mais n'a pas le regard inquisiteur du précédent. Si le Greco a, comme il est probable, utilisé le même modèle, il a su le modifier et le réinterpréter, ce qui prouve sa maîtrise dans la «superposition» d'un caractère indéniablement projeté par l'esprit de l'artiste à une effigie en soi impersonnelle ou, si l'on préfère, commune. Le *Saint François* qui fait pendant au *Saint Augustin* reproduit à quelques variantes près l'image du Poverello de la toile du Prado qui le représente avec saint André (fig. 131). Le *Saint Jacques le Majeur en pélerin* de l'attique est la plus remarquable des trois images; le saint est vêtu d'une tunique blanche et d'un ample manteau rouge modelé d'ocre jaune; les contours sont fortement soulignés de noir (fig. 185, cat. 168). L'harmonie de rouge et de blanc — fréquente chez le Greco — sur fond or est extraordinaire. La noble face du saint, homme jeune portant une courte barbe noire, dont certains traits, sinon l'expression, rappelle le visage du Christ, est d'un grand effet.

Le Greco a exécuté deux compositions sur le thème du *Christ au Jardin des Oliviers,* l'une au format en largeur, l'autre au format en hauteur. On conserve trois versions de la première dont une seule (au musée de Toledo, Ohio) est tout entière de la main du peintre *(fig. 186, cat. 169)* et date probablement de la fin de la période que nous étudions. La version en hauteur, reprise plusieurs fois, appartient à la période suivante; nous en parlerons donc plus loin.

Dans la première toile, le Greco a exploité toutes les ressources de son invention. Tour d'abord, il répartit le champ pictural en espaces multiples, procédé dont il avait déjà usé dans l'*Adoration du Nom de Jésus,* mais les développements secondaires sont ici moins nombreux. Ensuite, il donne des formes géométriques point tout à fait régulières à des zones dans lesquelles il place, comme dans des espaces autonomes, les éléments essentiels de la composition. Il joue aussi de la similitude de contours pour accentuer la valeur d'une forme; nous en avons un exemple très net dans la figure du Christ agenouillé, le regard tourné vers la droite : le rocher qui se trouve derrière lui semble être l'ombre agrandie de son corps, matérialisée et métamorphosée en pierre. En revanche, les disciples endormis sont logés dans une sorte d'alvéole, au-dessous de l'ange (traité avec autant de lyrisme que de monumentalité) qui, à gauche, apporte à Jésus le calice, symbole de sa Passion. Les plis de la tunique du Christ, retombant sur son manteau étendu à terre, forment comme un piédestal à la merveilleuse face du Rédempteur, qui relève de la typologie de l'*Expolio.* A droite, derrière le grand rocher, un paysage qui s'éloigne en lignes sinueuses vers le fond; les petites collines en sont éclairées comme dans le *Saint Jean Baptiste,* sous un ciel prodigieux. Les petites figures sont celles des bourreaux qui, conduits par Judas, s'avancent vers le Rédempteur pour s'emparer de lui.

Mais ce jeu de formes tout à fait original et très animé n'est pas la qualité principale de ce tableau : comme dans tant d'autres œuvres, le plus important est ici la couleur qui sert à donner beauté et harmonie à chacun des éléments en particulier et à tous en général, mais aussi à accroître le pouvoir dynamique de ces éléments en contribuant à les rapprocher. La captation du mouvement — qui est une manière de représenter le temps immédiatement antérieur à la scène reproduite — est un des grands recours des peintres de tous les temps, surtout des baroques. Le geste indique l'action. Le spectateur n'a pas besoin de faire appel à son imagination pour la compléter, mais elle agit sur son esprit et contribue fortement à l'impression de vie qui se dégage de l'œuvre. Il faut signaler aussi la délicatesse des légers feuillages et des fleurs qui parsèment le premier plan ainsi que le rocher du fond, et de l'arbuste qui se trouve à droite de Jésus. Tous ces éléments, leur perfection mise à part, ont pour rôle de souligner le caractère terrestre de la scène, caractère que masquerait la puissance visionnaire de l'ensemble. Ce tableau prouve d'abondance qu'en dehors même des œuvres importantes (comme l'*Enterrement du comte d'Orgaz*) et de valeur exceptionnelle, l'art du Greco est en progrès constant.

Parmi les œuvres que nous pensons être du début du XVII<sup>e</sup> siècle, figure une nouvelle version du thème — contre-réformiste selon Camón — du *Christ chassant les marchands du Temple,* version originale quoique dérivée des deux premières peintes par le Greco en Italie. Tel qu'il est recréé, ce sujet témoigne à travers tous les éléments qui le composent du long chemin parcouru par le peintre. Il est probable que le modèle de cette troisième version est la petite toile de la collection Frick *(fig. 187, cat. 170).* Si nous la comparons à celle de Rome *(fig. 12),* antérieure d'une trentaine d'années, nous remarquons ici des changements plus importants qu'entre la version romaine et la version vénitienne. Se désintéressant de plus en plus des accessoires, le peintre réduit considérablement, sans toutefois les éliminer tout à fait, les architectures de ses premières versions. Le Christ brandissant le fouet devient l'axe principal de la composition. Le groupe des marchands de gauche a été simplifié : ont été conservés les deux hommes au torse nu et la jeune femme de type niobéen qui les sépare; la femme assise titianesque a été remplacée par un jeune homme soulevant une caisse. Personnage nouveau, une femme, à droite, portant un panier sur la tête. Le Greco a complété la signification allégorique de

Fig. 186  Le Christ au jardin des Oliviers, 1597-1603. Toledo (Ohio), musée. Cat. 169

Fig. 187  Le Christ chassant les marchands du Temple, 1597-1603. New York, coll. Frick. Cat. 170
Fig. 188  Le Christ chassant les marchands du Temple, 1597-1603. Saint-Sébastien, coll. Várez. Cat. 171

Fig. 189  Détail de la fig. 188

Fig. 190 Le Christ chassant les marchands du Temple (détail), 1597-1603. Londres, National Gallery. Cat. 172

Fig. 191 Le cardinal Fernando Niño de Guevara, vers 1600. New York, Metropolitan Museum. Cat. 173

Fig. 192 Diego de Covarrubias, 1597-1603. Tolède, musée Greco. Cat. 174
Fig. 193 Antonio de Covarrubias, 1597-1603. Tolède, musée Greco. Cat. 175
Fig. 194 Antonio de Covarrubias, 1597-1603. Paris, musée du Louvre. Cat. 176
Fig. 195 Gentilhomme inconnu, 1597-1603. Madrid, musée du Prado. Cat. 177

l'épisode de l'Évangile par addition de deux reliefs : Adam et Ève chassés du Paradis et le sacrifice d'Abraham, qui préfigurent respectivement la Purification et la Rédemption. La conception picturale propre au Greco poursuit sa progression, comme on peut le voir dans sa façon particulière de rendre les volumes, ses couleurs phosphorescentes et sa préférence pour les rythmes fulgurants. Une sorte de force supérieure donne à tous ces éléments leur unité.

Le Greco a reproduit cette toile-modèle dans un format plus grand et en exécuta deux versions presque identiques : celle de la collection Várez (*fig. 188 et 189, cat. 171*) et celle de la National Gallery de Londres (*fig. 190, cat. 172*). Le *Christ chassant les marchands* de la collection Várez conserve, malgré les encadrements successifs et les manipulations subies au cours du temps, une partie de ses marges. Comme c'est le cas pour d'autres toiles du Greco actuellement exposées au Prado et au musée de Tolède, ces marges ont été utilisées par le peintre pour essayer les couleurs et pour débarasser le pinceau d'un excès de pâte pouvant nuire à la précision de la touche. Ces taches irrégulières, qu'on a eu l'heureuse idée de laisser visibles, sont des éléments capitaux pour l'étude de la technique du Greco et la connaissance de ses procédés, qui ont donné lieu à tant de controverses.

Disons en passant que tous les critiques se trompent qui affirment que la disparition de la couleur locale et l'application consciente ou instinctive du contraste simultané commencent avec Delacroix; les toiles du Greco témoignent déjà de préoccupations «pointillistes» et la couleur locale s'en trouve modifiée. De même, le Greco ne peint pas les ombres en obscurcissant par addition de noir la couleur locale; il peint des ombres colorées — autre découverte de Delacroix, selon maints critiques. Dans le traitement général de la couleur, le Greco ne se sert pas de tons complémentaires mais recherche plutôt une harmonie d'ensemble des rythmes, des couleurs et des formes à partir d'ailleurs d'une nuance ou d'une forme centrale prédominants. Ainsi dans ce tableau, le carmin modelé de blanc de la tunique du Christ, entouré de verts, de bleus, de jaunes, d'ocres orangés ou terreux, de même que la nuance des carnations, claires ou brunes, et le ton marmoréen du cadre architectural, dont l'arcade ne laisse voir que très peu du ciel.

## Portraits

Le Greco continua à faire des portraits. C'était sans doute là un travail tout à fait en marge de l'activité de son atelier, spécialisé dans la production de tableaux à sujets religieux. L'un des plus remarquables est celui du cardinal Niño de Guevara (1541-1609) qui reçut le chapeau en 1596, fut nommé en 1600 inquisiteur général, et l'année suivante archevêque de Séville (*fig. 191, cat. 173*). Cette superbe toile, qui semble provenir de San Pablo de Tolède, doit dater de 1600 environ. Elle représente un homme à l'air dur et au regard franc et torve à la fois. L'idée de l'Église militante l'emportait à coup sûr dans son esprit sur celle de l'Église souffrante des anciens martyrs. L'extraordinaire force de cette dureté d'âme est saisissante. Les touches visibles et les nombreux contrastes de tons contribuent à renforcer cette impression. Le traitement des étoffes — soit dans les reflets de la soie rouge modelée de blanc et de noir, soit dans l'aube dont les dentelles sont traitées par des touches franches et des hachures faites avec le manche du pinceau — est invraisemblable par rapport à la matière représentée : cela suffirait à justifier que cette peinture est un des sommets de l'art du Greco. La masse rouge et le fond or soulignent parfaitement la vie intense de l'inquisiteur et servent non seulement à composer la forme et l'harmonie chromatiques, mais aussi à mettre en évidence l'esprit de l'œuvre. La représentation des caractères à la fois génériques et personnels du modèle font de ce tableau d'une technique remarquable l'un des meilleurs portraits jamais peints. Comme dans d'autres de même qualité, se conjuguent des éléments divers : le génie d'un grand artiste, une technique accomplie, un moment privilégié, et aussi un modèle particulièrement représentatif du pays, de l'époque et de la civilisation qu'il incarne.

Parmi les personnages peints par le Greco, se distinguent deux frères, tous deux hommes d'Église et fils du célèbre architecte tolédan Alonso de Covarrubias. Diego, l'aîné, mourut en 1577 (*fig. 192, cat. 174*), Antonio, humaniste renommé décédé en 1602, figure, rappelons-le, parmi les personnages identifiables de l'*Enterrement du comte d'Orgaz*. Le portrait d'Antonio de Covarrubias, sans doute exécuté peu avant sa mort, est conservé au musée du Louvre *(fig. 194, cat. 176)*. Il en existe au musée Greco à Tolède une réplique *(fig. 193, cat. 175)* qui fait pendant au portrait de Diego du même musée et qui est la seule version authentique conservée. Le Greco ne connut jamais ce personnage et il en fit le portrait d'après un autre d'auteur inconnu et daté de 1574. Il est probable que ce sont ces deux portraits qui figurent dans l'inventaire, dressé en 1629, de Pedro Salazar de Mendoza.

Il s'agit là d'œuvres plus simples et beaucoup moins ambitieuses que le portrait du cardinal Niño de Guevara. Les personnages sont représentés en buste, mais avec une vigueur remarquable. Le portrait d'Antonio, exécuté d'après nature, est de plus grande qualité; on peut remarquer des différences entre la version du Louvre et celle du musée Greco. Dans cette dernière, le regard est moins franc, les paupières plus tombantes et le modelé un peu plus fondu. Notons que le Greco préférait les pinceaux aux soies dures dont la trace reste visible. Ce facteur secondaire contribue à la liberté de la facture. Le clair-obscur est parfait. La personnalité du modèle est fortement accusée. Le portrait de Diego nous présente un personnage plus âgé, moins volontaire, en apparence accommodant.

En raison de sa facture, on peut attribuer à la période qui nous occupe le portrait d'un *Gentilhomme inconnu;* il répond à la formule habituelle du Greco: figure à mi-torse, costume noir, large et épaisse golille blanche, fond sombre *(fig. 195, cat. 177)*. Technique ébouriffée dans laquelle apparaît un réseau de très fines touches superposées à un solide modelé qui construit la forme en soulignant les structures et leurs tensions respectives. On notera le constraste de qualité entre l'extrémité du nez et la dureté lisse du front, ou la différence de souplesse entre les poils de la moustache et les cheveux, le regard franc et chargé de défi mais non agressif. Ce portrait est inscrit dans l'inventaire, dressé en 1794, de la maison de campagne du duc del Arco, alors bien de la couronne.

## VI

1603-1607

JORGE MANUEL THEOTOCÓPULI – RETOUR AU PALAIS DU MARQUIS DE VILLENA – LES COLLABO-
RATEURS DU GRECO – LE RETABLE DE SAN BERNARDINO – LES RETABLES DE L'HÔPITAL DE LA
CARIDAD A ILLESCAS – ŒUVRES ATTRIBUÉES A LA PÉRIODE 1603-1607 – PORTRAITS

*Jorge Manuel Theotocópuli*

La période que nous abordons maintenant est brève mais riche. Le Greco avait eu soixante ans en 1601 et l'activité de son atelier ne cessait de s'accroître, grâce à de nouveaux aides et au concours de son fils Jorge Manuel, né en 1578.

A partir de 1602, le Greco se trouve aux prises avec des difficultés provoquées par l'arrivée à Tolède de quelques-uns de ses compatriotes venus en Espagne après un long et pénible voyage pour essayer de recueillir des fonds destinés à racheter d'autres Grecs captifs des Turcs. Parmi ces voyageurs attirés par le souvenir de Lépante se trouvaient un prince moldave et plusieurs évêques. Dans les documents concernant le séjour de ces Grecs à Tolède, on retrouve la trace de Manoussos Theotokopoulos, le frère aîné du Greco qui, vieux et pauvre, était venu finir ses jours dans la cité castillane auprès de notre peintre.

Les œuvres datées de cette période sont le petit retable de San Bernardino achevé en 1603, et l'ensemble de retables, peintures et sculptures de l'hôpital de la Caridad à Illescas (province de Tolède).

Comme on le verra, la commande d'Illescas donna lieu à une opération désastreuse qui fut à l'origine d'un interminable procès au cours duquel éclatèrent la mauvaise foi et la bassesse du conseil de fabrique de l'hôpital. Le répondant du Greco fut à cette occasion son ami tolédan le docteur Gregorio

Angulo. Ce pénible procès se compliqua d'un litige soulevé par le collecteur d'impôts d'Illescas, qui réclamait au Greco le paiement de la *alcabala* (taxe sur les ventes) correspondante au travail exécuté. Il est bien possible que le diabolique conseil de fabrique ait provoqué ces nouvelles chicanes dans le dessein de ruiner la réputation morale du peintre en le harcelant de tracasseries administratives. Quoi qu'il en soit, le Greco garda son sang-froid et défendit avec fermeté devant le juge le principe selon lequel les œuvres d'art, dont la nation tout entière tire honneur et bénéfice, ne doivent être assujetties à aucun impôt. Il eut gain de cause et la décision du tribunal fit alors jurisprudence : les artistes ne payèrent plus d'*alcabala* sur leurs œuvres. Palomino consigna avec enthousiasme le fait dans ses *Dialogues de la Peinture*.

Jorge Manuel Theotocópuli (qui signa de ces nom et prénoms tout au long de sa vie) atteignit en 1603 l'âge de vingt-cinq ans. C'est à ce moment-là sans doute qu'il épousa Alfonsa de los Morales, car leur premier fils, Gabriel, fut baptisé en mars 1604. Jorge Manuel, sans doute conscient de son inaptitude à devenir un grand peintre, poussa peut-être son père à faire de son atelier un centre de production d'œuvres plus ambitieuses. Malheureusement, à en juger par les œuvres conservées dont il dirigea la construction dans l'atelier paternel, il ne fut guère plus qu'un dessinateur de projets moyennement doué et peu consciencieux. Les autels d'Illescas, comparés à ceux qui furent construits à la même époque dans d'autres ateliers espagnols, sont lourds et sans élégance. Il en est de même de ce qui reste de l'une de ses réalisations plus ambitieuse encore: les retables de l'hôpital Tavera, à Tolède, dont nous parlerons dans le chapitre suivant. On ne peut imputer au Greco la responsabilité d'œuvres aussi médiocres. Ce serait, croyons-nous, une lourde erreur que de lui attribuer les·plans et la direction de la réalisation des formes tassées qui servent de cadre aux magnifiques toiles d'Illescas, et de celles, plus laides encore, qui subsistent du retable principal à l'hôpital de Tolède. Le bienveillant San Román, si fervent admirateur du Greco, s'est naguère efforcé de convaincre critiques et historiens de ne plus considérer Domênikos Theotokopoulos comme un architecte.

Le jeune peintre dont le portrait est conservé au musée de Séville *(fig. 196, cat. 179)* a été identifié comme Jorge Manuel; ses traits sont en effet semblables à ceux d'un des personnages abrités sous le manteau de la *Vierge de la Charité,* composition qui couronne le retable principal de l'hôpital d'Illescas *(fig. 199).* Dans les documents relatifs au déplorable procès entre le peintre et le conseil de fabrique, cette identification est clairement attestée. Ce portrait est l'un des plus vivants peints par le Greco qui avait tendance à idéaliser ses personnages ou à leur donner un caractère spectral. Ici, l'énorme fraise à la mode de Philippe III maintient la tête très droite; le vêtement est noir, le fond d'une teinte unie et sombre. Nombreux sont les portraits du Greco qui se signalent par la vigueur du dessin et la tendance réaliste. S'ils nous paraissent, dans leur ensemble, un peu conventionnels, c'est à cause des affinités que leur confère l'appartenance à une même époque et à un même pays, à une civilisation qui nous semble très lointaine: tout cela contribue à unifier dans une certaine mesure les traits de personnages pourtant différents.

### Retour au palais du marquis de Villena

Le contrat d'Illescas, le nombre croissant des commandes de moindre importance et de ventes éventuelles dont témoigne la grande quantité de toiles attribuées, pour des raisons d'ordre technique, à cette époque, autant de preuves d'une extension des activités de l'atelier du Greco. L'atelier-appartement que lui et sa famille occupaient depuis 1590 se révélant sans doute trop exigu, on décida de retourner au logement spacieux du palais du marquis de Villena. Le déménagement dut avoir lieu vers la mi-avril 1604; en effet, le nouveau contrat signé le 5 août de la même année prévoit le paiement d'avance de 1929 réaux, montant du loyer annuel, et de 429 réaux pour les trois mois et treize jours écoulés depuis la date d'entrée dans les lieux. Francisco Preboste signa ce document en qualité de témoin.

### Les collaborateurs du Greco

La collaboration de plus en plus importante de Jorge Manuel ayant entraîné une augmentation des commandes, l'atelier du Greco avait besoin de s'agrandir. Nous sommes mal renseignés sur les collaborateurs du grand peintre au cours des diverses étapes de sa carrière, et tout porte à croire que nous le resterons. A part Jorge Manuel dont la personnalité de peintre est assez bien connue, et Francisco Preboste qui, en tant qu'artiste, est toujours une énigme, deux noms célèbres apparaissent à cette époque dans l'entourage du Greco: Pedro Orrente et Luis Tristán. Du premier (vers 1570-1645), qui fut l'ami de Jorge Manuel et le parrain d'un de ses enfants, on sait qu'il arriva à Tolède au début du XVIIe siècle et qu'il travailla dans l'atelier de notre peintre. Mais il s'est avéré impossible de se prononcer ou même d'émettre une hypothèse sur la part qui lui revient dans les œuvres réalisées alors: son abondante production postérieure, à Valence et à Murcie, ne porte d'ailleurs nulle trace du style de son maître. Luis Tristán (vers 1586-1624) en revanche, qui travailla avec le Greco de 1603 à 1607, en resta influencé jusqu'à sa mort prématurée; comme nous le verrons, son passage dans l'atelier de notre peintre y laissa une empreinte profonde.

Pendant toute la période qui nous occupe, Preboste est toujours l'homme de confiance pour toute sorte d'opérations: il reçoit des procurations, s'occupe avec compétence de signer des contrats, de réclamer des paiements en retard, et intervient dans les estimations et les diligences judiciaires. Le 29 avril 1607, il reçoit le pouvoir le plus étendu de toute sa carrière, le même qui sera peu après donné à Jorge Manuel et dont nous reparlerons.

Fig. 197  Saint Bernardin, vers
1603.  Tolède,  musée Greco.
Cat. 180

Fig. 198  Vierge de la Charité (détail), 1603-1605. Illescas, hôpital de la Caridad. Cat. 181

Fig. 199  Vierge de la Charité, 1603-1605. Illescas, hôpital de la Caridad. Cat. 181

A partir de ce document, toute trace du fidèle serviteur disparaît; il ne figure même pas dans les registres de décès de Santo Tomé, sa paroisse. Mourut-il au cours d'un de ses fréquents voyages d'affaires? Retourna-t-il en Italie, son pays natal, après avoir vécu tant d'années auprès du grand artiste auquel il avait uni son destin? Son œuvre de peintre est à jamais inséparable du grand nombre de toiles d'atelier qui figurent dans tant d'ouvrages, de collections et de musées comme étant de la main du Greco.

### Le retable de San Bernardino

Abordons cette période de 1603 à 1607 en étudiant l'impressionnante image de saint Bernardin qui se trouvait dans la chapelle du collège tolédan consacrée au saint de Sienne *(fig. 197, cat. 180)*. Le contrat concernant cette œuvre n'a pas été conservé, mais un reçu de Jorge Manuel, daté du 3 février 1603, nous apprend que le prix convenu pour le retable était de 3000 réaux. L'œuvre fut achevée dans l'année, d'après ce qu'on peut déduire d'une procuration donnée par le Greco à Francisco Pantoja y Ayala afin de «recevoir et encaisser du collège de San Bernardino [...] six cents réaux que me doit ledit collège s'étant obligé à accepter majoration de la somme due après le terme d'échéance [...] pour le retable que j'ai fait pour la chapelle dudit collège». Le solde du montant dû pour ce tableau fut versé le 10 septembre 1604.

Dans le second inventaire des biens de Jorge Manuel, figure sous le n° 128 un *Saint Bernardin* «d'une vare un tiers de haut sur trois quarts de vare de large» qui est certainement l'étude préparatoire du tableau conservé au musée Greco. Au milieu du siècle dernier, le collège disparut et l'architecture du retable, un simple encadrement de colonnes ioniques, passa au couvent de Santa Isabel de los Reyes dans la même ville. La typologie du personnage est accusée. Le canon de la figure est hyperallongé et le paraît plus encore à cause du visage ascétique, des mains, petites, et du pied visible. L'agencement de l'espace est particulièrement intéressant: un axe oblique descendant, marqué par la ligne idéale qui joint les deux mains, aboutit en bas à droite au groupe de mitres — symbole d'un très beau caractère pictural —

du premier plan. D'autre part, les nuages denses paraissent dessiner un mouvement de giration autour de la tête du saint, et cette sensation de mouvement est accentuée par l'acuité de son regard. Au fond, à gauche, un fragment de paysage de Tolède accentue l'intensité de l'image en établissant un contraste entre l'élément idéal — la tête perdue dans les nuages et le cercle rayonnant — et la réalité terrestre. Comme dans toutes ses œuvres, le Greco utilise le vêtement pour créer des formes et des couleurs expressives en elles-mêmes indépendamment du sujet. Dans chaque détail les touches traduisent parfaitement la matière représentée. Selon son habitude, le peintre traite chaque élément selon une technique différente : carnation, étoffes, nuages, terre, etc., mais il les intègre si bien que leur ensemble est d'une admirable unité. Avant Rembrandt, il fut peut-être le peintre qui sut le mieux mettre des techniques variées au service de l'unité de conception et d'expression.

### Les retables de l'hôpital de la Caridad à Illescas

L'église de l'hôpital de la Caridad du bourg d'Illescas fut édifiée entre 1592 et 1600 sous la direction de Nicolás de Vergara. Notre peintre signa le 18 juin 1603 un contrat par lequel il s'engageait à terminer le maître-autel avant le 31 août de l'année suivante, jour de la fête de l'image miraculeuse de la Vierge, qui devait occuper la niche centrale du retable. Ce document n'a pas été conservé, mais nous possédons celui qui contient la ratification de la commande, signé de Domingo Griego et de Jorge Manuel, «peintres». La disparition du contrat a malheureusement laissé bien des points dans l'ombre. L'entreprise était ambitieuse; elle comportait en effet la construction, la dorure et la polychromie de cinq autels en bois, la décoration de la voûte et des murs du sanctuaire, la peinture de plusieurs tableaux et les sculptures.

Le 4 août 1605, la première évaluation de l'ensemble achevé faite à la demande de l'hôpital fixa le montant de l'œuvre à 2 430 ducats. Le Greco contesta ce chiffre et le conseil de l'archevêché commit de nouveaux experts qui, un mois plus tard, en estimèrent le prix à 4 437 ducats. Une troisième évaluation ordonnée par le même conseil aboutit au chiffre plus élevé encore de 4 835,52 ducats. L'hôpital refusant de s'acquitter, le conseil ordonna une mise sous séquestre qui resta sans effet. Au bout d'une autre année de procédure et de récriminations réciproques, l'hôpital réclama une nouvelle estimation; le montant fut alors fixé à 2 093 ducats, chiffre plus bas que celui que le Greco contestait un an plus tôt. Mais cette fois l'infortuné peintre accepta, car il était las des chicanes qui dévoraient une grande part de sa mesquine rémunération. Les quatre peintures du maître-autel — la *Vierge de la Charité,* le *Couronnement de la Vierge,* la *Nativité* et l'*Annonciation* — furent estimées 213 ducats dans le cadre de la dernière évaluation, soit 87 de moins que ce qui avait été payé trois ans plus tôt pour le *Saint Bernardin.*

Les pièces du long procès d'Illescas ne font pas mention du *Saint Ildefonse* qui occupe le centre de l'autel à gauche de la nef mais, à en juger par son style, il fut certainement exécuté dans le même temps. Il n'y est pas question non plus de la toile représentant le *Mariage de la Vierge* qui, selon frère Gaspar de Jesús, surmontait en 1709 l'autel symétrique du précédent. Le tableau de même sujet qui se trouve au musée national de Roumanie *(fig. 255, cat. 229)* en est peut-être une nouvelle version.

Dans les peintures de l'hôpital de la Caridad, la tendance subjective du Greco apparaît plus accentuée. Sans approuver l'attitude de ceux qui, par incompréhension, le précipitèrent dans la ruine financière et morale, nous devons pourtant tâcher d'analyser la stupéfaction que provoquèrent de telles œuvres chez des gens dépourvus de culture esthétique et qui n'attendaient que des tableaux de dévotion. Sans avancer que l'iconographie n'est là qu'un simple prétexte, il est évident qu'elle est pour le peintre un moyen de s'élever à un niveau de la pensée et de l'art où il n'était donné qu'à un petit nombre de le suivre; surtout à cette époque et dans une cité espagnole qui, malgré ses brillantes traditions, n'était déjà plus qu'une petite ville de province.

Cette *Vierge de la Charité (fig. 198 et 199, cat. 181)* couronnant le retable du maître-autel, émergeant du vide comme les *Theotokoï* byzantines et abritant sous son manteau un groupe de personnages, ne pouvait être comprise comme l'avaient été les images traditionnelles de Byzance nées au sein d'une culture uniforme, hiératique et propre à maintenir la survivance de tels types. Ainsi cette œuvre ne pouvait être qu'inquiétante, car elle était l'œuvre d'un seul homme, non le fruit d'une tradition iconographique et culturelle. Aux tendances subjectives à l'allongement du canon, à la désintégration partielle des formes, aux distorsions et à la coloration phosphorescente des lumières, etc., s'ajoute ici une nouvelle conception monumentale de la forme, déjà sensible dans les œuvres de Santo Domingo el Antiguo, mais qui se modifie à présent dans un sens expressionniste en perdant une part de sa qualité formelle. Cette conception monumentale paraît résulter de motivations psychologiques du peintre plutôt que d'exigences d'ordre objectif, contrairement au cas précédent.

Comment dès lors qualifier cette image qui devrait être apaisante et qui est, en fait, terrible? La Vierge, qui se détache sur un ciel flamboyant, est surtout définie par la forme de sa tunique carmin éclairée de blanc, en contraste avec le manteau bleu foncé. La petitesse anormale de la tête, où se concentre tout le sentiment de la charité qui forme le sujet du tableau, accentue l'effet dramatique de la figure, et plus que de la figure de la «forme en soi», rougeâtre, parcourue par le violent zigzag des plis de l'étoffe. Le très beau visage laisse percer une certaine ambiguïté, une expression douloureuse et lointaine, bien que l'attitude protectrice — grâce à la symétrie des deux bras tendus vers le bas en une douce courbe pour protéger ceux qui s'abritent sous le manteau — soit sans équivoque et qu'elle domine toute la composition.

A droite, de profil, délicatement dessinée, avec tous les caractères d'un portrait, apparaît l'effigie de Jorge Manuel dont la tête émerge d'une volumineuse fraise; à gauche, un gentilhomme de face, la tête penchée de côté et les mains jointes; juste derrière lui, plus à gauche, le visage flou d'un autre personnage. Cette figure nous permet de faire quelques remarques d'ordre technique. Le Greco l'a laissée inachevée ou, pour reprendre le terme si souvent employé par les contemporains du peintre, «ébauchée». C'est une figure floue, vigoureusement brossée par un pinceau sec dont les soies dures ont laissé leur trace dans la pâte. Ces touches ne suivent pas la structure de l'ébauche, puisqu'il ne s'agissait pas d'effacer mais de fondre en laissant en évidence les parties brillantes.

Pour cela, le Greco devait choisir le moment précis où les couleurs atteignaient le degré de séchage voulu et le moment où les tons sombres, peints avec moins de pâte, commençaient à durcir. Il tirait donc parti des différents degrés de séchage, calculés d'avance, des différentes couleurs. Une fois l'ensemble sec, il donnait à l'œuvre sa forme définitive au moyen de touches spontanées, qu'il ne reprenait plus, ou au moyen de retouches délibérément dissimulées, en cherchant à donner au moindre coup de pinceau une spontanéité apparente. Dans certains cas, on a l'impression que l'artiste employait pour ces «frottis» ou ces «balayages» un peigne métallique aux dents très fines au lieu de pinceau. Parfois, après les touches finales, il passait à nouveau le pinceau sec pour éliminer l'excès de pâte qui pouvait en certains points altérer par un effet d'optique la structure réelle de l'empâtement. Comme nous l'avons déjà souligné, les œuvres du Greco témoignent, à un examen attentif, de l'emploi de divers procédés qui révèlent l'ample répertoire de moyens dont il disposait pour obtenir dans chaque portion du tableau, dans chaque élément, dans chaque détail, l'effet souhaité.

Les inventaires rédigés par Jorge Manuel après la mort du Greco font état d'une *Vierge de la Charité* de 3/4 × 2/3 de vare (0,63 × 0,55 m) qui doit être l'étude préparatoire de la toile d'Illescas.

Dans l'*Annonciation (fig. 200, cat. 182)* de forme circulaire destinée à la voûte du sanctuaire de l'église d'Illescas, la colombe constitue le centre du foyer lumineux dont les rayons se projettent sur la Vierge. Celle-ci, revêtue là encore d'une tunique carmin, est traitée selon une technique hardie. Le Greco a voulu rendre le mouvement en même temps que l'expression de surprise. Aussi y a-t-il dans la figure une sorte de flou comme provoqué par le déplacement du corps et surtout sensible dans le buste et la main droite. L'archange, entièrement de profil, paraîtrait traité comme un relief n'était l'intensité du vert lumineux de sa tunique, enrichie de reflets jaunes qui répondent au manteau bleu-gris de Marie. Tout est ici traité sans dessin, par des touches de pâte dense de directions diverses qui tendent à se fondre. Des touches subtiles donnent l'impression de volume ou produisent un effet de troisième dimension; vue de près, la figure de la Vierge donne à la fois une impression de flou et

d'inhabituelle intensité due surtout au rapport étroit et très juste entre le geste de la tête et celui de la main levée sous les rayons de la lumière dorée. Le fond est traité dans une nuance semblable à celle du prie-Dieu, avec une tendance à simplifier et à réduire au minimum les effets naturalistes d'atmosphère. De plus en plus, le Greco peint, plutôt que les faits rapportés par les Évangiles, ce que l'on pourrait appeler leur image intemporelle.

On remarque dans cette toile une juxtaposition des plans et comme un subtil balancement freiné par la position exacte du vase de fleurs, à la fois allégorie et facteur de composition donnant un caractère plus statique à la scène. La tête de l'archange, les mains croisées sur la poitrine, est conforme à la typologie habituelle du personnage, souvent traité par le Greco; mais l'exécution en est très particulière, comme le montrent la forme et la longueur différente des touches, surtout dans la nuque et la partie postérieure. Dans les mains et aussi dans l'aile projetée en avant, le peintre a utilisé le frottis et animé par une touche légère ou quelques points d'une couleur apparemment arbitraire telles parties d'un élément.

Il faut se garder d'oublier que le Greco tend toujours à concilier intimement l'idéalisme flamboyant de ses visions et le facteur réaliste, que son imagination ne se donne jamais libre cours dans ses œuvres et que, dans les moindres détails, la technique est toujours mise au service exclusif de l'image et s'adapte de façon parfaite à chacun d'eux. On peut le constater dans ce tableau, par exemple à la manière de rendre les qualités du vase par un empâtement dense, contrastant avec la légèreté aérienne des fleurs ou la juste texture des étoffes.

Dans la *Nativité (fig. 201 et 202, cat. 183),* deuxième toile de la voûte d'Illescas, le peintre ne se sert pas de couleurs complémentaires. L'intense et aveuglante note blanche du lange sur lequel est placé l'enfant produit une extraordinaire impression, et ses reflets affectent les nuances et les formes. La hardiesse de l'agencement de l'espace trouve son parfait complément dans la manière dont est disposée au premier plan l'énorme tête qui ressemble plutôt à celle d'un taureau qu'à celle d'un bœuf : objet d'une violente torsion vers la droite et vers le haut, elle forme une masse qui est comme le poids principal de la composition, presque son centre.

Le procédé consistant à introduire la lumière dans la couleur est ici utilisé largement. Il ne s'agit pas d'une luminosité propre à certains tons, dont bien plus tard bon nombre d'artistes du XXᵉ siècle exploiteront les possibilités; les langes et même la figure de l'enfant couché projettent une véritable lumière au même titre qu'un foyer lumineux réaliste.

Dans le *Couronnement de la Vierge (fig. 203 et 205, cat. 185),* troisième sujet de la voûte d'Illescas, souvent traité aussi par le Greco, les caractéristiques de la *Vierge de la Charité* sont plus accentuées. Les anges, que le peintre avait l'art de disposer en état d'apesanteur dans les poses les plus diverses, les grappes de têtes ailées, les rayons lumineux, tout cela ne constitue qu'un fond permettant aux trois grandes figures de se détacher avec vigueur. On notera le rythme symétrique – deux diagonales s'élevant du centre vers les extrémités – formé par la tunique du Christ et celle de Dieu le Père à la hauteur des genoux. Ces deux axes mènent au point le plus lumineux du manteau bleu de la Vierge. Voilà un détail qui prouve une fois de plus que le Greco agençait ses compositions en fonction d'une géométrie latente. Ainsi pouvait-il, à partir d'une base aussi solide et renforcée par un dessin sûr à l'intérieur même des déformations, se permettre toutes les audaces et exercer son art tel qu'il le sentait et le concevait. On a vu qu'il le fit parfois au préjudice de sa carrière et des jugements portés par ses patrons et ses clients.

Nous pourrions étudier chaque élément de cette œuvre avec la certitude d'y trouver, sinon une innovation radicale, du moins un progrès dans l'évolution de l'esthétique et des procédés : traitement de la tunique de la Vierge, raccourci du visage, délicat modelé fondu des joues et touches abruptes entre les yeux et les sourcils. L'œuvre est un jaillissements de densités distinctes avec ses reflets passant du blanc au bleu foncé coupés de carmins et de jaune d'or. Non moins étonnant est le fini de la partie inférieure du tableau : flot blanc à gauche; intense bleu-vert au centre où flottent des têtes ailées merveilleusement expressives; vert-jaune à droite envahi d'un flot blanc de lumière qui semble prolonger l'éclat de la tunique du Père Éternel. L'harmonie du coloris et des tons est pensée de manière que les carnations en tant que telles se détachent à peine, sans quoi le sujet aurait subi une

humanisation jugée excessive par le peintre à ce moment de son évolution. Le carmin rehaussé de blanc des tuniques, les reflets roses et bleu clair dans celle du Père Éternel, la matière des nuages, tout cela a été pensé afin que les carnations apparaissent sinon fondues avec les vêtements, du moins dans un contraste aussi atténué que possible. Dans la collection Epstein de Chicago est conservée l'ébauche de ce *Couronnement de la Vierge (fig. 204, cat. 184),* dernière version d'un sujet fréquemment repris par le Greco qui sut y introduire non seulement une beauté surnaturelle, mais un sentiment qu'on peut à bon droit appeler mystique sans porter par là un jugement concernant le caractère de l'artiste.

Le *Saint Ildefonse (fig. 206, cat. 186)* qui orne l'un des autels latéraux d'Illescas fait partie d'un ensemble profondément marqué par un expressionisme idéalisateur; il suffirait à prouver que le Greco pouvait, quand il le voulait ou lorsque le sujet l'exigeait, retrouver une manière moins hardie, plus conforme à une optique en quelque sorte neutre ou non conditionnée par un sentiment quelconque. Non que le peintre crée ici une œuvre différente par sa qualité et sa technique. Simplement, tout en restant dans sa manière, il refrène sa tendance aux grandes déformations expressives, aux éclairages inusités, à l'éloquence du geste et à l'image comme totalité. Cela explique le naturalisme constant de ses portraits et les problèmes que pose leur classement chronologique fondé sur la comparaison avec les compositions sacrées de date certaine et où la part de l'imagination est plus grande. Deux choses s'imposent ici d'emblée. D'abord le caractère humain et sympathique que le peintre a donné à son personnage, dont le visage et les mains traduisent la délicatesse d'esprit et la bonté : la main droite tient une plume, la gauche, doigts écartés, est posée sur un livre ouvert; ensuite l'intensité du rendu des étoffes, qu'il s'agisse du riche velours qui recouvre la table et retombe jusqu'à terre ou des vêtements noirs et blancs du saint. Le noir est rehaussé de rose, de blanc, de bleu dans les lignes claires formant les plis, alors que le blanc des manches est rehaussé d'ombres de couleurs foncées, mais non de noirs. La vigueur et la délicatesse de la technique du Greco apparaissent ici dans tout leur éclat. La tache blanche formée par la Vierge s'harmonise admirablement avec

Fig. 200  L'Annonciation, 1603-1605. Illescas, hôpital de la Caridad. Cat. 182

Fig. 201  Détail de la fig. 202

Fig. 202  Nativité, 1603-1605. Illescas, hôpital de la Caridad. Cat. 183

Fig. 203  Détail de la fig. 205

Fig. 204  Couronnement de la Vierge, 1603-1605. Chicago, coll. Max Epstein. Cat. 184
Fig. 205  Couronnement de la Vierge, 1603-1605. Illescas, hôpital de la Caridad. Cat. 185

Fig. 206 Saint Ildefonse. 1603-1605. Illescas, hôpital de la Caridad. Cat. 186

le noir de l'habit du saint, les deux tons étant eux-mêmes soutenus par l'harmonie des rouges et des ors. Ici, le Greco ne s'est pas livré à des recherches particulières; cependant, il a traité le blanc et le noir comme des couleurs complémentaires en donnant au noir une luminosité suffisante pour qu'il s'harmonise avec le carmin, tandis que l'or et le blanc s'appuient sur les ocres chauds du fond de la pièce.

Par sa retenue et son réalisme rigoureux, par son exécution, ce tableau se situe au point de rencontre de deux directions de l'artiste : celle des portraits — puisque tel est l'esprit de cette image — et celle de l'ensemble iconographique dont il fait partie.

### Œuvres attribuées à la période 1603-1607

Un groupe très important de toiles du Greco peut, par sa conception picturale, être considéré comme contemporain des peintures d'Illescas. Certaines sont des répliques de modèles antérieurs et ne présentent par rapport à ceux-ci que des variantes résultant de la profonde transformation des conceptions du peintre au cours des premières années du XVIIᵉ siècle. Dans d'autres, les modifications affectent aussi l'agencement général et les attitudes des personnages, ce qui permet de penser que le peintre avait réalisé un nouveau modèle; c'est le cas du *Couronnement* d'Illescas.

L'esprit créateur du Greco s'enrichit au fil des années et continue à produire des œuvres tout à fait originales. On en trouve la preuve dans le *Christ en croix* du Prado, provenant de l'église des jésuites San Ildefonso de Tolède, qui montre les anges et Marie-Madeleine recueillant le sang du Christ *(fig. 207, cat. 187)*. Cette œuvre est particulièrement intéressante du point de vue de la couleur : les plus vives nuances, se détachant sur un fond sombre, sont frappées de lueurs phosphorescentes. Le vert et le rouge de saint Jean, le bleu et le carmin de la Vierge, le vert très clair et le jaune des deux figures se tenant au pied de la croix, le rouge de l'ange de gauche, le jaune de l'ange opposé, toutes ces couleurs s'unifient et s'équilibrent grâce à la nuance livide de la carnation du Christ. Les drapés des manteaux constituent des harmonies de formes et de couleurs autour du fort contraste de tons du centre. On remarque une

sorte de mouvement giratoire, simplement suggéré, dans les rythmes des figures, sans parler du très net mouvement ascendant, particulièrement sensible dans saint Jean l'Évangéliste qui distend son corps pour rapprocher sa tête du Seigneur. Le rendu des étoffes est d'une incroyable liberté; la matière picturale est clairement montrée dans ses textures, sans qu'aucun contour cerne la forme, par des touches ébouriffées, délicates et brutales à la fois. Le modelé du corps du Christ est plus intense que dans les crucifiés de la période précédente. Malgré la présence auprès du Christ mourant des figures humaines et angéliques, le «trou» ménagé par le peintre autour du corps du Rédempteur laisse, grâce au fond sombre, le héros de la scène plongé dans une sorte de solitude essentielle.

L'une des meilleures œuvres du Greco est la grande *Adoration des bergers* provenant de Santo Domingo el Antiguo et entrée depuis peu au musée du Prado après avoir affronté à l'intérieur même du couvent les dangers d'un véritable périple *(fig. 208 et 209, cat. 188)*. En 1618, Luis Tristán déclara qu'il avait assisté à l'exécution de cette toile par son maître (rappelons que Tristán travailla pour le Greco entre 1603 et 1607). On affirme que cette *Adoration des bergers* était la composition centrale du retable que le Greco construisit dans une chapelle de l'église Santo Domingo, dont la crypte lui avait été cédée en 1612 comme sépulture familiale. Il y fut enterré en 1614. Mais Jorge Manuel, à la suite d'un différend avec la communauté, acquit en 1619 une autre concession funéraire dans l'église San Torcuato où il transféra, semble-t-il, les restes de son père.

Le retable resta à Santo Domingo, mais l'*Adoration des bergers* y fut remplacée quelques années plus tard par une *Annonciation* de Bartolomé Carducho (aujourd'hui conservée *in situ*) et l'incomparable toile de notre peintre reléguée dans les endroits les plus inattendus.

En se fondant sur l'analyse stylistique, il est difficile d'accepter pour cette *Adoration* la date de 1612. Nous pensons plutôt qu'il s'agit d'une œuvre contemporaine de l'ensemble d'Illescas, destinée à un retable dont le contrat ne nous est pas parvenu, et qui n'aurait pas été achevé. Cela cadre avec les propos de Tristán rapportés plus haut. Il paraît probable qu'une autre *Adoration* de format plus réduit provenant de la collection du marquis del Arco (aujourd'hui au Metropolitan Museum de New York) en fut l'étude préparatoire *(fig. 210 et 211, cat. 189)*. Les deux compositions sont presque identiques, mais dans la grande toile la scène semble vue d'un peu plus près; ainsi l'espace a moins d'importance et les figures occupent une plus grande surface. En revanche, la position de chaque personnage, leur expression même ont été soigneusement reproduites dans la version de grand format, que nous étudierons plus attentivement, l'étude des deux toiles n'étant pas nécessaire en raison de leur similitude.

La composition obéit à deux principes : agencement en deux zones, céleste et terrestre; disposition des personnages de chacune d'elles autour d'un axe vertical invisible, ce qui produit l'impression — accentuée par les gestes — d'un mouvement giratoire presque vertigineux. Comme dans les scènes semblables, Jésus et ses langes blancs constituent le foyer lumineux. La lumière se projette vers le haut en phosphorescences et en lueurs vives. Les éléments architecturaux sont réduits au minimum et ont un rôle bien moins important que dans de précédentes compositions semblables. Quelques nuages, à la manière de mouvantes lueurs, apparaissent à gauche, au-dessous des jambes de l'ange dont la figure domine ce côté de la partie supérieure.

On remarque ici, à leur premier degré, les déformations de la dernière période du peintre. La figure du berger de droite, dont les jambes sont violemment éclairées, suffirait à montrer comment le Greco parvint à la synthèse entre vérité naturaliste et déformation visionnaire. Le canon de cette figure et de celle qui lui fait pendant à gauche est hyperallongé; de même pour l'ange de droite. Les manteaux et les tuniques sont traités moins comme des pièces de vêtement que comme des taches de couleur-lumière, ce qui leur donne leur valeur. Enfin la facture elle-même révèle une nette tendance à la désintégration. En se penchant sur les détails, on remarque des mélanges de couleurs les plus inattendues jusque dans les carnations et des ruptures dans le dessin obtenues par des touches brutales, des entassements de pâte et des frottis, le tout dans le but de rendre à la fois l'effet de lumière sur la forme, le mouvement et la vie qui anime l'intérieur de la forme. Le visage de la Vierge est plus serein, celui

de saint Joseph le plus affecté par cet expressionnisme propre au Greco. Le noir est utilisé pour souligner les contours des formes et faire mieux ressortir la qualité et les nuances claires. On remarque une certaine géométrisation du trait, par exemple dans le voile blanc et transparent de la Vierge, portant de rapides brisures au niveau de l'épaule et du bras gauches. On peut établir une hiérarchie des valeurs selon laquelle la forme et la couleur sont soumises à la lumière, à l'espace et au mouvement, celui-ci étant une expression spirituelle et non une réalité physique.

De la même période sont une *Résurrection* et une *Pentecôte* de même format et dont la partie supérieure est semi-circulaire *(fig. 212, cat. 190; fig. 213 et 214, cat. 191)*. L'hypothèse selon laquelle ces deux toiles auraient fait partie du retable du collège de Doña María de Aragón est aujourd'hui abandonnée. Elles proviennent du musée de la Trinidad, ce qui semble prouver leur possible origine madrilène. La *Résurrection* est peut-être celle que Palomino avait vue à Madrid dans la chapelle de Nuestra Señora de Atocha. On peut penser qu'elles ont fait partie d'un retable dont l'histoire ne nous est pas connue. Pour des raisons que nous donnerons plus loin, la deuxième figure en partant de la droite, dans la partie supérieure de la *Pentecôte,* est probablement un autoportrait.

La *Résurrection,* si on la compare à celle de Santo Domingo el Antiguo *(fig. 67)* peinte quelque trente ans plus tôt alors que le peintre se trouvait encore sous certaines influences italiennes, révèle la profonde évolution du Greco. La première version du sujet est d'une exécution plutôt analytique, appliquée; la forme naturaliste est légèrement géométrisée dans les plans. Dans l'agencement, le peintre avait cherché à créer un certain effet de troisième dimension et, en tout cas, conçu un véritable espace représenté. Les figures du premier plan constituent des repères spatiaux qui, par contraste, renforcent l'impression de profondeur, en partie détruite par la nette projection vers l'avant, grâce à ses couleurs éclatantes et chaudes opposées aux tons froids des autres personnages, de la figure du Christ. Dans l'œuvre plus tardive, l'espace n'existe qu'en tant qu'émanation de la force même qui projette vers le haut la figure du Christ. Le naturalisme fondamental n'est plus soumis à la géométrisation analytique, mais à la stylisation pré-baroque de la dernière

Fig. 207  Christ en croix, 1603-1607. Madrid, musée du Prado. Cat. 187

Fig. 208 et 209 (détail) Adoration des bergers, 1603-1607. Madrid, musée du Prado. Cat. 188

Fig. 210 et 211 (détail)  Adoration des bergers, 1603-1607. New York, Metropolitan Museum. Cat. 189

période du Greco, à une certaine désintégration dans la facture qui est cependant parfaite et tout à fait adéquate au modelé de la forme. Le coloris est maintenant plus intense; la gamme plus profonde, chaude et dramatique. Les personnages secondaires sont moins individualisés et forment une sorte de chœur infernal en déroute. Les raccourcis les plus hardis et les plus exagérés sont très nets, en particulier dans les deux personnages qui, à gauche, renversent la tête en arrière, et dont la déformation est plus intense que dans les figures de la dernière version du *Christ chassant les marchands du Temple*. Les carnations sont soumises à des tensions expressives, et leur mouvement aux lignes sinueuses et flamboyantes ne porte pas atteinte au modelé des corps; au contraire le Greco se sert des oscillations de la forme naturelle, les accentue, leur donne un sens pour créer le climat de la composition.

Pour pousser plus loin la comparaison entre la *Résurrection* des débuts de la période espagnole et celle de l'époque qui nous occupe, il faudrait dire que la première visait à représenter un moment historique, bien que surnaturel, en conférant à l'image la précision de la vérité terrestre, alors que la seconde représente un concept intemporel, le triomphe éternel de la Divinité sur la mort et le mal. Il se peut que le Greco ne se soit pas posé les problèmes de la philosophie de son art; cela n'empêche pas que son évolution lui ait permis de progresser non seulement dans la technique et dans la liberté de création, mais encore dans la profondeur idéologique. En passant du concret au dynamique, le Greco ne suit pas seulement l'évolution de l'art de son temps; il devance toutes les possibilités de l'expressionnisme qui, dans cette période finale, s'impose à partir des œuvres d'Illescas.

La *Pentecôte* est conçue de manière à remplir tout l'espace. De même que dans d'autres compositions à nombreuses figures, le Greco use d'un rythme circulaire, mais traite la frise supérieure de têtes d'une manière plus plane pour donner de la sérénité à l'œuvre. Les gestes des personnages du premier plan sont agencés de manière à laisser voir le plus possible de visages et la plus grande variété de représentations de la figure humaine. L'attitude presque hystérique du personnage du premier plan à droite sert à établir un axe de mouvement propre à animer l'ensemble de la composition, et elle est contrebalancée par le bras levé de l'apôtre que l'on voit en haut à l'extrême-gauche. De même se répondent le geste du personnage du premier plan à gauche et celui de l'apôtre à l'extrême-droite de la partie supérieure. Ces axes forment deux diagonales qui se croisent près des pieds de la Vierge.

Certaines têtes sont proches par leur typologie et leur facture de celle du *Saint Pierre* de l'Escurial que nous allons étudier. Particulièrement remarquable est la représentation de la Vierge, malgré la liberté avec laquelle elle est traitée et la déformation, légère mais intense, des yeux. On remarque dans la facture des inégalités évidentes entre certaines parties, mais l'œuvre a été assombrie et peut-être un peu déformée par une ancienne restauration. Cela contribue à altérer la subtilité des équilibres de valeurs et explique qu'on ait pu supposer l'intervention d'une autre main. Quant au degré de déformation, il n'est pas supérieur à celui qu'on a observé dans la *Résurrection* où l'on trouvait des effets ici absents. On peut donc penser que la *Pentecôte* est de la même date ou d'une date très voisine.

Nous situerons au cours de cette période deux grandes images de l'Escurial: un *Saint Pierre* qui fait pendant à un *Saint Ildefonse (fig. 215 et 216, cat. 192; fig. 217, cat. 193)*. Le P. de los Santos les cite dans l'édition de 1698 de sa description du monastère. Comme elles ne figurent pas dans l'édition de 1657, on en a déduit qu'elles avaient dû entrer à l'Escurial entre 1657 et 1698 et provenaient du retable principal de San Vicente de Tolède, qui contenaient naguère des copies de ces deux tableaux (actuellement au musée de Santa Cruz de Tolède). Ces copies, pensait-on, avaient été faites pour remplacer les toiles authentiques de l'Escurial. Mais l'analyse des peintures de San Vicente démontre qu'il s'agit de copies réalisées dans l'atelier du Greco. Les toiles de l'Escurial sont donc sans doute le *Saint Pierre* et le *Saint Ildefonse* mentionnés dans le deuxième inventaire dressé par le fils du Greco. Celui-ci ou ses héritiers les vendirent probablement quelques années plus tard, puis elles furent cédées au monastère. Dans le même inventaire sont citées deux toiles plus petites de même sujet qui sont certainement des études préparatoires actuellement non localisées.

A en juger par leur technique, on pourrait dire que ces deux toiles marquent le début de la période finale du peintre, après l'étape critique et cruciale des peintures d'Illescas. L'allongement du canon et la déformation en sont les qualités dominantes, et on y remarque un baroquisme plus accentué, une liberté de facture plus grande que dans les œuvres antérieures. La tendance du Greco à traiter le vêtement comme une forme valable en soi en dehors de son rôle représentatif est plus nette. Les qualités picturales s'imposent et le dessin d'une rare perfection est littéralement débordé par l'extrême force du coloris et de la qualité des textures. Dans le *Saint Pierre* dominent le jaune de l'énorme manteau et les tons grisâtres des nuages. Mais les contrastes de valeurs sont profondément accusés à l'intérieur de la forme, accentuées la couleur claire des parties en relief et la couleur foncée des parties dans l'ombre. Ainsi se crée une série de formes en harmonie avec celles des nuages, par le contraste entre zones claires et zones opaques. La technique répond à une tendance spontanée chez le Greco, de plus en plus accusée avec le temps : délicatesse jointe à la vigueur, *sfumato* nébuleux qui, sans jamais altérer la qualité de la matière rendue, lui donne un second sens. Le Greco parvient dans ses plis et ses amples drapés au même résultat que les peintres du gothique finissant, mais selon une optique tout à fait différente. La lumière désintègre en partie le trait et seule la prodigieuse habileté du peintre à rendre les volumes et à suggérer la masse du corps sous les étoffes permet à ses personnages fantasmagoriques de ne pas s'effondrer. Cependant le peintre soumet constamment son art à une réflexion préalable et son apparente impétuosité, romantique avant l'heure, est toujours corrigée par une savante technique. Il désintègre la ligne, en particulier à l'intérieur de la forme, mais prend soin d'en accuser subtilement le contour là où il convient : ainsi, dans cet imposant *Saint Pierre*, l'épaule gauche et le haut du bras de la figure sont éclairés et redressés par une touche très claire en contraste avec le fond sombre, alors que l'inverse se produit dans la partie inférieure du manteau, au niveau des genoux du personnage. Don d'invention, improvisation et désintégration de la ligne sont mis à contribution dans la tête avec une suprême habileté.

Le *Saint Ildefonse* est d'une conception et d'une technique semblables, mais paraît moins impétueux, sans doute parce que les vêtements exigeaient une représentation plus précise. C'est là une première

impression, démentie par un examen détaillé du rendu de la partie supérieure de la crosse, des brocarts d'or et du ciel. La tête forme contraste avec celle du *Saint Pierre* dont l'expression est presque de défi, alors que celle de saint Ildefonse est penchée et méditative sans manquer cependant de caractère.

La conception picturale appliquée dans ces deux grandes toiles se retrouve sans changements techniques dans une série de peintures religieuses; d'une typologie moins ambitieuse, elles furent sans doute exécutées par le Greco en même temps que les tableaux faisant l'objet d'un contrat, à l'intention d'acheteurs éventuels, afin de se procurer les ressources nécessaires à l'entretien de son atelier et de sa famille. Le *Saint Sébastien* de Bucarest *(fig. 218, cat. 194)*, dont nous doutons que l'actuelle forme ovale soit d'origine, est une image dépourvue du sensualisme que lui donnèrent certains peintres de la Renaissance.

Ici, malgré une conception et une technique très personnelles, le Greco atteint à une « objectivité » supérieure à celle des peintres italiens. Les fonds archéologiques et la scénographie ont totalement disparu pour faire place, suivant une règle quasi générale dans ses peintures, à un fond de ciel nuageux et à l'indispensable tronc d'arbre auquel le martyr fut attaché avant d'être percé de flèches. Le paysage prend à nouveau une grande valeur dans la *Madeleine repentante* de la collection Valdés de Bilbao *(fig. 219, cat. 195)*. On reconnaît la main du Greco dans cette belle toile, nouvelle version d'un sujet familier au peintre, mais certains détails révèlent la collaboration de l'atelier.

Le *Saint Dominique en prière* de la cathédrale de Tolède *(fig. 220, cat. 196)* est une réplique tardive, par sa date et sa facture, d'un modèle étudié au chapitre IV *(fig. 126)*. Nous avons inclus dans notre catalogue deux autres répliques très belles, l'une faisant partie de la collection Contini-Bonacosi de Florence *(cat. 197)*, l'autre conservée au musée de Boston *(cat. 198)*. Un ciel d'orage aux luminosités intenses et empreint d'un dynamisme latent sert de fond à la figure. Il y a entre les trois œuvres de légères différences d'exécution et d'infimes variantes typologiques; la toile de la collection Contini-Bonacosi est, pourrait-on dire, la plus naturaliste et celle du musée de Boston la plus dramatique. Les lumières jouent un rôle capital dans la qualité très particulière de l'étoffe de l'habit qui reflète

Fig. 212 La Résurrection, 1603-1607. Madrid, musée du Prado. Cat. 190

Fig. 213  La Pentecôte, 1603-1607. Madrid, musée du Prado. Cat. 191

Fig. 214  Détail de la fig. 213

Fig. 215 Détail de la fig. 216

Fig. 216 Saint Pierre, 1603-1607. Monastère de l'Escurial. Cat. 192
Fig. 217 Saint Ildefonse, 1603-1607. Monastère de l'Escurial. Cat. 193

Fig. 218  Saint Sébastien, 1603-1607. Bucarest, palais royal. Cat. 194

Fig. 219  Madeleine repentante, 1603-1607. Bilbao, coll. F. Valdés Izaguirre. Cat. 195

Fig. 220  Saint Dominique en prière, 1603-1607. Tolède, sacristie de la cathédrale. Cat. 196

Fig. 221  Portement de croix, 1603-1607. Madrid, musée du Prado. Cat. 199

Fig. 222  Saint Jean-Baptiste et saint Jean l'Évangéliste, 1603-1607. Tolède, musée de Santa Cruz. Cat. 202

243

Fig. 223 Les larmes de saint Pierre, 1603-1607. Tolède, hôpital San Juan Bautista de Afuera. Cat. 203

Fig. 224 Les larmes de saint Pierre, 1603-1607. Oslo, Kunstmuseum. Cat. 204

Fig. 225 Saint Pierre et saint Paul, 1603-1607. Stockholm, musée. Cat. 207

Fig. 226 L'Annonciation, 1603-1607. Sigüenza, cathédrale. Cat. 208

les tons bleutés et violacés du ciel et dont les ombres intenses créent une forte impression de relief. L'élément commun aux trois toiles est la sensation de rythme produite par l'inclinaison du personnage et auquel sont soumis aussi les détails du ciel.

Nous rattacherons à la même période certaines œuvres dérivées de compositions antérieures, mais contenant des variantes de structure, de technique et de conception. Citons d'abord une série de *Portements de croix* signés, peints avec une grande sensibilité et une émotion croissante *(fig. 221, cat. 199; cat. 200 et 201)*. Une autre toile *(fig. 222, cat. 202)* groupe un saint Jean l'Évangéliste et un saint Jean-Baptiste, d'après un modèle identique à celui du tableau conservé au De Young Museum de San Francisco *(fig. 178)*.

La pathétique composition des *Larmes de saint Pierre* a été reprise dans plusieurs toiles de la période 1603-1607, dont les plus remarquables sont celles de l'hôpital Tavera *(fig. 223, cat. 203)* et celle du Kunstmuseum d'Oslo *(fig. 224, cat. 204)*. Selon Wethey, il s'agit là de l'un des sujets appartenant en propre à l'iconographie du Greco et qu'il fut le premier à traiter pour créer une image du repentir et un symbole de la confession. Pour en souligner la signification, le peintre a introduit à l'arrière-plan, ainsi que le remarque López Rey, une figure de la Madeleine. Celle-ci est traitée selon la formule maniériste consistant à opposer les figures par une différence de grandeur. La toile de l'hôpital Tavera est plus proche du modèle de l'époque antérieure que celle d'Oslo, dont la prodigieuse tête annonce déjà d'autres images de la dernière période. Les deux peintures présentent ces lueurs phosphorescentes et ce traitement particulier des drapés caractéristiques des dernières œuvres de l'artiste, de plus en plus passionné par les valeurs plastiques pures. Autre reproduction authentique d'un modèle antérieur: le *Saint Pierre et saint Paul* du musée de Stockholm *(fig. 225, cat. 207)*, qui paraît être la version la plus proche de la gravure de Diego de Astor *(fig. 348)* dont nous parlerons dans le dernier chapitre.

L'*Annonciation* de la cathédrale de Sigüenza *(fig. 226, cat. 208)* est une peinture d'une intense émotion, de toute évidence dérivée du tableau déjà étudié conservé au musée de Toledo, Ohio *(fig. 174)*. Ce sujet fut l'un des préférés du Greco; le dialogue entre l'archange et la Vierge, au-dessous du symbole du Saint-Esprit et de sa lumière, contenait assez d'implications mystiques pour que l'artiste se sentît entraîné à le renouveler plus ou moins profondément par des hardiesses chromatiques et formelles qui ne sont que la manifestation passionnée de son lyrisme. Redisons-le, il y a sans aucun doute chez le Greco deux personnages: d'une part, le mystique qui s'exprime au moyen de ses pinceaux; d'autre part, l'artiste réfléchi, conscient de ses audaces et conservant le souvenir très net de ses origines. Sous sa forme extrême, la hardiesse est toujours provoquée par la crainte de l'anonymat et de la médiocrité artisanale. Dans les sujets plusieurs fois repris, par exemple cette *Annonciation,* on peut constater la prodigieuse facilité du peintre et la manière dont il modifie la composition sans guère s'écarter des versions antérieures. On retrouve ici et les étoffes traitées comme des formes valables en soi et la déformation; la pureté du visage de la Vierge n'est nullement altérée, mais la mantille à demi transparente qui recouvre sa tête et ses épaules est un fourmillement de formes désintégrées.

Au cours de cette dernière période reparaît dans des interprétations nouvelles le thème du *Christ au Jardin des Oliviers.* La toile de la collection Valdés de Bilbao *(fig. 227, cat. 209)* reproduit sans grand changement le modèle original *(fig. 186)*. L'agencement de la composition est différent dans les versions de la cathédrale de Cuenca *(fig. 228, cat. 210)*, d'Andújar *(fig. 229, cat. 211)*, du musée de Budapest *(cat. 212)* et du musée de Buenos Aires *(cat. 213)*. Le groupe des apôtres endormis se trouve au premier plan, juste au-dessous de Jésus en prière devant l'ange qui lui présente le calice d'amertume. A droite s'avancent les soldats et les bourreaux conduits par Judas. Les éléments de paysage sont des indications plutôt que des représentations naturalistes, et la lumière jouant avec les couleurs vives crée une atmosphère que nous pourrions qualifier de schématique. Les amples drapés jouent un rôle important comme dans toutes les œuvres du peintre, surtout dans sa dernière période. L'analyse des détails révèle une exécution des plus délicates dans un espace très réduit. La figure de Jésus est plus pathétique dans la toile de Cuenca, l'ange plus saisissant dans le tableau d'Andújar. D'autres versions du même sujet, exécutées dans l'atelier du Greco, reprennent cette composition dans des formats divers.

Malgré ses idées sur l'indépendance de l'artiste et de l'art, il est probable que le Greco se vit contraint à quelques concessions, au moins à titre d'expérience. Cela expliquerait la présence, dans sa série franciscaine, d'œuvres indiscutablement authentiques mais ne répondant pas aux normes habituelles. L'exemple le plus remarquable en est le tardif *Saint François et le frère convers* (représentés agenouillés et en prière à l'intérieur d'une grotte) de la collection Buhler de Zurich *(fig. 230, cat. 214)*. Il s'agit là d'un modèle dont on ne connaît ni répliques ni copies; cette peinture d'une haute qualité est impressionnante par son intimité et sa grandeur. Lorsqu'elle fut révélée, il y a quelques années, on lui attribua une date bien antérieure à l'époque qui nous occupe, et on proposa d'expliquer le changement radical dont témoigne sa conception picturale comme une tentative de l'artiste pour se rapprocher de la manière des peintres de l'Escurial. Tout bien considéré, nous croyons cette œuvre postérieure à 1605. Sa qualité est délicate, ses textures lisses et régulières, ses formes nettes. On retrouve une technique semblable dans l'une des meilleures versions du *Saint François et le frère convers* conservée au musée du Prado *(fig. 231, cat. 215)*. Par le dessin et la composition, la typologie et la gamme chromatique, cette œuvre diffère peu du groupe de toiles de même sujet étudiés au chapitre précédent. Toutefois, on remarque un changement radical dans la qualité des vêtements, c'est-à-dire dans la représentation de leur texture, qui affecte aussi la matière picturale et par conséquent les autres textures du tableau. Tout y est plus délicatement travaillé. Les textures rappelant la fourrure ont disparu, les étoffes sont plus légères et plus douces, plus subtilement ajustées aux corps. La vigueur de l'empâtement, très atténuée, donne une valeur plus grande aux surfaces et aux lignes, surtout aux contours. Les rapports de tons varient très peu, bien que les étoffes réagissent différemment.

Pour expliquer l'existence de ces deux toiles, dont la facture ne coïncide pas exactement avec celle du Greco mais dont la qualité est grande en comparaison de celle des meilleures œuvres d'atelier, nous proposons l'hypothèse suivante : on se souvient que le peintre Luis Tristán (1586-1624) travaillait dans l'atelier du maître entre 1603 et 1607; il serait donc possible que la facture surprenante — hors des normes du Greco,

mais excellente — de ces deux tableaux soit le résultat d'une certaine liberté laissée au disciple en vue d'un essai de transformation des deux modèles. Les deux peintres auraient collaboré à la recherche d'un style convenant au caractère populaire auquel nous avons déjà fait allusion. Quoi qu'il en fût, la part qui revient au Greco dans ces deux œuvres est très grande; il suffit de regarder la tête du saint François de la première pour constater qu'elle est de la même main qui exécuta l'admirable tête — de profil également — de la toile du De Young Museum de San Francisco. C'est pourquoi, loin de considérer de telles œuvres comme des copies d'atelier, il convient de les tenir pour authentiques, même si l'on suppose l'influence ou la collaboration de Tristán.

Une raison inconnue a pu être à l'origine de ce changement. Nous tentons ici de reconstituer la carrière d'un maître dont la vie est entourée d'épaisses ténèbres en raison du caractère incertain des points de repère dont nous disposons; nous n'écartons donc aucune des hypothèses plausibles, si hardies soient-elles.

A l'appui de l'explication que nous proposons, citons la version déconcertante du *Christ au Jardin des Oliviers* de la National Gallery de Londres. Nous avons conscience que ce que nous allons dire paraîtra inacceptable aux critiques qui refusent encore d'admettre que le dernier secret de l'analyse stylistique est révélé par l'étude attentive de la facture, de la graphie du peintre. Effectivement, l'auteur de ce tableau, très doué et capable d'un mimétisme parfait dans l'application de la formule du Greco, a réalisé une œuvre ressemblant à celles du maître par la composition, la lumière, le coloris, la forme et le dessin. La peinture est si remarquable qu'elle ne peut avoir été exécutée par un collaborateur anonyme de l'atelier; aussi pensons-nous qu'elle est tout entière de Luis Tristán. La facture en est tout à fait différente de celle du Greco et l'auteur de ce *Christ au Jardin des Oliviers* n'est en aucune façon celui de l'*Enterrement du comte d'Orgaz*, malgré la très grande qualité de l'exécution.

### Portraits

On a proposé de voir dans la *Dame à la fleur dans les cheveux* de la collection du vicomte de Rothermore à Londres *(fig. 232, cat. 216)* le portrait d'Alfonsa de

Fig. 227 Le Christ au jardin des Oliviers, 1603-1607. Bilbao, coll. Valdés. Cat. 209

Fig. 228 Le Christ au jardin des Oliviers, 1603-1607. Cuenca, cathédrale. Cat. 210

Fig. 229 Le Christ au jardin des Oliviers (détail), 1603-1607. Andújar, église Santa María. Cat. 211

Fig. 230 Saint François et le frère convers, 1603-1607. Zurich, coll. Buhler. Cat. 214

Fig. 231  Saint François et le frère convers, 1603-1607. Madrid, musée du Prado. Cat. 215

Fig. 232　La dame à la fleur dans les cheveux, 1603-1607. Londres, coll. vicomte Rothermere. Cat. 216

Fig. 233　Un vieillard, 1603-1607. Florence, coll. Contini-Bonacosi. Cat. 217

Fig. 234　Gentilhomme inconnu, 1603-1607. Milan, coll. part. Cat. 218

Fig. 235　Gentilhomme inconnu, 1603-1607. Glasgow, coll. Maxwell MacDonald. Cat. 219

los Morales, première épouse de Jorge Manuel, en raison de la ressemblance apparente entre cette femme et celle qui figure dans *La famille du Greco* étudiée dans le dernier chapitre parmi les peintures attribuées au fils du peintre. Si une telle hypothèse est juste, ce portrait indubitablement authentique daterait du mariage du jeune couple qui dut avoir lieu vers 1603. La femme du portrait est une Castillane typique au visage ovale et délicat qui pose avec une certaine indifférence.

Particulièrement remarquable est la technique hardie selon laquelle est traité le châle, sur la tête près de la fleur qui donne son titre au tableau, et sur lès épaules. Il est fait de hachures d'un rythme original et très vif, mais ni très dense ni très intense, qui met en valeur par contraste les qualités différentes de la carnation, de la chevelure brune, du vêtement et du fond neutre. L'œuvre n'est ni brillante ni spectaculaire, mais très intéressante du point de vue technique.

Le modèle du portrait d'un *Vieillard (fig. 233, cat. 217)* de date proche du précédent, a été identifié à Manoussos, le frère de l'artiste qui vint à Tolède à l'époque que nous étudions. Wethey rejette l'attribution de cette œuvre au Greco. Nous la tenons pour authentique, car sa technique est absolument conformes aux principes déjà exposés. On y retrouve en effet le caractère des textures de la *Dame à la fleur* et la touche ouverte du portrait d'Antonio de Covarrubias avec lequel ce portrait de vieillard présente certaines affinités psychologiques. Mais il a été exécuté plus rapidement, presque comme une esquisse, bien qu'il soit riche de personnalité et de vérité humaine.

Nous avons pu étudier naguère au musée de Minneapolis le portrait d'un *Gentilhomme inconnu* représenté à trois-quarts de corps *(fig. 234, cat. 218),* non localisé actuellement. Ce portrait, qui paraît inachevé, n'est pas en bon état de conservation, d'où les réticences de certains historiens à son sujet. Nous croyons cependant qu'il est bien du Greco, et date de l'époque 1603-1607. On remarque dans la simplification même du traitement une habileté à laquelle aucun des proches collaborateurs du maître n'aurait pu aisément atteindre. Les mains sont invisibles, et cachées sous des manchettes floues. La typologie et le traitement du visage sont typiques du Greco. Le costume est rendu très sommairement.

Enfin, nous dirons quelques mots du portrait d'un *Gentilhomme inconnu* de la Pollok House de Glasgow *(fig. 235, cat. 219).* Contrairement au précédent, celui-ci est complètement achevé et révèle une nette intention réaliste. Le personnage, la main droite à la ceinture, regarde bien en face le spectateur. C'est un homme d'âge mûr, dont la tête se détache au-dessus de la fraise, très ouvragée comme la manchette visible; costume noir, comme d'habitude. Nous avons là un de ces gentilshommes espagnols dont le Greco sut fixer l'image grâce à la magie de ses pinceaux, aussi propres à représenter les détails de la matière qu'à les désintégrer en lueurs et en phosphorescences pour mieux suggérer l'idée du monde surnaturel.

## VII

## 1608 - 1614

LA CHAPELLE OBALLE – LES RETABLES DE L'HÔPITAL TAVERA – «LAOCOON» – «VUE ET PLAN DE TOLÈDE» – AUTRES PEINTURES DE LA DERNIÈRE PÉRIODE – PORTRAITS

*La chapelle Oballe*

Nous commencerons ce chapitre consacré à la dernière période de la vie du Greco par l'étude des peintures provenant de la chapelle fondée par Isabel Oballe dans l'église San Vicente de Tolède. La municipalité confia au Greco le soin d'en achever le retable et l'ornementation, entrepris quelques années plus tôt par le peintre Alejandro Semyno, surpris par la mort au début de son travail. Dans la commission exécutive se trouvait le docteur Gregorio de Angulo, fidèle ami et protecteur du Greco.

Le procès-verbal consigné dans le registre des délibérations municipales sous la date du 12 décembre 1607 enregistre la décision de modifier radicalement les proportions de l'architecture du retable commencé en augmentant de «quatre pieds et demi la dimension de la fabrique, soit plus du cinquième de l'ensemble: ainsi la fabrique a-t-elle aujourd'hui une forme parfaite, et non pas naine qui est la pire que puisse avoir toute espèce de forme». Ces mots reflètent les critères esthétiques du Greco sur les proportions, sa répugnance pour tout ce qui est petit. Le contrat signé avec l'artiste décédé prévoyait une décoration murale probablement exécutée à la détrempe. Le Greco la «fera toute en peinture à l'huile» et «décorera en outre le plafond d'une histoire de la Visitation de sainte Élisabeth... à la manière de celui d'Illescas», alors que «ledit Alejandro se contentait de peindre quelques bagatelles par-dessus le crépi,

ce qui est une chose de peu de chose et de qualité.» Dans ces conditions «ledit retable sera confié audit Dominico Greco. Étant entendu que dans l'acte qui sera passé à ce sujet ledit Dominico Greco s'obligera à exécuter de sa propre main tout ce qui sera œuvre de pinceau et ne le confiera à aucune autre personne». Le prix convenu est de 1 200 écus, comprenant les 400 écus déjà versés à Alejandro Semyno et qu'il appartient au Greco de réclamer aux répondants de celui-ci. Le travail doit être achevé dans un délai de huit mois à dater de la signature du contrat. Le procès-verbal précise enfin que la municipalité «tient Dominico Greco pour l'un des hommes les plus excellents en son art qui soient dans le Royaume et hors de lui».

Le contrat définitif n'a pas été retrouvé; le travail fut exécuté selon les conditions établies par la municipalité. Le retable en bois sculpté, en fait le cadre doré contenant l'*Immaculée Conception (fig. 237, 238 et 240, cat. 220),* qui se trouvait naguère dans la chapelle Oballe a été récemment transféré au musée de Santa Cruz de Tolède. La toile de forme circulaire représentant la *Visitation (fig. 239, cat. 221),* destinée à décorer la voûte de la chapelle, a quitté depuis longtemps l'Espagne et se trouve aujourd'hui à Dumbarton Oaks (Washington). Selon toute apparence le peintre et la municipalité de Tolède remplirent ponctuellement leurs engagements respectifs.

Nous sommes d'accord avec Wethey pour considérer que le sujet du retable de la chapelle Oballe est bien l'Immaculée Conception. Les allégories et les

Fig. 236 L'Immaculée Conception, 1607.
Actuellement non localisé. Cat. 222

Fig. 237 L'Immaculée Conception, 1607. Tolède,
musée de Santa Cruz. Cat. 220

Fig. 238  Détail de la fig. 237

Fig. 239  La Visitation, 1607. Washington, Dumbarton Oaks. Cat. 221

attributs qui accompagnent l'image sont placés dans la partie inférieure de la toile, au-dessus d'un paysage désolé représentant Tolède et à côté du superbe bouquet de roses et de lis qui sert de point de départ à la spirale d'anges et de séraphins entourant la Vierge. La composition est conçue de manière à occuper le plus d'espace possible au premier plan. Tout souci de la troisième dimension écarté, certaines figures envahissent l'espace sans relation aucune avec les autres. Les proportions n'obéissent pas à un canon déterminé, et l'expressivité altère constamment la forme. La silhouette n'a aucune importance en elle-même, et n'est perceptible que dans la mesure où elle devient arête lumineuse ou brusque limite entre la lumière et l'ombre. Les formes sont si étroitement liées à la lumière et au coloris qu'elles paraissent en être l'émanation. Le schéma général des volumes constitue un facteur vivant d'une telle puissance qu'il n'y a jamais confusion des éléments, malgré le caractère sommaire des formes et l'absence totale de détails. L'œuvre est ainsi soumise à une vigoureuse hiérarchie des formes, l'important étant justement le rapport établi entre elles, et non leurs caractères secondaires.

Le Greco n'étant pas le peintre du réel mais d'un au-delà idéal, son style ne s'oriente pas vers une définition du concret par la multiplication des détails, mais vers la recherche des formes floues — non pas abstraites — sinon idéales, et constamment emportées dans une fuite vers l'au-delà suggéré par leur mouvement ascensionnel.

La nécessité de remplir d'une manière ou d'une autre ces formes idéales amène le Greco à employer un procédé pictural utilisable en soi comme détail intéressant : il efface les touches, rehausse les courbes sinueuses, reprend dans les parties moins importantes les rythmes majeurs de la composition. Considérée dans son ensemble, celle-ci tire son intérêt de l'intime union de la forme et du sujet. Considérée dans ses détails, la forme tire son intérêt de son caractère ondoyant, flou, et de l'exécution ébouriffée, comme fébrile, et aussi très savante. Toutefois, le Greco n'utilise jamais une technique uniforme : s'il traite — peut-être avec un pinceau sec aux grosses soies — la pâte déjà étendue pour lui donner cette qualité de flamme, cette désintégration n'est pratiquée en vue d'une tel effet que dans des parties bien déterminées. Dans d'autres parties, par exemple les visages, il exécute un modelé délicat mais d'une grande fermeté. La clarté narrative naît comme par miracle d'un monde de touches entrecroisées et se maintient, même en l'absence de la couleur, dans des photographies en noir et blanc, grâce à la hiérarchisation des formes qui conditionne l'emploi du modelé fermé et de la désintégration. Une telle alternance permet au peintre de donner à la forme un relief accru par le coloris mais d'abord créé par la valeur et la vigueur de la forme.

L'application de tels principes est particulièrement évidente dans cette *Immaculée Conception*. Le corps de la Vierge est animé du rythme propre à exprimer un mouvement ascendant. Mais on notera l'intérêt pour la forme, surtout sensible dans les drapés de la taille aux pieds, qui constituent le vrai centre optique de la composition. Les personnages secondaires sont représentés selon leur rang, non par une réduction de la perspective — procédé qu'utiliseront plus tard certains peintres — mais par une dissolution partielle ou par l'intégration de leur forme propre dans un ensemble qui prend ainsi une valeur plus grande que chaque forme considérée séparément. Ces ensembles accompagnent la figure de la Vierge, l'entourent et la soutiennent, sans se heurter à elle.

On remarque ici d'incroyables distorsions, fondées sur un traitement du raccourci qui, sans parler de la technique de désintégration, dénote une virtuosité exceptionnelle. Le Greco utilise et exagère les raccourcis lorsque ceux-ci l'aident à exprimer son idée et son sentiment, mais les évite là où ils nuiraient à l'exaltation du mouvement. La déformation apparaît lorsque le raccourci est d'une violence qui outrepasse la réalité, par exemple dans certaines têtes d'anges. Mais le Greco sait qu'il lui faut proposer un minimum de caractéristiques pour définir ce qui, dans son univers fait de turbulence et de dynamisme, doit nécessairement être défini. L'exaltation du peintre ne semble d'ailleurs pas provenir de sa nature profonde : elle est le fruit de méthodes techniques imposées par un principe idéologique mais mises en œuvre avec la froideur suffisante pour que l'effet d'exaltation soit un objectif de l'artiste — ressenti par le spectateur — mais non un état d'âme du créateur.

L'élan lyrique est si bien intégré à la formule proprement picturale que nul n'oserait dire des œuvres

**Fig. 240** Détail de la fig. 237

du Greco, même des plus tardives, qu'elles sont « littéraires », parce qu'elles sont conditionnées par la primauté accordée au pictural en soi. Cela ne veut pas dire que l'artiste ne soit pas séduit, passionné même par le sujet et par l'image ; nous avons à plusieurs reprises insisté sur ce point. Les yeux de l'Immaculée dominent souverainement tous les autres éléments du visage, et rien ne révèle mieux l'état d'esprit du peintre : il cherche à mettre en évidence la présence de l'univers situé au-delà du physique.

La primauté de la technique, l'intérêt marqué pour la valeur de la forme en tant qu'élément expressif pur sont des facteurs dont il faut toujours tenir compte en présence de peintures du Greco. Une des œuvres les plus caractéristiques à cet égard est la *Visitation* destinée à l'attique du retable d'Oballe *(fig. 239)*. Ici, le sujet a été totalement désintégré. Comparons cette image fantomatique aux *Visitations* du XVIᵉ siècle espagnol, qui racontent en détail la rencontre de deux femmes placées par la volonté de Dieu au-dessus du monde d'ici-bas, mais qui n'en font pas moins partie. Ici, nous voyons deux formes qui se rapprochent pour s'embrasser. La différence entre elles n'est que d'intensité, et nous devinons par là que la figure de gauche et celle de la Vierge. Pour le reste, elles se ressemblent : des drapés amples, d'une densité telle que leur valeur tonale et chromatique répudie tout contexte, n'appelle aucune référence de détail. Admirons la maestria du peintre qui situe la scène sur un fond fulgurant en harmonie avec les deux grandes formes animées d'un puissant rythme de lignes brisées.

Rien ne permet d'affirmer, après examen d'une photographie, que l'*Immaculée Conception* ayant appartenu à José Selgas *(fig. 236, cat. 222)* n'est pas authentique. Elle reproduit point par point celle de la chapelle Oballe, et on peut penser qu'il s'agit de l'étude préparatoire de cette composition. On ignore où elle se trouve aujourd'hui.

L'*Immaculée Conception* de la collection Thyssen *(fig. 241, cat. 223)* présente de grandes affinités avec le tableau de la chapelle Oballe, y compris dans l'hyperallongement du canon. Mais le peintre a supprimé les anges de la partie inférieure, qui ne contient qu'un paysage de rêve avec des édifices idéalisés et des fleurs au premier plan, le tout structuré comme un emblème. Le canon des anges qui se penchent sur la figure de la Vierge est très allongé et tout prouve, dans l'exécution, que ce tableau a été peint au cours de la période étudiée dans le présent chapitre.

### Les retables de l'hôpital Tavera

Passons aux œuvres que le Greco exécuta pour les retables de l'hôpital San Juan Bautista de Tolède fondé par le cardinal Tavera, grand personnage du règne de Charles-Quint, recteur de l'université de Salamanque, archevêque de Tolède, président du Conseil royal de Castille, qui mourut en 1545.

Les rapports du Greco avec l'administration de l'hôpital remontent à 1595 ; il avait alors reçu commande de la « custode » — un tabernacle sculpté en forme de petite rotonde — dont le montant fixé en août 1598 à 25 000 réaux fut volontairement réduit par l'artiste à 16 000. Ce tabernacle, aujourd'hui incomplet, se trouve sur le maître-autel de l'église de l'hôpital. Son principal élément était le Christ en bois polychrome unanimement considéré comme étant l'œuvre du Greco et dont nous parlerons au chapitre VIII *(fig. 344)*. Ce tabernacle fut complété en 1624, dix ans après la mort du peintre, par les statuettes des douze apôtres sculptées par Jusepe Sánchez.

Le 16 novembre 1608, don Pedro Salazar de Mendoza, administrateur de la fondation du cardinal Tavera, signa avec le Greco et son fils un contrat pour la construction du retable principal et des deux retables collatéraux destinés à l'imposante église de l'hôpital tolédan. Ce contrat, dont les termes sont peu explicites, prévoit que le travail devra être achevé dans un délai de cinq ans d'après le projet présenté par les deux artistes et comprenant la sculpture, la polychromie des cadres, les toiles dont le sujet n'est pas précisé et les statues en bois polychrome. C'était là une œuvre de grande envergure, dépassant les capacités de Jorge Manuel désigné comme responsable des activités de l'atelier installé dans le palais du marquis de Villena. A sa mort, le Greco avait seulement achevé les grandes toiles qui devaient prendre place au centre des retables, et apprêté celles destinées à l'attique des retables collatéraux. Son fils était loin d'avoir mené à bien son propre travail. Il n'entre pas dans le cadre de cet ouvrage de relater par le menu les péripéties de cette affaire, puisque l'interminable

Fig. 241 L'Immaculée Conception, 1607-1610. Lugano, coll. Thyssen-Bornemisza. Cat. 223

Fig. 242 Baptême du Christ, 1608-1614.
Tolède, hôpital San Juan Bautista de
Afuera. Cat. 224

et ruineux procès auquel elle donna lieu fut entamé après la mort de l'artiste. Disons seulement que l'administration de l'hôpital avait versé des acomptes à valoir sur le prix de l'œuvre, même après le terme du délai fixé pour son achèvement. Ce nouvel échec contribua d'une manière décisive à ruiner la réputation de Jorge Manuel.

Les documents de cette période ne fournissent que de minces informations: renouvellements de contrats et d'engagements à payer le loyer du palais de Villena; nouveaux prêts consentis par le docteur Gregorio Angulo; contrats et encaissements de Jorge Manuel concernant diverses œuvres, etc. Signalons toutefois que le 26 août 1612 Jorge Manuel signa un contrat pour l'exécution d'un «monument» destiné à la communauté de Santo Domingo el Antiguo, et se vit le même jour accorder une «voûte et un autel» de l'église à titre de concession familiale à perpétuité, moyennant la construction d'un autel. Celui-ci est le retable dont on a parlé au chapitre précédent à propos de la grande *Adoration des bergers (fig. 208)*. Le 20 novembre suivant, le vieux peintre (il avait alors soixante et onze ans) modifia ce contrat. Le 31 mars 1614, il donna pouvoir à Jorge Manuel de faire un testament en son nom; il mourut le 7 avril.

A ce moment, l'œuvre destinée aux retables de l'hôpital Tavera était à peine commencée. Dans le premier inventaire des biens dressé par Jorge Manuel à la mort de son père figurent les rubriques suivantes: «le retable principal sans les grandes colonnes ni la corniche ni les bois sculptés ni les sculptures»; «les tableaux de l'hôpital commencés»; «deux toiles apprêtées pour l'attique des collatéraux». On y trouve aussi «un grand baptême à achever» qui, selon San Román, est la toile centrale destinée au retable principal. L'hypothèse est confirmée par le second inventaire (1621) où le tableau est désigné comme le «baptême principal de l'hôpital». Cette peinture fut sans doute livrée peu après: l'inventaire de l'hôpital, établi en 1624, indique qu'elle se trouve sur l'autel latéral de l'Épître; elle resta en place jusqu'en 1936.

Le *Cinquième sceau de l'Apocalypse* (Metropolitan Museum de New York) et l'*Annonciation* (collection Urquijo) sont certainement les compositions destinées aux retables collatéraux, selon l'hypothèse de San Román qui les a trouvées mentionnées dans le second inventaire de Jorge Manuel en ces termes: «deux grands tableaux ébauchés pour les collatéraux de l'hôpital». San Román a également découvert que l'étude de la première toile figure dans les deux inventaires sous la rubrique: «un tableau de saint Jean l'Évangéliste voyant les visions de l'Apocalypse, d'une vare un tiers de haut sur deux tiers de vare de large».

Ces seules toiles conservées de l'ensemble de l'hôpital Tavera donnent la mesure du génie du Greco et de sa fécondité au cours de ses dernières années. Nous n'y décelons ni la main de Jorge Manuel ni celle d'aucun autre peintre. Si, dans l'inventaire de la succession du Greco, elles sont données comme inachevées, c'est selon nous parce que le greffier fut incapable d'en comprendre le caractère hallucinant. Il est également possible que le fils de l'artiste les ait ainsi désignées pour éviter leur mise sous séquestre ou leur enlèvement. Nous avons la conviction que le *Baptême du Christ*, l'*Annonciation* et le *Cinquième sceau* sont authentiques et que le Greco les considérait comme achevées dans l'état où elles nous sont parvenues. Nous ne voyons pas pourquoi certains spécialistes éminents les tiennent pour des œuvres terminées par Jorge Manuel entre les dates des deux inventaires de 1614 et de 1621.

Le *Baptême du Christ* est une composition caractéristique sous le double aspect du dynamisme ascensionnel de l'ensemble et de la division verticale de l'espace *(fig. 242 et 243, cat. 224)*. C'est aussi l'une des compositions où se manifeste une certaine *horror vacui*: la hiérarchie s'établit par des contrastes de couleurs et de valeurs qui donnent au jeu des formes dynamiques et proliférantes sa clarté et son harmonie. Entre les figures principales et de même grandeur une distinction est aussi établie par le procédé, très primitif au fond, de la symétrie. Ainsi la figure du Christ — qui se détache par la clarté de la carnation au lieu de s'opposer comme dans la peinture médiévale par un espace vide intermédiaire à celle du Baptiste — est au centre de la partie inférieure. Au saint Jean, à droite, et à l'ange qui tient la tunique de Jésus font équilibre, à gauche, d'autres figures d'anges: celui du premier plan acquiert par le geste du bras une importance suffisante pour faire pendant au saint. En outre sa tête, d'un beau raccourci, est rapprochée de celle des deux autres anges et crée une note vivement expressive et de ton clair, en opposition avec les deux anges du second plan à droite. On voit à quel point un art si fougueux était pensé et exécuté selon des principes dont le formalisme provient sans doute de l'Italie du XVIe siècle, et dont témoigne l'intérêt pour les compositions agencées selon des réseaux géométriques admirablement équilibrés.

Au-dessus d'une zone de transition, d'une qualité pour ainsi dire biologique, se trouve, en haut, la zone céleste. Alors qu'en bas Jésus est incliné de gauche à droite et légèrement décalé vers la gauche, par compensation – délibérée ou intuitive? – la figure du Père Éternel est tournée de droite à gauche et légèrement décalée vers la droite : de la sorte, l'axe vertical du tableau passe par l'extrémité supérieure des deux figures. La symétrie est également observée dans les figures ou les têtes de zone céleste. Mais ce qu'il y a de prodigieux dans cette œuvre, c'est le rapport entre les formes et l'espace, d'une souplesse due à l'union intime du rythme, du coloris et de la lumière.

Comme dans d'autres tableaux de la période finale, les raccourcis sont exagérés et font l'objet d'une certaine distorsion; non pour des raisons anecdotiques, mais pour donner à la composition une structure telle que le plus petit détail prenne vie dans la totalité. La technique est celle de cette époque : peinture désintégrée a posteriori par des lignes superposées destinées à reconstruire la forme à demi effacée, mais en certains cas seulement, d'où ces mains aux contours imprécis de flammes. Les qualités tactiles sont affirmées dans les formes principales et les points qui déterminent le rythme du tableau; par exemple, de bas en haut et de droite à gauche : les plis de la tunique de l'ange qui tient les vêtements de Jésus, sa tête, le corps du Sauveur; la tête et le bras de l'ange de gauche; la colombe du Saint Esprit; la tunique du Père Éternel et l'aile de l'ange tout en haut à droite. Mais dans les zones intermédiaires – il y a des deuxièmes et des troisièmes plans très nets – forme et matière restent floues : ainsi, les formes dont les contours sont précis se détachent fortement sur cette masse en quelque sorte fluide, sans que ce contraste établisse une dualité entre formes et fond d'atmosphère. C'est un jeu subtil de rapports mis en action pour mieux représenter l'univers plastique conçu par un esprit visionnaire autant que réfléchi.

Dans l'*Annonciation* qui fut coupée en deux au début du XXe siècle (le groupe principal se trouve à la Banque Urquijo de Madrid; la partie supérieure à la Galerie nationale de peinture d'Athènes) reparaît la même opposition verticale des espaces *(fig. 244 à 247, cat. 225);* mais les deux parties présentent des aspects très originaux et nous allons les examiner séparément. Dans la zone inférieure, qui tranche sur d'autres compositions fourmillant d'anges et de formes fulgurantes, la figure de l'archange est admirable et les qualités sont rendues avec une virtuosité troublante. Sans parler de la savante gradation de la lumière et de l'ombre dans le modelé, dont on peut admirer la maîtrise dans la manière de détacher la tête de profil sur le fond vide *(fig. 246),* le plus étonnant est la représentation de la tunique aux deux qualités contradictoires : les plis, jamais cassants, permettent au peintre — comme avant lui aux artistes gothiques — de montrer son habileté dans la forme pure; on perd de vue la représentation proprement dite pour jouir des va-et-vient du pinceau, des rapports de tons, de la forme qui se plie et se déplie sans perdre un instant sa signification figurative. Que le Greco eut conscience de l'intérêt de ces modelés à la fois intenses et délicats, conçus d'une manière originale et profondément éloquente, on le constate dans le contraste établi entre cette figure angélique et le fond, assignant à chaque personnage de la composition un espace propre entièrement soumis à celle-ci.

La figure de la Vierge, traitée selon la même conception et la même technique, est plus belle encore par l'élan qui la projette en avant. Le visage est d'un modelé très fondu, auquel sont superposées des touches visibles soit pour indiquer un point ou une zone de relief reflétant plus de lumière (par exemple le front), soit au contraire pour rendre l'ombre plus opaque (par exemple le cou à partir de la ligne de l'oreille). La tunique et le manteau sont traités en fonction du même intérêt pour la forme et la qualité que ceux de l'ange, mais d'une manière moins précise, surtout dans le haut du corps, en raison d'un intense effet de lumière dont le foyer se trouve au centre, au-dessus des deux personnages. Cette partie de la toile contient un fragment de la zone céleste baignée d'une lumière éclatante irradiée par la colombe du Saint-Esprit traitée comme une structure

Fig. 243 Détail de la fig. 242

Fig. 244  L'Annonciation, 1608-1614, Athènes, Galerie nationale de peinture. Cat. 225

Fig. 245  L'Annonciation, 1608-1614. Madrid, Banque Urquijo. Cat. 225

Fig. 246  Détail de la fig. 245

ignée. Plus haut surgissent de petites figures d'un raccourci très particulier, qui sont comme la vision suggérée à la Vierge par les paroles de l'archange : elle y est elle-même représentée tenant l'Enfant dans son giron, au milieu de créatures angéliques aux attributs divers *(fig. 247)*. Ces figures sont très floues; pourtant, leur inachèvement n'est pas le fait du hasard, mais résulte de la volonté expresse du peintre. Dire qu'un tableau est achevé peut avoir deux sens, selon le point de vue du client ou celui de l'artiste. Le premier peut souhaiter, voire exiger un achèvement plus ou moins minutieux, qui respecte les principes de la stricte représentation. Le peintre, en revanche, peut sentir que telle partie du tableau est achevée, bien qu'elle ne le soit pas selon les critères que nous appellerons académiques dans le sens le plus large du terme. Si dans les dernières années de sa vie le Greco put trouver une compensation à ses échecs, ce fut sans doute en peignant comme il l'entendait et sans se soucier des jugements d'autrui, des normes et des conventions. Dans la partie supérieure de cette *Annonciation* se manifeste d'une manière éclatante la suprême liberté qui devait inspirer les recherches plus ou moins heureuses de l'art du XX<sup>e</sup> siècle. Le caractère indéterminé de ces figures concorde parfaitement avec leur raccourci doublement oblique (vers le haut et vers l'arrière) : il s'agit d'une vision intérieure que le maître s'efforce de transcrire en usant de toutes les ressources d'une peinture nécessairement fondée sur la représentation d'êtres réels et matériels, même s'il souhaitait les transposer au plan de leur seule signification spirituelle.

La partie supérieure contient un groupe d'anges portant divers instruments de musique ou des livres de chœur. Par comparaison avec le fragment de zone céleste de la partie inférieure, elle paraît plus «naturaliste» – dans les limites de la conception du Greco; le peintre a superposé dans la zone céleste la «vision» de Marie et la scène qui se déroulait «réellement» dans le ciel au moment de l'Annonciation.

Évidemment, la technique est la même dans ce fragment supérieur que dans le reste du tableau, et la différence que nous avons relevée n'est qu'une question de nuance et non l'indice d'une modification profonde qui aurait nui à l'unité d'une œuvre que l'on n'aurait jamais dû mutiler.

Le *Cinquième sceau de l'Apocalypse,* dernière des toiles destinées à l'hôpital Tavera, est une œuvre qui présente tous les caractères originaux du Greco, de plus en plus nets au cours de sa période finale, et qui révèle une liberté et une invention plus grandes dans la composition *(fig. 248 et 249, cat. 226)*. Le Greco ne cherche pas à dépasser les limites de la création divine pour représenter ce qui lui paraît fantastique, ou qui l'est vraiment. Sa fantaisie s'exprime dans la manière de traiter des éléments qui n'ont en soi rien d'étrange ou d'anormal et qui même, comparativement à l'art du Moyen Age, font l'objet d'une large simplification. Parfaitement conscient de son aptitude à s'exprimer par des moyens plastiques (et non par des altérations sporadiques du sujet dont l'œuvre de Bosch offre l'exemple-limite), le peintre représente la vision de saint Jean-Baptiste et en traduit l'intensité en nous proposant simplement dix corps nus d'hommes, de femmes et d'enfants, quelques drapés, un ciel nuageux et dense.

C'est, au premier plan à gauche, la figure ascétique de l'apôtre aux bras dressés vers le ciel dans un geste véhément et serein – si l'on nous permet ce paradoxe – qui constitue l'élément moteur du dramatisme communiqué à chacun des éléments de la composition. A droite, les corps se contorsionnent, et ceux des enfants semblent être entraînés par un étrange ouragan. Des rafales de lumière et d'ombre, de gauche à droite, acquièrent une densité encore intensifiée par leur couleur légèrement cuivrée. Les corps du groupe de gauche sont modelés comme des statuettes de cire, bien que leurs contours sinueux soient typiquement picturaux. Le bleu de la tunique de l'Évangéliste, le rouge de son manteau étendu à terre et la masse verte sur laquelle s'appuient les corps de droite sont entraînés par les couleurs vigoureuses de la tempête déchaînée. Seul le jaune vif et chaud, sous lequel paraissent s'abriter (car on dirait une sorte d'étoffe étendue) les figures nues de gauche, assume, de même que le bleu de la tunique de l'Évangéliste, l'efficacité réelle de la couleur. Ces tons complémentaires sont dominés par la gamme des ocres rouges et des gris violacés de la terre et du ciel. A droite, au-dessus de la masse verte, on distingue vaguement un bleu mêlé de traînées blanches ébouriffées et hirsutes. Il s'agit sans doute d'une allégorie

Fig. 247 Détail de la fig. 245

267

des éléments du cosmos, présents au moment fatidique où se déchaînent les puissances destructrices annonçant le retour du Fils de l'Homme.

La composition est nettement asymétrique ou, plutôt, son équilibre est celui d'une balance romaine : d'un côté, le poids de la grande figure de l'Évangéliste; de l'autre, le poids – moins lourd mais échelonné – de la frise de figures de plus en plus grandes de gauche à droite. Ce mouvement amplificateur, outre qu'il permet de réaliser un tel équilibre, suit le rythme des éléments déchaînés, de sorte que la force qui les met en branle semble prendre sa source dans le corps même de l'Évangéliste, ou à l'endroit où il est placé; et se répandre progressivement en direction du côté opposé tout en s'élevant en oblique vers le ciel. Les bras levés des trois personnages de droite sont comme une réplique au geste de saint Jean et constituent un élément contribuant à la solidité de la composition : cela apporte une nouvelle preuve que le tumultueux génie du Greco au cours de sa période finale s'appuyait autant sur l'intuition que sur la réflexion pour appliquer les lois essentielles de l'agencement des formes dans l'espace.

L'analyse des détails nous révèlerait une infinité de beautés qui s'imposent d'emblée à qui regarde le tableau ou, quoique avec une moindre évidence, sa reproduction. Par exemple la manière de détacher ou de cacher à demi par des effets de lumière certaines parties du corps des personnages pour donner à la forme le caratère le plus plastique possible, et surtout pour représenter, non l'individuel et l'anecdotique, mais le générique et l'universel. Par ailleurs, on ne peut manquer de souligner la persistance d'éléments «primitifs» dans la composition du Greco. Il arrive souvent que dans ses œuvres, comme dans les peintures gothiques, les éléments suivent des axes parallèles. Ici, la ligne du bras gauche levé de l'Évangéliste est parallèle à la masse d'eau et de feu qui, à droite, s'élève en une houle intense au-dessus du groupe de corps nus. Et le rouge du manteau posé sur le sol pénètre dans l'espace laissé libre par les figures. Mais ce schéma primitif est radicalement modifié par le rythme de «sinuosité perpétuelle» propre au Greco. Si l'on trace une ligne joignant les pieds de toutes les figures, on obtiendra une courbe en S qui s'éloigne, se rapproche, s'éloigne à nouveau, toujours ouverte;

une telle ligne correspond à la masse des éléments et leur donne leur caractère dynamique en les soumettant à une force redoutablement enveloppante.

Pour peindre cette «vision», le Greco n'a pas eu besoin de faire appel aux nombreux détails iconographiques que les descriptions de la Bible auraient pu lui fournir. Il lui a suffi de montrer le saint évangéliste, l'espèce humaine soumise à l'épreuve suprême (selon nous, les justes à gauche et les pécheurs à droite, si l'on en juge par leur attitude devant la catastrophe finale du monde), et la fureur déchaînée des éléments.

*« Laocoon »*

Le *Laocoon* de la National Gallery de Washington est l'une des œuvres magistrales de la dernière période *(fig. 250 et 251, cat. 227)*. Dans le premier inventaire de Jorge Manuel figurent trois versions du même sujet, une grande et deux petites. Le deuxième en contient deux de trois vares et demie de côté (2,92 m) et une mesurant une vare et demie sur deux vares (1,25 × 1,67 m). Il doit s'agir des mêmes tableaux, dont les mesures ne sont probablement pas exactes puisque l'un d'eux est, de toute évidence, l'exemplaire dont nous parlons; il est mentionné dans les inventaires de 1666 et de 1668 des tableaux de l'Alcázar de Madrid. La toile passa des collections royales à celle du duc de Montpensier avant d'être plusieurs fois mise en vente et enfin acquise par le musée de Washington. Elle est remarquable non seulement par sa qualité, étonnante à une époque où l'artiste était accablé par le grand âge, les luttes et les fatigues, mais aussi par la nouveauté du sujet et la liberté de la composition. Voilà une œuvre très différente des autres. On peut se demander pourquoi l'artiste a été attiré par ce sujet. De même qu'on a expliqué l'intérêt de Rembrandt, à la fin de sa vie, pour le thème du retour de l'enfant prodigue par le désir de retourner à Dieu, il est permis de penser que le Greco vit dans le *Laocoon* une sorte de symbole ou d'allégorie des ravages de la passion et du mal. A la différence du célèbre groupe hellénistique, il sépare les trois protagonistes de la scène. L'un des fils est debout à gauche. Le père et son autre fils sont à terre; le premier lutte contre un grand reptile et le second semble déjà mort. Trois figures nues, témoins

Fig. 248  Le cinquième sceau de l'Apocalypse, 1608-1614. New York, Metropolitan Museum. Cat. 226

Fig. 249  Détail de la fig. 248

mystérieux du drame, ferment à droite la composition. Les personnages forment une sorte de frise au premier plan, et la clarté de leurs carnations se détache sur les rochers violets du sol. La zone intermédiaire est occupée par une vue de Tolède, librement interprétée et aux éléments peu nombreux. La zone supérieure est l'un des plus beaux ciels peints par le maître. L'harmonie de ces trois zones horizontales soutenues à gauche et à droite par les rythmes verticaux n'est surpassée que par les beautés infinies de l'exécution. La désintégration de la période finale s'impose ici, mais pour ainsi dire transfigurée, triomphale; elle est modifiée, lorsque l'artiste le juge nécessaire, par un traitement plus naturaliste, par exemple dans les deux figures à terre, encore que la déformation des membres pour accentuer leur forme ondoyante et de flamme – déjà observée dans des œuvres antérieures – soit ici poussée à l'extrême. La représentation des reptiles permet au Greco de dessiner des arabesques aériennes complétant les rythmes de ses figures et conférant des valeurs nouvelles à son dessin. Qu'il sentit esthétiquement cette œuvre, l'iconographie n'étant qu'un prétexte, on en voit la preuve dans ce merveilleux cheval sans cavalier qui se dirige vers la porte des remparts de Tolède. Les tons du paysage sont modulés d'un froid gris-blanc à l'ocre rouge, en passant par les gris-violets et les blancs bleutés qui reflètent le ciel intense. L'expressivité du geste – on a vu cette passion pour le geste grandir tout au long de l'évolution du Greco – prend un caractère démesuré dans la peinture de l'Apocalypse; mais c'est avec le *Laocoon* qu'elle atteint son point culminant dans la trajectoire d'une carrière modestement commencée parmi les *madonneri* crétois.

### « Vue et plan de Tolède »

La grande toile en largeur du musée Greco appelée *Vue et plan de Tolède (fig. 252 à 254, cat. 228)*, se trouvait en 1810 à l'archevêché de la ville. Son premier propriétaire fut, semble-t-il, Pedro Salazar de Mendoza, administrateur de l'hôpital Tavera pour lequel il est possible que le tableau ait été peint, ainsi que le suggère la référence figurant dans l'inscription autographe contenue dans la toile et citée ci-après. L'inventaire de la succession Mendoza fait mention de «grands paysages» et «un paysage de Tolède vu du pont d'Alcántara» qui doit être le tableau du Metropolitan Museum de New York *(fig. 172)*.

L'inscription que l'on peut lire en bas et à droite du parchemin déployé portant le plan de la ville dit : «Il a fallu présenter l'hôpital de Don Joan Tavera en forme de maquette non seulement parce qu'il masquait la porte de Visagra mais aussi parce que son dôme et la lanterne qui le surmonte s'élevaient bien trop au-dessus de la ville, et l'ayant ainsi présenté en forme de maquette hors de sa vraie place il m'a paru préférable d'en montrer la façade plutôt qu'une autre partie et pour ce qui est de l'endroit où il est situé dans la ville on le verra dans le plan.

«De même dans l'histoire de Notre-Dame apportant la chasuble à saint Ildefonse, pour la décoration et pour faire les grandes figures, j'ai tenu compte en certaine manière que c'étaient des corps célestes pareils à des lumières qui vues de loin pour petites qu'elles soient paraissent grandes.»

La composition, peinte sur un enduit de terre rouge de Séville comme la plupart des toiles de la dernière période, est une vue panoramique où domine l'horizontalité. Si dans la *Vue de Tolède* le peintre avait recherché un effet dramatique, ici chaque élément est soigneusement rendu avec un souci du détail qui n'ôte rien aux intenses qualités picturales de l'œuvre. Par ailleurs, celle-ci tire avantage de la gradation des plans imposée par les figures. A gauche, une figure modelée en ocre d'une conception très maniériste, évidente allégorie du Tage *(fig. 254)*. Au tout premier plan à droite, la figure à mi-corps, d'un plus grand format, d'un jeune homme vêtu de vert qui tient déployé le parchemin portant le plan de Tolède *(fig. 253)*. Il ne s'agit pas d'un portrait de Jorge Manuel, car cette toile, à en juger par sa technique, date certainement des dernières années de la vie du peintre, en tout cas d'après 1610. En haut, au centre et un peu à gauche, se détache sur le ciel couvert de nuages le groupe de la Vierge et des anges disposés de manière à former une sorte d'étoile irrégulière.

En bas, au deuxième plan et en avant des remparts, on voit sur un nuage l'hôpital Tavera en forme de maquette. Dans le plan, le peintre a situé exactement le palais du marquis de Villena où il vivait alors. Malgré la fidélité au détail et la minutie avec laquelle sont représentés remparts, monuments, édifices importants et pâtés de maisons, on ne peut considérer ce tableau comme une œuvre mineure semblable aux «vues de villes» que certains monarques commandèrent plus tard à leurs peintres. L'artiste est présent partout et domine son sujet. De même qu'il métamorphose en grandiose effusion lyrique une image dévote, il fait de cette succession d'édifices — parfaitement articulée dans ses formes et ses valeurs — un spectacle d'art pur. On en jugera par l'étonnante figure de jeune homme avec sa fraise blanche et son costume simplifié jusqu'à l'invraisemblable, sa carnation légèrement violacée typique de la période finale, sa facture à demi désintégrée et pourtant remarquablement précise. Le groupe de figures célestes est extraordinaire aussi, avec ses jaunes, ses bleus et ses carmins, son rose et son blanc contrastant avec le bleu grisâtre du ciel, bleu sous lequel par endroits apparaît l'enduit. Ces figures donnent à l'œuvre une signification qui transcende la représentation.

Le paysage se suffirait à lui-même en raison du point de vue judicieusement choisi qui permet au peintre de grouper des édifices vers la gauche en partant du centre et d'opposer leurs masses compactes aux ondulations vertes des champs, à droite de la composition. Dans la facture on remarque le sens de la synthèse, la savante juxtaposition de valeurs modelant le paysage en profondeur. Mais le Greco ne respecte pas rigoureusement la perspective aérienne, ainsi que le prouve l'imprécision visuelle du premier plan, sensible dans la figure du jeune homme comme dans l'allégorie du Tage.

*Autres peintures de la dernière période*

Il est possible que le *Mariage de la Vierge* du Musée national de Roumanie *(fig. 255, cat. 229)*, soit l'étude préparatoire de la toile qui, d'après plusieurs témoignages, occupait jadis le retable latéral droit de l'église d'Illescas : cette peinture daterait alors de la période 1603-1607. Comme il peut s'agir aussi d'une réplique de la toile disparue, nous l'étudierons en raison de sa facture particulière parmi ce dernier groupe de travaux authentiques. On peut admettre que l'œuvre soit inachevée; mais pour notre sensibilité personnelle, il ne lui manque rien. Soulignons

ici encore la large utilisation des drapés comme moyen de créer une forme intéressante en soi en dehors de sa fonction représentative. Tel est le cas dans le saint Joseph, mais surtout dans l'admirable Vierge, uniquement définie par le grand manteau qui ne laisse voir que son visage et ses mains. La composition est agencée selon une symétrie rigoureuse : le prêtre au centre, deux personnages masculins à droite avec saint Joseph, deux personnages féminins à gauche. Parmi les premiers, celui qui se trouve placé entre le prêtre et saint Joseph est peut-être un autoportrait du Greco: on notera l'intensité de son regard inquiet. Cette petite toile est, dans une certaine mesure, une «somme» des hardiesses du Greco : frottis, rayures, qualités désintégrées ou intensifiées lorsque le frottis est entrecroisé et en direction opposée à l'axe de la forme. On voit nettement des rehauts de nuance claire destinés à dessiner la forme, ou plutôt à rendre un reflet de lumière. Les personnages — dont la tête a la même grandeur — sont d'un canon hyperallongé; ainsi tout, dans cette œuvre, est conforme au style de la période finale du peintre. C'est peut-être dans le traitement des figures féminines entourant la Vierge et plongées dans une pénombre particulière que la hardiesse atteint son plus haut degré. Le prêtre est d'un caractère nettement byzantin, bien que son attitude n'ait rien de hiératique.

De l'*Adoration des bergers* du collège del Patriarca de Valence *(fig. 119)* on conserve deux autres versions authentiques exécutées au cours de cette dernière période : l'une provient de la collection du duc de Híjar et se trouve actuellement au Metropolitan Museum de New York *(fig. 256, cat. 230)*; l'autre provient du couvent de Santa Clara de Daimiel et fait partie de la collection Valdés de Bilbao. Ce sont des œuvres de forme torturée, très stylisées. Les gestes sont devenus plus nerveux : les lumières brillent d'un éclat brutal et frappent tous les éléments. Les hardiesses sont plus grandes, ainsi que le prouvent les plis tourmentés du lange sur lequel repose l'Enfant Jésus. Tous les personnages sont conformes à ceux du prototype, mais on dirait que la même scène a été captée par l'artiste à des moments différents. Les lumières changent, leur distance par rapport aux personnages est modifiée, d'où l'altération subie par les visages, bien que les gestes et les expressions soient

Fig. 250 Laocoon, 1608-1614. Washington, National Gallery. Cat. 227

Fig. 251 Détail de la fig. 250

Fig. 252 et 253 (détail) Vue et plan de Tolède, vers 1610-1614. Tolède, musée Greco. Cat. 228

Fig. 254 Détail de la fig. 252

identiques. Les fonds ne sont pas tout à fait semblables; regarder ces œuvres de même sujet et de même composition, mais subtilement et profondément différentes, produit une certaine impression d'inquiétude. Ce n'est pas la facilité qui a dicté au Greco la reprise de ce sujet, c'est une vibration intérieure nouvelle qui préside à la reproduction des motifs qui le passionnaient et en présence desquels sa sensibilité ne pouvait que réagir.

Il est également possible que corresponde à la période que nous étudions un nouveau sujet : *Jésus chez Simon,* dont nous connaissons deux versions authentiques, présentant des variantes – celle de la Fondation Oscar B. Cintas *(cat. 232),* et celle de l'Art Institute de Chicago *(fig. 257, cat. 231).* Dans les deux cas, la composition des figures est la même; les personnages sont assis autour d'une table ronde. Mais dans la seconde version, quelques objets sont disposés sur la table, et le fond nettement architectural paraît traduire une nostalgie passagère de l'Italie. Ces architectures aux tons ocres plutôt neutres constituent dans leur simplicité un fond adéquat à la scène où se détachent les couleurs vives des vêtements des personnages : rose, rouge, jaune, vert, bleu-vert, ocre orangé, en contraste avec la nappe blanche.

La table, dans la première version, est complètement vide et le fond est une paroi lisse. Le plafond est rehaussé par une grande lampe de structure géométrique, mais qui se détache à peine. Dans les deux versions, probablement exécutées à des dates rapprochées, les distorsions atteignent un degré d'exaltation considérable, sans que cela nuise en rien à la qualité picturale. Aussi ne pouvons-nous nous ranger à l'avis de certains critiques qui attribuent ces deux toiles à Jorge Manuel, lequel aurait copié là un tableau original de son père, qui n'a pas été conservé. Le fond des deux œuvres est peut-être de la main du peintre-architecte. Son traitement neutre et sa facture lisse sembleraient le confirmer. Mais le mouvement interne, que traduit l'expressionnisme des gestes et des étoffes, appartient en propre au Greco. Le personnage du premier plan à droite est exactement conforme à celui d'autres compositions; or le maître créait fréquemment de nouveaux ensembles en empruntant des éléments à ses propres œuvres, et cette tendance s'est accentuée avec le temps.

Au cours des dernières années de sa vie, le Greco cherchait inlassablement de nouveaux sujets, mais reprenait aussi en les renouvelant ses anciens modèles préférés. Parmi ceux-ci, nous retiendrons une dernière version du *Christ chassant les marchands du Temple,* actuellement à l'église San Ginés de Madrid *(fig. 258 et 259, cat. 233).* Elle diffère peu pour l'essentiel des versions inspirées par le modèle de la collection Frick *(fig. 187),* mais les éléments d'atmosphère y sont différents et on y voit des personnages nouveaux : un enfant nu et une femme levant les bras dans un geste semblable à celui de l'un des anges tenant la tunique du Sauveur dans le *Baptême du Christ* de l'hôpital Tavera *(fig. 242);* la grande arcade centrale a fait place à une composition architecturale plus haute; cette version est en hauteur, alors que les précédentes sont en largeur. Curieusement, le fond reproduit avec fidélité l'essentiel du retable principal d'Illescas. Le relief du sacrifice d'Abraham a disparu et celui qui représente l'expulsion d'Adam et Ève du Paradis orne le socle de la grande statue d'un jeune homme nu, dont l'identification est incertaine *(fig. 259).* Soehner a remarqué que le reliquaire placé dans la niche centrale flanquée de colonnes ioniques rappelle par sa forme l'ossuaire de Martín Ramírez, fondateur de l'église San José qui abrite l'un des plus importants ensembles du Greco. La technique est plus désintégrée que dans les versions antérieures.

D'autres modèles nouveaux nous paraissent de la même époque. On connaît une seule version de *La Vierge allaitant l'Enfant Jésus* (collection de la marquise de Campo Real, Madrid), bien que deux tableaux de même sujet figurent dans le second inventaire de Jorge Manuel *(fig. 260, cat. 234).* La Vierge a une expression angoissée, rare dans l'iconographie mariale du Greco, comme si elle pensait à la future Passion de son fils qu'elle caresse de ses longues mains. Le visage est déformé par le raccourci. Le modelé du manteau est étonnant par sa technique, son coloris et ses valeurs. Les figures se détachent sur un de ces ciels nuageux caractéristiques du Greco.

Nous parlerons maintenant de l'admirable *Sainte Véronique* qui fait partie d'une collection particulière de Buenos Aires *(fig. 261, cat. 235).* Ce sujet avait été traité à plusieurs reprises par le peintre au début de son séjour en Espagne. Cette composition présente des différences par rapport aux versions antérieures : la sainte apparaît de face et regarde le spectateur de ses grands yeux pathétiques. De ses deux mains elle tient, largement déployée, un peu au-dessus de sa taille, l'étoffe où est imprimée la Sainte Face. Celle-ci est semblable à celle des versions antérieures, mais elle est plus rétractée et les contrastes de tons plus accusés.

Il y a un grand dramatisme dans cette effigie aux rythmes hachés, aux qualités presque pulvérisées, qui, avec la perfection de l'exécution, la désignent comme authentique. Le visage et les mains sont admirables.

Autre modèle nouveau : l'*Apparition de la Vierge et de l'Enfant Jésus à saint Hyacinthe,* qu'on retrouve dans une toile du musée de Rochester *(cat. 237)* et un tableau de la Fondation Barnes à Merion, États-Unis *(fig. 262, cat. 236).* Il est très probable que le Greco a emprunté le schéma de cette composition à une gravure d'après une toile de Ludovico Carracci datée de 1594. Bien entendu, on retrouve dans ce tableau les caractères dramatiques et formels propres au maître, sa facture, et aussi l'émotion qu'il communiquait à ses images religieuses; émotion de plus en plus intense depuis son arrivée en Espagne et surtout dans la seconde moitié de cette période. D'après le format des deux toiles en question, il est possible que la première soit une étude préparatoire.

D'une admirable *Sainte Catherine d'Alexandrie,* on connaît deux versions présentant quelques variantes entre elles. L'une est celle de Topsfield, Massachusetts *(cat. 238);* l'autre est actuellement en vente *(fig. 263, cat. 239).* Le visage de la sainte exprime une certaine dignité altière, accentuée par la couronne. Elle tient dans la main droite l'épée à deux mains qui est son attribut et dans la gauche la palme du martyre. La figure est comme distordue en zigzag, et la facture obéit au même rythme, sauf dans les zones veloutées d'un fini délicat mais cependant jamais lisse. Les traces d'un gros pinceau sont partout apparentes, et dans ces deux œuvres le Greco use de tous ses moyens techniques habituels.

La composition originale sur le thème de la naissance de la Vierge *(fig. 264, cat. 240)* qui appartint à un collectionneur de Barcelone et se trouve aujourd'hui à la Fondation Bührle de Zurich, a été exclue par Wethey des œuvres authentiques. Dans cette petite toile, qui semble être une esquisse plutôt qu'une

œuvre définitive, les formes et les nuances sont d'une telle richesse, les figures d'une telle vivacité qu'il paraît difficile qu'un des disciples du Greco, et moins encore son fils, ait pu y atteindre. Ces petits personnages présentent, à notre avis, une affinité totale avec ceux de la partie supérieure de l'*Annonciation* destinée à l'hôpital Tavera *(fig. 244).*

Une image de *Saint Sébastien (fig. 265 à 267, cat. 241)* partagée en deux (la moitié supérieure est au Prado et la moitié inférieure fait partie de la collection Arenaza de Madrid) reproduit fidèlement la version partielle déjà étudiée, ayant appartenu à la collection du roi de Roumanie *(fig. 218).* Mais la facture est différente, plus intenses les contrastes de tons, plus abrupt le modelé. La tête contient un des plus hardis et des plus beaux exemples de cette déformation, de cette distorsion, plutôt, de la face, qui donne leur caractère aux images créées par le peintre à la fin de sa vie. Au dessous du fond de nuages denses et nuancés d'étranges reflets, apparaît une dernière version fantomatique du paysage de Tolède. Lumières et ombres sont réparties avec une habileté prodigieuse et créent une atmosphère à la fois naturaliste et magique.

L'étude des œuvres peintes par le Greco au cours de sa dernière période ne permet pas de parler de décadence; on n'y trouve pas non plus la marque d'une santé déclinante. Bien au contraire, la vie intérieure du maître semble connaître de prodigieux regains de jeunesse et de vigueur qui lui permettent d'exprimer son génie, non seulement dans les visions expressionnistes vers lesquelles il se sentait le plus porté, mais aussi dans des portraits d'un vérisme et d'une objectivité implacables.

*Portraits*

Le portrait de Jerónimo de Ceballos faisait partie dès le XVII<sup>e</sup> siècle des collections royales espagnoles *(fig. 268, cat. 242).* Une fois encore le grand visionnaire montre son aptitude au réalisme en se mesurant victorieusement à son modèle. Rien dans cette œuvre n'accuse l'âge de l'artiste qui avait alors près de soixante-dix ans; la peinture paraît en effet exécutée à l'époque où il possédait toute sa force et son aisance : nous l'avons dit, ses dernières œuvres constituent le

Fig. 255  Mariage de la Vierge, 1608-1614. Bucarest, musée national de Roumanie. Cat. 229

Fig. 256  Adoration des bergers, 1603-1608. New York, Metropolitan Museum. Cat. 230

Fig. 257 Jésus chez Simon, 1608-1614. Chicago, Art Institute. Cat. 231

Fig. 258  Le Christ chassant les marchands du Temple, 1608-1614. Madrid, église San Ginés. Cat. 233

point culminant de sa carrière, dans la ligne de la tendance qu'on pourrait appeler expressionniste — représentée par le *Laocoon* par exemple — plutôt que dans la ligne réaliste.

Par l'impression directe de vie qui s'en dégage, le superbe portrait de Fray Hortensio Paravicino est un des meilleurs du Greco *(fig. 269, cat. 243)*. Il a appartenu au duc d'Arcos (1724) et depuis le début de notre siècle il se trouve au Musée des beaux-arts de Boston. Humaniste et poète, Paravicino dédia quelques-uns de ses poèmes au Greco, parmi lesquels le sonnet contenant ces vers célèbres : « La Grèce lui donna la vie et les pinceaux / Tolède une patrie meilleure où il commence / par la mort à gagner des gloires éternelles. » Dans une autre poésie, il exalte la perfection de son portrait, sans doute celui dont nous parlons. Le Greco peignait généralement ses personnages dans un certain état de tension intérieure, contenus, tournés en eux-mêmes. Sans perdre de vue la psychologie du modèle, il tentait de refléter l'esprit de l'époque, du moins en avons-nous aujourd'hui l'impression. Dans le portrait de Paravicino, au contraire, il peint le moine trinitaire comme prêt au dialogue, regardant avec attention l'interlocuteur, c'est-à-dire l'artiste. Son expression révèle un esprit ouvert bien différent de celui des inquisiteurs et des hauts dignitaires. Le moine est assis, décontracté, comme le montrent les bras et les mains d'une prodigieuse exécution. Dans le coloris on retrouve ces harmonies inhabituelles avec lesquelles le Greco nous a familiarisés. L'habit du moine est blanc et marron foncé, orné de la croix bleue et rouge ; le cuir du dossier du fauteuil est noir bleuté ; l'ocre du mur du fond harmonise toutes les tonalités qui ne sont soumises à aucun effet de lumière appuyé.

La toile représentant le cardinal Juan Pardo de Tavera (1472-1545) a été exécutée d'après le portrait attribué à Alonso Berruguete et un masque mortuaire du prélat, tous deux conservés à l'hôpital qui porte son nom *(fig. 270, cat. 244)*. Cette œuvre fut sans doute peinte en 1608, au moment où le Greco commençait l'exécution de la commande passée par Pedro Salazar de Mendoza. Un portrait du cardinal Tavera figure dans l'inventaire de sa succession dressé en 1629. Il est probable qu'il s'agit de la toile dont nous parlons, qui se trouve actuellement à l'hôpital Tavera.

Le coloris en est brillant ; la structure rappelle celle du *Saint Jérôme* de la collection Frick ; il y a de remarquables qualités dans le vêtement du personnage et dans le visage dont l'expression dramatique provient sans doute des œuvres à partir desquelles le Greco a travaillé, en particulier du masque mortuaire qui ne dut pas manquer d'impressionner fortement sa sensibilité. C'est un visage exsangue, de malade plutôt que d'ascète. Les contrastes de textures sont rehaussés par les différences chromatiques. Le personnage, planté devant un fond sombre et lisse, apparaît encore comme un archétype de l'Espagne de ce temps. L'exécution est parfaite dans le visage en lame de couteau, la main visible et la pourpre éclatante du vêtement.

Un des autres grands portraits du Greco est le *Moine trinitaire,* non identifié, passé de la collection du marquis de la Torrecilla à la Nelson Gallery de Kansas City *(fig. 271, cat. 245)*. L'œuvre est certainement très tardive. Par sa technique et ses structures, elle rappelle les figures de la *Vue et plan de Tolède,* mais les flous et les désintégrations de détail contribuent à l'étonnante vigueur de l'effigie. Ce personnage corpulent, la tête couverte par le capuchon du manteau, est assis sur un fauteuil semblable à celui du portrait de Paravicino. La clarté relative du fond met en valeur les tons de la carnation en contraste avec la cape sombre portée sur l'habit blanc visible à partir de la poitrine et orné de la croix rouge et bleue de l'ordre des trinitaires. C'est aussi une œuvre directe, réaliste et humaine, où l'intérêt pour saisir le modèle vivant l'emporte sur toute autre considération. La déformation apparente des mains est plutôt une simplification, car le Greco sait que sa touche, lorsqu'il traite une forme extérieure, met en évidence la structure interne. Il en est de même, mais avec un vérisme et une intensité plus grands, dans le visage. Le modelé présente une facture irrégulière, pas toujours fondue, mais certaines solutions de continuité dans la pâte permettent de donner plus de vie au détail qu'elles affectent, par exemple dans l'œil droit et les paupières droites, ou dans le contour du visage, du même côté.

Le portrait du musée de Picardie *(fig. 272, cat. 246)* est celui d'un gentilhomme d'âge moyen, plutôt corpulent, à la chevelure et à la barbe noires. Il figurait comme *Portrait de Herrera* dans la galerie de la famille Ursáis de Séville, à laquelle il appartint jusqu'à sa mise en vente à Paris en 1872. Il est curieux de constater que les portraits furent les premiers tableaux du Greco qui suscitèrent l'intérêt des collectionneurs du monde entier. Ce portrait est peut-être celui qui figure sous le nom du docteur Soria de Herrera dans le second inventaire de Jorge Manuel. L'œuvre est postérieure à 1610. On y remarque une préoccupation évidente pour la ressemblance et le modelé, étonnant dans le visage, mais qui subit une extraordinaire déformation et qui est d'une inexplicable mollesse dans les mains, la gauche surtout. La structure de ces mains, sans précédent dans l'œuvre du Greco, est peut-être due à la collaboration de Jorge Manuel. On la retrouve dans le portrait de García Ibáñez Múgica de Bracamonte dont il sera question plus loin. Le fond est si sombre que le corps se fond presque avec lui mais cela permet en revanche de détacher fortement la tête. Le regard est admirablement rendu, et l'œuvre, moins franche et moins belle que le portrait de Paravicino, est empreinte d'une profonde humanité. La technique est plus molle que dans les portraits de la grande période.

Le modèle du portrait du chanoine Bosio *(fig. 273, cat. 247)* a été identifié grâce à l'inscription « Bosius Canonici » figurant sur le livre. Probablement postérieur à 1610, il est traité selon la conception habituelle du Greco : figure à mi-corps sur fond lisse, mains visibles s'appuyant ici sur un grand livre ouvert. Le personnage appartient à la galerie de types hispaniques si caractéristiques du peintre. Ici, un homme âgé, à la chevelure et à la barbe blanches, au regard dur, que l'on devine droit et plus enclin au fanatisme qu'à la compréhension et à la tolérance. Le vêtement, un manteau doublé de fourrure apparente au col et aux revers, est aussi superbement rendu que la tête. Les mains ont une intensité moins grande et leur modelé accuse cette tendance au flou qu'on trouve parfois dans des détails chez le Greco.

Enfin, voici le portrait de García Ibáñez Múgica de Bracamonte *(fig. 274, cat. 248)* conservé à la cathédrale d'Ávila et que nous tenons pour authentique malgré l'opinion contraire de Wethey. On notera la similitude des mains avec celles des portraits antérieurs, en particulier celui de Alonso de Herrera. Le personnage est dans une attitude figée, avec son étroit col blanc qui sépare son visage en lame de couteau de la masse noire du vêtement. Il porte la main droite à sa poitrine et appuie la gauche sur une table où est posée sa barette. Le fond est animé de rythmes verticaux destinés à rendre les structures du mur qui le compose. Le mauvais état de conservation de cette toile n'empêche pas son analyse stylistique qui confirme, à notre point de vue, son attribution au Greco. Tous les détails indiquent qu'il s'agit d'une œuvre tardive; on n'y remarque pas un intérêt particulier pour le modèle et le portrait est exécuté d'une manière quelque peu routinière.

Fig. 259 Détail
de la fig. 258

Fig. 260  La Vierge allaitant l'Enfant Jésus, 1608-1614. Madrid, coll. marquise de Campo Real. Cat. 234

Fig. 261  Sainte Véronique, 1608-1614. Buenos Aires, coll. B. del Carril. Cat. 235

Fig. 262  Apparition de la Vierge et de l'Enfant Jésus à saint Hyacinthe, 1608-1614. Merion, Barnes Foundation. Cat. 236

Fig. 263  Sainte Catherine d'Alexandrie, 1608-1614. New York, actuellement en vente. Cat. 239

Fig. 264 Naissance de la Vierge, 1608-1614. Zurich,
coll. Emil G. Bührle. Cat. 240

Fig. 265 et 266 (détails) Martyre de saint Sébastien, 1608-1614. Madrid, musée du Prado. Cat. 241
Fig. 267 Martyre de saint Sébastien (détail), 1608-1614. Madrid, coll. Arenaza. Cat. 241

Fig. 268  Jerónimo de Ceballos, 1608-1614. Madrid, musée du Prado. Cat. 242

Fig. 269  Frère Hortensio Félix Paravicino, vers 1610. Boston, Musée des beaux-arts. Cat. 243

Fig. 270  Le cardinal Juan Pardo de Tavera, vers 1608. Tolède, hôpital San Juan Bautista de Afuera. Cat. 244

Fig. 271  Moine trinitaire, 1610-1614. Kansas City, William Rockhill Nelson Gallery of Art. Cat. 245

Fig. 272  Gentilhomme inconnu, 1610-1614. Amiens, musée de Picardie. Cat. 246

Fig. 273  Le chanoine Bosio, 1610-1614. Sinaïa, palais royal. Cat. 247

Fig. 274  García Ibáñez Múgica de Bracamonte, 1610-1614. Ávila, cathédrale. Cat. 248

# VIII

## 1615

### La mort du Greco

Le Greco mourut le 7 avril 1614. Il logeait alors dans les maisons du marquis de Villena où il avait également son atelier. Le registre des décès de Santo Tomé, sa paroisse, porte : «Le septième jour du [...] est décédé Dominico Greco, intestat, muni des sacrements. Il fut enterré à Santo Domingo el Antiguo ayant fourni les cierges.» En réalité, le pouvoir qu'il avait donné à son fils sept jours plus tôt tenait lieu de testament. Dans ce document, publié par San Román, sont désignés comme exécuteurs testamentaires le fils du peintre, don Luis de Castilla, son premier ami à Tolède, et frère Domingo Banegas, moine au couvent de San Pedro Mártir. Les obsèques furent moins solennelles que le défunt l'eût mérité; Góngora et Paravicino dédièrent des sonnets au maître.

Jorge Manuel hérita des biens et des dettes de son père; entre le 12 avril et le 7 juin fut dressé un inventaire dont on trouvera un extrait commenté à la fin du présent chapitre. Ce document confirme les propos de Jusepe Martínez, selon lequel «le Greco laissa pour toute richesse» ses peintures et ses sculptures.

Ainsi s'achève la vie et l'œuvre d'un artiste dont l'existence et l'évolution paraissent des plus imprévues : le modeste *madonnero* crétois, le débutant qui, dans l'ombre des plus grands maîtres de son temps et en particulier du Titien, s'appliquait à étudier les principes qui lui permettraient de se révéler à lui-même, atteignit des sommets dépassant probablement tous ses rêves de jeunesse, et finit par créer un art fondé sur l'intime conjonction des valeurs traditionnelles et collectives et des valeurs individuelles. Mais, même pendant les années des grandes réalisations, après la décision de s'établir en Espagne, le grand artiste eut à essuyer bien des déboires : échec auprès de Philippe II, procès avec de mesquins administrateurs d'établissements religieux, médiocrité de la vie provinciale, parfois la gêne, voire la pauvreté.

Nous avons suivi l'évolution du style du Greco, présenté la synthèse des facteurs essentiels de son esthétique et de sa technique, et montré la progressive transformation de ses conceptions formelle et émotive. Nous avons décrit les grandes lignes de sa vie et de son œuvre, mais les inconnues demeurent et apparaissent lorsqu'on tente de préciser le contenu exact du corpus de son œuvre. Certes, un tel problème ne se pose pas seulement à propos du grand Crétois : les plus prestigieux artistes – Velázquez, Rembrandt, Goya – sont entourés d'un même halo d'incertitude; eux aussi ont dû organiser un atelier, admettre auprès d'eux, pour des raisons économiques impératives, la présence de copistes professionnels, et eux aussi ont été abondamment plagiés.

Le corpus du Greco se compose des œuvres commentées dans les pages qui précèdent et d'un nombre considérable de toiles exécutées dans son atelier, sous sa direction et d'après ses esquisses. Nous avons exclu de notre catalogue plus de trois cents toiles acceptées comme authentiques dans d'autres livres, dans des musées ou des collections. Ces exclusives n'ont pas été prononcées au nom de la prudence; chaque cas a été attentivement examiné, ce qui ne signifie pas que nos jugements sont infaillibles. Un tel choix est un travail délicat, que l'historien doit envisager sans passion mais sans timidité. Distinguer les œuvres authentiques des imitations quasi parfaites des aides est une opération compliquée par le fait qu'un grand nombre de tableaux non entièrement de la main du Greco sont signés de lui, qui agissait ainsi en vertu de son autorité de chef d'atelier.

Ces œuvres ont été réalisées avec les mêmes matériaux que ceux du maître, selon une technique semblable à la sienne, d'après des études peintes par lui. Le Greco organisa son atelier en fonction de deux « niveaux » différents de production. Il exécutait lui-même les modèles et les commandes importantes; parallèlement, il produisait des toiles d'un format plus modestes dont les sujets étaient conditionnés par la dévotion populaire, et dont la plus grande part revient à ses aides. Il a donc concilié la méthode pratiquée dans l'atelier du Titien avec le travail méthodique et sans grande ambition des fabricants d'icônes byzantines.

Parmi ses aides, nous avons cité Francisco Preboste, probablement venu d'Italie avec le maître; son fils Jorge Manuel, qui dut entrer dans l'atelier vers 1590; Luis Tristán, son collaborateur de 1603 à 1607. Parmi eux se trouvait aussi, pense-t-on, Pedro Orrente qui vécut à Tolède dans l'intimité de la famille du Greco. Il put aussi avoir d'autres aides qui nous sont inconnus, car peu nombreux sont les contrats d'apprentissage conservés dans les minutiers de l'époque où le Greco résida à Tolède.

Ainsi organisée, une production d'atelier ne peut conserver la qualité des œuvres de la main du maître. C'est pourquoi la « qualité », autant que les caractères stylistiques (que l'on peut copier), est un facteur dont l'historien doit tenir le plus grand compte en présence d'une œuvre *probable* de l'artiste. Bien des collectionneurs croient posséder des œuvres anthentiques qui ne sont que des œuvres d'atelier, des copies anciennes ou, pis encore, des imitations modernes.

L'organisation de la production en œuvres authentiques, en peintures exécutées par des aides et en partie par le maître ou entièrement par des aides, permettait une souplesse des prix indispensable à l'époque dans un pays où l'on n'a jamais eu tendance à bien rémunérer les artistes. C'est là un facteur qui dès le Moyen Age conditionnait l'organisation des ateliers. Ce serait une grave erreur de croire que les traditions de l'atelier médiéval, qui répondaient à une nécessité socio-économique, étaient appelées à disparaître comme par magie lors de l'avènement – d'ailleurs tardif pendant la Renaissance espagnole – des grands artistes. Par ailleurs, des facteurs opposés (richesse, prix élevés, commandes nombreuses) provoquèrent des situations semblables : malgré sa fortune et ses dons, Rubens fut obligé d'accepter la collaboration d'aides sous peine de ne pouvoir répondre à la demande de ses clients; et le grand peintre du Baroque flamand pratiqua cette méthode sur une plus grande échelle que le Greco.

*Les ébauches dans l'œuvre du Greco*

Les toiles que le Greco exécuta comme première version d'un sujet, comme ébauche de ses œuvres de grand format ou pour servir de modèle à ses collaborateurs, se caractérisent toujours par leur totale spontanéité. On n'en conserve qu'un petit nombre, suffisant toutefois pour nous donner une idée précise de la méthode de travail du Greco. Elles sont d'un format assez grand, et la technique en est donc assez élaborée. Les œuvres définitives présentent très peu de variantes dans les détails secondaires et respectent l'agencement de la première composition. La présence de ces ébauches dans la maison du Greco est formellement attestée par Pacheco dans son *Traité de la peinture* : « Dominico Greco me montra en l'année 1611 une armoire pleine de modèles en terre exécutés de sa main, dont il se servait pour ses œuvres. Et, ce qui passe tout étonnement, les originaux de tout ce qu'il avait peint dans sa vie, peints à l'huile sur des toiles plus petites, dans une pièce que sur son ordre me montra son fils. Que pourront dire à cela les présomptueux et les nonchalants, s'ils n'en tombent morts sur l'heure en apprenant de tels exemples ? » Pacheco estimait donc autant l'art du peintre que sa méthode dans le travail, qui lui permettait de conserver l'image d'une peinture dont il se défaisait en vendant l'œuvre définitive. Sa dernière phrase semble prouver que l'exécution systématique et la conservation des modèles n'étaient pas monnaie courante à cette époque.

En présence du problème de chronologie posé par les toiles pour lesquelles nous manquons de documentation et dont les seuls éléments positifs sont ceux que fournit l'étude du style, l'historien se trouve aux prises avec d'angoissantes difficultés : il lui faut attribuer une date à l'œuvre, fixer les limites de la période au cours de laquelle elle a pu être exécutée; et, si nombreuses que soient les considérations préalables, le parti adopté n'est qu'une hypothèse de travail. Pour avoir une idée des difficultés rencontrées là, il suffit de confronter les avis divergents émis sur la date des tableaux pour lesquels il n'existe pas de documents. Ces problèmes de chronologie se trouvent compliqués par celui de la collaboration de l'atelier : la position prise à ce sujet par l'historien d'art revêt une grande importance, car sur ce point l'erreur est très grave. Distinguer l'œuvre authentique de la copie d'atelier est, dans certains cas, impossible.

### Les « Apostolados »

Ces remarques s'imposent à propos de la filiation d'un groupe très nombreux d'œuvres du Greco et de son atelier faites d'après un nombre réduit de modèles. Nous voulons parler des *Apostolados (fig. 275 à 331, cat. 249 à 312) :* il s'agit de séries de tableaux de même format représentant Jésus ou l'un des douze apôtres. Théoriquement, chaque série devrait se composer de treize toiles, mais l'inclusion de tel ou tel autre saint altère dans certains cas l'unité iconographique. On connaît trois *Apostolados* presque complets : celui qui provient de San Pelayo d'Oviedo (collection du marquis de San Feliz); celui de la cathédrale de Tolède; celui du musée Greco provenant de l'hôpital Santiago de la même ville. D'autres *Apostolados* sont incomplets et dispersés : celui qui fut retrouvé en 1938 à Almadrones (province de Guadalajara); celui de l'ancienne collection López Cepero à Séville; et la série provenant de Tolède qui appartint à l'antiquaire madrilène Arteche. Il existe d'autres représen-

tations d'apôtres qui, par leur iconographie, leur format et leurs caractéristiques paraissent avoir fait partie d'autres *Apostolados* dont la plupart des toiles sont perdues. On sait que, en 1622 ou 1623, Jorge Manuel prêta à l'hôpital Tavera de Tolède un *Apostolados* qu'après sa mort ses héritiers vendirent à Andrés Martínez Calvo, curé de l'hôpital. Ponz cite deux *Apostolados :* l'un, qu'il attribue au Greco, au couvent des Baronesas de Madrid; l'autre, qu'il attribue à Tristán, dans la sacristie de Santa Leocadia de Tolède. On ignore où ils se trouvent aujourd'hui.

Notre point de vue sur la chronologie et l'«organisation» interne des *Apostolados* est le suivant. L'*Apostolado* Arteche se compose de toiles de petit format contenant des figures à mi-corps; nous pensons qu'il s'agit là d'un premier modèle peint par le Greco entre 1603 et 1608, et donc tardif. Nous n'avons pu étudier que trois tableaux de cette série. Certains sont signés d'initiales grecques (delta et thêta). L'exécution est rapide mais très délicate, comme dans toute les études-modèles.

La série d'Oviedo, qui contient elle aussi des figures à mi-corps, est quasi identique, mais le format des toiles est deux fois plus grand. Elles paraissent dè la même époque, et nous pensons que le Greco a pris part à l'exécution de certaines d'entre elles. La plupart sont signées des mêmes lettres grecques; leur exécution est rapide et peu soignée.

La série de la cathédrale de Tolède est complète. Les modèles de la série Arteche y sont repris, mais les figures sont à trois-quarts de corps. Leur exécution fougueuse et passionnée nous porte à les situer vers 1608. Les tableaux sont de format plus grand que ceux d'Oviedo et paraissent pour la plupart entièrement de la main du maître.

La série du musée Greco est selon nous à peu près contemporaine de la précédente. La facture des toiles de la cathédrale semble tardive dans certains cas, plus anciennes par contre dans d'autres. Cette série est la plus intéressante; peinte avec plus d'intensité, elle paraît entièrement authentique. Aucune des toiles de ces deux séries ne porte de signature ou d'initiales.

L'*Apostolado* d'Almadrones, incomplet et dispersé, est lui aussi formé de figures à mi-corps. Le format des toiles est voisin de celui de la série d'Oviedo. La technique paraît plus tardive. Les effigies, quoique reprises des modèles de la série Arteche, présentent des variantes importantes. Une grande partie de ces toiles est certainement de la main du Greco.

La série López Cepero, elle aussi incomplète et dispersée, se compose de toiles un peu plus petites que les précédentes, présentant également des variantes par rapport aux prototypes de la série Arteche. Très semblable à celle d'Almadrones, elle n'est pas de la main du Greco, et semble plutôt l'œuvre de Tristán; il s'agit peut-être de celle que Ponz situa dans la sacristie de Santa Leocadia de Tolède. De Tristán et en partie du Greco est peut-être la série, de format et de technique semblables, comprenant le *Christ* de la Galleria Parmeggiani, le *Saint Luc* du musée de Rosario (Argentine), le *Saint André* de Budapest, le *Saint Paul* de Saint-Louis (Missouri), le *Saint Jacques le Majeur* du New College d'Oxford et quelques autres.

Les images isolées d'apôtres, de formats et de dates divers, sont toujours de la même période 1603-1614. Citons les plus remarquables : le *Saint Jean* du musée du Prado *(fig. 279),* le *Christ* de la National Gallery of Scotland *(fig. 277),* le *Saint Jacques le Mineur* du musée de Bâle *(fig. 322)* et le *Saint Luc* de la Hispanic Society de New York *(fig. 296).*

L'analyse de toutes les œuvres composant les *Apostolados* donnerait lieu à de fastidieuses redites : ces figures ne constituent pas des exceptions à la manière dont le Greco peignait à la fin de sa vie. Elles lui permirent pourtant de tenter, comme en un suprême effort, de capter l'éloquence sacrée des visages et des mains de ceux qui répandirent dans le monde la foi du Christ. Par leur concentration thématique, qui limite l'élément d'imagination si éclatant dans le *Laocoon* par exemple, ces portraits idéals constituent le point culminant de la création du Greco. La typologie varie non seulement d'un modèle à l'autre mais aussi, dans le modèle de chaque personnage, d'une série à l'autre. Les variations peuvent être dues à la facture ou au degré d'exaltation du peintre, mais on remarque aussi des changements radicaux dans la représentation du personnage.

Dans les grandes séries de la cathédrale de Tolède et du musée Greco apparaît la tendance à représenter la figure jusqu'à mi-jambe et à donner aux drapés un caractère plus monumental. Ce que l'on pourrait considérer comme des vestiges de la conception analytique disparaît complètement et la vision synthétique de l'image l'emporte. Une grande arabesque trace les grandes lignes des contours et des délinéations. Le coloris est intensifié dans un sens plutôt spirituel que physique. Déformations et simplifications sont plus nombreuses. Le peintre se contente de suggérer la forme; ainsi, par exemple, dans la main droite du *Saint André* du musée Greco *(fig. 287)* et dans l'impressionnante main tenant un livre ouvert dans le *Saint Simon* du même musée *(fig. 314).* Il n'y a pas à proprement parler de dessin, mais une paradoxale forme informe qui cependant produit l'exact effet voulu. Ces déformations ont une double origine : d'une part on peut les qualifier d'expressionnistes, avec tout ce qu'une telle conception comporte de distorsion volontaire, et d'autre part elles constituent les premières manifestations d'une optique qui ne s'imposera que des siècles plus tard. Le Greco désintègre les formes qui « ne doivent pas être vues » et il emploie une autre forme d'expressionnisme — traits abrupts, modelé discontinu — dans les visages, comme on peut le voir dans le *Saint Simon* cité.

Ici prédominent le caractère monumental visionnaire, l'arabesque savante, la forme et le coloris; les déformations sont des facteurs importants, mais leur valeur est subordonnée à la nécessité d'obtenir une forme point trop éloignée de l'idée que peut s'en faire le spectateur. C'est dans les images de Jésus que ces valeurs sont préservées avec le plus grand soin, malgré la présence constante et plus ou moins subtile de l'expressionisme : dans le *Christ* de la cathédrale de Tolède *(fig. 275),* le visage est conforme aux modèles anciens auxquels l'artiste fut toujours fidèle; les mains n'ont presque pas subi de déformation, mais les sinuosités des drapés, différentes dans la tunique et dans le manteau, témoignent de la nécessité d'altérer les valeurs « classiques » de texture, de forme et de tension superficielle de la matière représentée.

Parfois, c'est la simplification qui produit un effet d'anomalie. En comparant les effigies successives de saint Jacques le Majeur des diverses séries, on constate que la main droite tendue horizontalement un peu au-dessus de la taille se simplifie peu à peu et prend une qualité comme fantomatique *(fig. 324 à 327).* La simplification, qui désintègre en partie la forme, s'accentue du *Saint Thomas* de la cathédrale

JÉSUS-CHRIST

Fig. 275  Cathédrale de Tolède. Cat. 270

Fig. 277  National Gallery of Scotland. Cat. 305

Fig. 276  Musée Greco. Cat. 283

Fig. 278  Almadrones. Cat. 296

SAINT JEAN L'ÉVANGÉLISTE
Fig. 279 (page 300) Musée du Prado. Cat. 306
Fig. 280 Marquis de San Feliz. Cat. 258
Fig. 282 Musée Greco. Cat. 284

Fig. 281 Cathédrale de Tolède. Cat. 271
Fig. 283 Almadrones. Cat. 297

SAINT ANDRÉ
Fig. 284  Cathédrale de Tolède. Cat. 272

SAINT MATTHIEU
Fig. 285  Cathédrale de Tolède. Cat. 273

SAINT ANDRÉ
Fig. 286  Arteche. Cat. 249
Fig. 288  Almadrones. Cat. 298

Fig. 287  Musée Greco. Cat. 285
Fig. 289  Rhode Island. Cat. 307

SAINT MATTHIEU

Fig. 290  Arteche. Cat. 250

Fig. 292  Musée Greco. Cat. 286

Fig. 291  Marquis de San Feliz. Cat. 260

Fig. 293  Almadrones. Cat. 299

SAINT LUC
Fig. 294  Arteche. Cat. 251
Fig. 296  Hispanic Society. Cat. 308

Fig. 295  Marquis de San Feliz. Cat. 261
Fig. 297  Almadrones. Cat. 300

Fig. 298  Cathédrale de Tolède. Cat. 274

SAINT PHILIPPE
Fig. 299  Arteche. Cat. 252
Fig. 301 et 302 (détail)  Musée Greco. Cat. 287

Fig. 300  Cathédrale de Tolède. Cat. 275

SAINT THOMAS
Fig. 303  Arteche. Cat. 253
Fig. 305  Musée Greco. Cat. 288

Fig. 304  Cathédrale de Tolède. Cat. 276
Fig. 306  Almadrones. Cat. 301

SAINT BARTHÉLEMY
Fig. 307  Arteche. Cat. 254
Fig. 309  Musée du Prado.

Fig. 308  Musée de Santa Cruz.
Fig. 310  Musée Greco. Cat. 289

SAINT BARTHÉLEMY
Fig. 311 Détail de la fig. 310

SAINT SIMON
Fig. 312  Marquis de San Feliz. Cat. 264      Fig. 313  Cathédrale de Tolède. Cat. 277
Fig. 314  Musée Greco. Cat. 290         Fig. 315  Almadrones. Cat. 302

SAINT JUDE
Fig. 316  Marquis de San Feliz. Cat. 265
Fig. 317 et 318 (détail)  Cathédrale de Tolède. Cat. 278
Fig. 319  Musée Greco. Cat. 291

SAINT JACQUES LE MINEUR
Fig. 320 (page 314) Cathédrale de Tolède. Cat. 279      Fig. 321 Arteche. Cat. 255
Fig. 322 Musée de Bâle. Cat. 309      Fig. 323 (détail de la fig. 320) Musée Greco. Cat. 292

SAINT JACQUES LE MAJEUR
Fig. 324  Marquis de San Feliz. Cat. 266
Fig. 326  Musée Greco. Cat. 293

Fig. 325  Musée de Budapest. Cat. 310
Fig. 327  Almadrones. Cat. 303

de Tolède à celui du musée Greco. La comparaison entre le *Saint Philippe* de la cathédrale de Tolède et celui du musée Greco révèle les différences dans l'expression picturale que l'artiste pouvait obtenir par la seule exécution tout en conservant une composition, un coloris et un dessin identiques.

La série d'Almadrones témoigne d'une recherche expressionniste plus profonde du point de vue psychologique. La technique se modifie et on ne croirait jamais, en présence du *Saint Jacques le Majeur* de cette série, qu'il s'agit d'une peinture du début du XVIIᵉ siècle. Certains aspects y annoncent déjà Van Gogh : indépendance du dessin par rapport au modelé, expression fixe des personnages, morphologie de la tête. Il est intéressant de comparer le visage de saint Jean l'Évangéliste à celui de la cathédrale de Tolède. Si ce dernier paraît déformé, que dire du visage d'arlequin, frotté, blanchâtre, têtu et halluciné, de l'image de New York ! Dans certaines effigies du musée Greco, la forme est déjà traitée d'une manière voisine; le *Saint Jude,* par exemple, est d'une psychologie extrêmement curieuse, sans parler de la grande hardiesse de la simplification et de la déformation. L'ultime leçon du Greco serait que la mystique confine à la perte du sens raisonnable. Que pourraient bien exprimer d'autre ces visages? L'image est un moyen particulièrement souple d'expression des mouvements intérieurs : c'est là, précisément, la conception impressionniste.

Au cours de cette période finale, l'art du Greco atteint au sublime tandis que la fatalité s'acharne sur lui. Ceux qui, sans comprendre la grandeur de son génie, acceptaient ses œuvres parce qu'elles suscitaient une ferveur immense, trouvèrent des armes pour les combattre lorsqu'ils les virent inscrites dans les architectures de Jorge Manuel. L'implacable réaction des administrateurs de l'hôpital d'Illescas devait porter un grave préjudice à l'ambitieuse organisation du jeune architecte-peintre et ouvrir la voie à la critique et au refus de l'œuvre du Greco. Il tenta alors de mettre plus efficacement en œuvre les projets d'expansion de son fils en augmentant le nombre de ses aides et la production de copies; aux œuvres commentées dans ce chapitre, il faut ajouter un nombre considérable d'œuvres d'atelier que — étant donné la brièveté de notre étude — nous ne pouvons mentionner. Pour avoir une idée de l'importance et du nombre des copies exécutées au cours de cette période, le lecteur voudra bien se reporter à la seconde partie de l'excellent catalogue publié par Wethey. Bien qu'à notre avis l'éminent spécialiste américain se montre parfois trop sévère dans ses jugements et considère comme œuvres d'atelier des toiles que nous estimons être de la main du Greco, le travail de Wethey, qui a d'autre part démasqué bon nombre de falsifications, mérite une sincère admiration.

*Les dessins attribués au Greco*

Formé à l'école vénitienne, le Greco préparait probablement ses compositions par des croquis et des dessins. L'inventaire de 1614 contient un lot de cent cinquante dessins dont le nombre passe à deux cent cinquante dans le second inventaire (1621). On en a conservé très peu qui puissent être attribués en toute vraisemblance au Greco et comme nous ne disposons pas de données suffisantes pour nous prononcer catégoriquement à leur sujet nous citerons ceux dont l'attribution est la plus probable.

Un dessin au crayon *(fig. 332)* reproduit la sculpture de Michel-Ange, *Le jour,* figurant sur le tombeau des Médicis. D'après Kehrer, le modèle de ce vigoureux dessin aurait été une étude en plâtre de la sculpture qui se trouvait en 1563, au dire d'Alessandro Vitoria, dans l'atelier du Tintoret. L'attribution au Greco est fondée sur l'inscription « Dominico Greco » qui, selon Baumesteir, est de la main de Vasari (1574). La Bibliothèque nationale de Madrid conserve un croquis *(fig. 333)* présentant un rapport évident avec le *Saint Jean l'Évangéliste* de Santo Domingo el Antiguo *(fig. 60).* Exécuté au crayon, il a du caractère et produit une excellente impression, malgré son extrême fragilité. Le plus intéressant des croquis attribués au grand Crétois était un dessin à l'encre rehaussé à la gouache et au crayon blanc détruit dans l'incendie de l'Instituto Jovellanos de Gijón *(fig. 334).* Peut-être s'agissait-il d'une étude préparatoire du *Christ au jardin des Oliviers (fig. 186).* Deux croquis des deux saints Jean de Santo Domingo el Antiguo conservés dans la collection Stirling de Keir, et un *Saint Jean l'Évangéliste* de la collection Wildenstein sont peut-être des dessins originaux.

*Œuvres d'atelier d'après des originaux perdus*

Il existe un ensemble de peintures d'après des modèles distincts de tous ceux étudiés dans ce livre. Elles se rattachent à la série des types du Greco, mais ne peuvent être de sa main car leur facture est différente et leur qualité n'est pas d'un niveau suffisant : il s'agit d'œuvres d'atelier, dont certaines existent en plusieurs versions. La difficile distinction entre les œuvres du Greco et celles de son atelier exigera encore beaucoup de travail : il ne pourrait être mené à bien qu'en étudiant la totalité des œuvres dans les conditions requises. Cette tâche exigerait le nettoyage de toutes les toiles connues, leur examen direct sous un bon éclairage et l'obtention de nombreuses photographies d'ensemble et de détails.

En attendant que toutes ces conditions soient réunies, ce qui nous paraît improbable, nous nous contenterons d'examiner ces œuvres qui nous révèlent l'existence d'originaux perdus. Dans la *Vierge Marie (fig. 335)* de la collection Harris, représentée en buste, les mains jointes, on remarque que le copiste s'est efforcé de reproduire les qualités des étoffes du Greco. Le dessin du visage, sans être incorrect, est loin de posséder la beauté et l'émotion des peintures authentiques. Le *Saint Jérôme pénitent* de la National Gallery of Scotland *(fig. 336)* est proche des œuvres que nous avons attribuées à Tristán. On connaît plusieurs versions de ce modèle. Compte tenu du fait que celles du Greco sont toujours d'une fidélité absolue au modèle original, nous pensons que celui-ci dut être exécuté vers 1600. Le saint est représenté à mi-corps, torse nu, ceint d'un ample manteau carmin rose. Le fond rocailleux est peu travaillé et semblable à celui des *Saint François,* mais l'ouverture en haut et à gauche laisse passer plus de lumière, d'où une gamme plus claire et plus colorée. Au premier plan on peut voir la «nature morte» habituelle dans les images de saints ermites. L'anatomie du personnage est faite d'un système de formes serpentines et ondoyantes qui en accusent toutes les courbes. La barbe et la chevelure blanches encadrent un visage dont la typologie et l'expression sont bien rendues.

Un *Saint Dominique pénitent (fig. 337)* est intéressant parce que son auteur a pris pour modèle l'estampe gravée par Diego de Astor *(fig. 349)* au lieu d'utiliser un original du Greco. Le fond et les plis de l'habit sont schématisés avec rudesse. La belle combinaison des rythmes de l'original se retrouve ici intacte.

On conserve diverses effigies du Christ en croix, sans doute œuvres d'atelier, dont les notables variantes par rapport aux toiles authentiques de même sujet révèlent l'existence d'autres modèles du Greco. L'une est la belle *Crucifixion* d'Athènes *(fig. 338)*. Le même modèle se retrouve dans un tableau de l'église de Martín Muñoz de las Posadas (province de Ségovie). L'un des donateurs de cette œuvre – difficile à étudier car elle a été altérée par une très maladroite restauration – est un ecclésiastique identifié comme Andrès Núñez qui commanda au Greco l'*Enterrement du comte d'Orgaz*. Par une des clauses de son testament, ce personnage légua en 1603 à l'église de Navalperal del Campo «un tableau du Christ [...] dans lequel se trouve le portrait dudit sieur Andrés Núñez, et qui est une peinture de Dominico Griego et est une peinture de grande valeur [...] et [...] un tableau d'une image de Notre-Dame de la main de Dominico Griego...» Lorsque, en 1834, le village de Navalperal se dépeupla, tous les biens de son église furent, semble-t-il, transférés à celle de Martín Múñoz de las Posadas. La version de la collection Johnson de Philadelphie *(fig. 341)* montre à gauche la Vierge et saint Jean au pied de la croix et à droite un paysage de Tolède à petites figures. Le fond est sombre et dramatique, et la carnation se détache avec la vigueur d'une sculpture. La déformation assez intense des jambes est très différente des déformations du Greco. L'œuvre est d'une certaine qualité. La version du musée de Cincinnati ne contient pas de personnages secondaires; il y a seulement derrière le pied de la croix un grand paysage de Tolède, ou plutôt quelques édifices assez rapprochés et de petites figures à pied et à cheval *(fig. 342)*. Le fond, dramatique comme dans la version précédente, présente de plus grandes trouées de lumières troublées par des nuages denses. D'une manière un peu différente, la déformation intervient ici surtout dans les jambes du Crucifié.

La qualité de ces toiles prouve l'étonnant mimétisme que le Greco sut inculquer à ses collaborateurs. Ces œuvres paraissent authentiques, mais, malgré leur réelle valeur, on n'y trouve la finesse, les subtilités ou les libertés d'exécution habituelles au maître.

SAINT PIERRE
Fig. 328  Arteche. Cat. 256

Fig. 329  Musée Greco. Cat. 294

SAINT PAUL
Fig. 330  Marquis de San Feliz. Cat. 269

Fig. 331  Musée Greco. Cat. 295

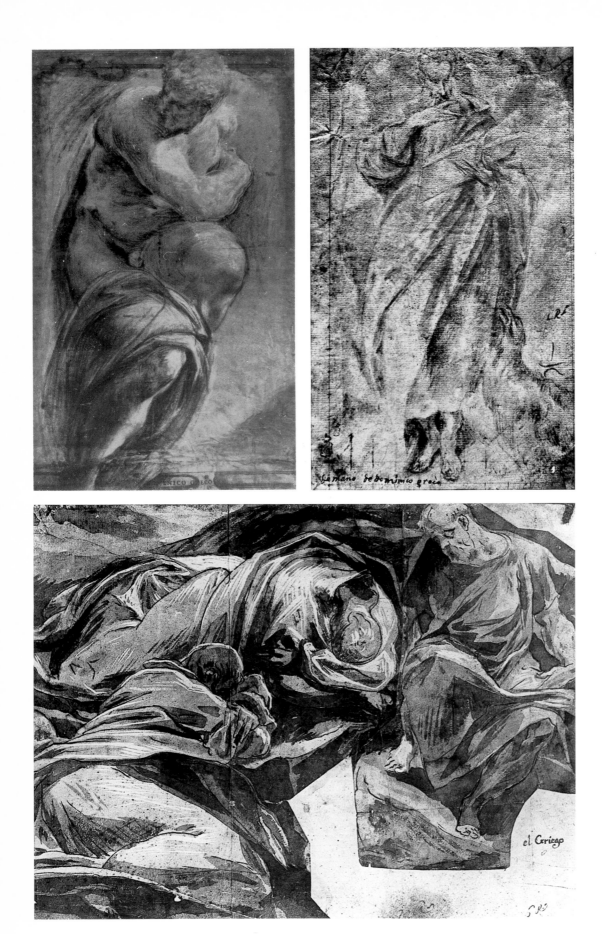

Fig. 332  Le jour. Dessin au crayon (602 × 348 mm). Munich, Graphische Sammlung

Fig. 333  Saint Jean l'Évangéliste. Dessin au crayon (255 × 155 mm). Madrid, Bibliothèque nationale

Fig. 334  Les apôtres au jardin des Oliviers. Dessin à l'encre (détruit)

## Le Greco sculpteur

On se souvient que Pacheco, dans son récit de sa visite à l'atelier du Greco en 1611, parle des petits modèles en terre et en cire que le peintre utilisait pour préparer ses compositions. Les inventaires de 1614 et de 1621 en mentionnent un certain nombre. En se fondant sur la lettre des contrats, San Román est parvenu à la conclusion que jamais le Greco ne réalisa de sa propre main les images sculptées contenues dans certains de ses retables. Il devait seulement en fournir au sculpteur des dessins et des modèles; il a été établi que les sculptures du maître-autel de Santo Domingo el Antiguo sont l'œuvre de Monegro d'après des originaux du peintre.

Wethey admet que le Greco a collaboré aux sculptures suivantes: le haut-relief polychrome de la cathédrale de Tolède, *Saint Ildefonse recevant la chasuble des mains de la Vierge,* seul vestige du somptueux cadre de l'*Expolio* exécuté entre 1585 et 1587 *(fig. 343);* la belle statue polychrome du *Christ ressuscité (fig. 344)* qui surmontait le tabernacle du maître-autel de l'église de l'hôpital Tavera; les images décorant le retable et le sanctuaire de l'église de l'hôpital d'Illescas, détruites en 1936 *(fig. 345).*

## Les gravures de Diego de Astor

Se souvenant des méthodes pratiquées dans les grands ateliers de Venise et de Rome, le Greco chercha à faire connaître ses œuvres par des estampes gravées. Au XVIᵉ et au XVIIᵉ siècle les gravures devinrent le moyen le plus efficace de répandre les reproductions des grands chefs-d'œuvre, qui sans elles n'auraient été connus que par leur description littéraire. La feuille gravée pénétrait aisément dans les foyers des diverses catégories sociales; les peintres les utilisaient comme modèles; les magnats et les puissants les achetaient systématiquement pour leurs collections. Citons par exemple la série considérable réunie à l'Escurial sur l'ordre de Philippe II? Vers 1605, le Greco confia au graveur tolédan Diego de Astor le soin de reproduire certaines de ses œuvres *(fig. 346 à 349).* On conserve aujourd'hui quelques épreuves de quatre planches gravées au burin d'après des originaux du Greco, signées de Diego de Astor

et datées: l'*Adoration des bergers,* qui reproduit le tableau de Valence (1605); *Saint François avec frère Léon* (1606); *Saint Dominique,* d'après la toile du musée de Tolède (1606); une des versions de *Saint Pierre et saint Paul* (1608). D'autres planches furent certainement gravées: l'inventaire de 1621 en mentionne douze, plus « cent estampes faites à la maison ». Le choix du Greco était excellent. Astor était un très bon artisan possédant bien la technique de la gravure qu'il traite avec virtuosité et souplesse, mais il était capable aussi d'émotion en présence des originaux qu'il copiait et il la traduisait dans ses planches. Parfois le dessin exagère légèrement les déformations du Greco, ou paraît les exagérer en raison de l'absence de lumières et de reflets chromatiques. On peut le constater dans l'*Adoration des bergers,* en particulier dans la figure du berger du premier plan à droite. Astor atteint à une fidélité prodigieuse aux œuvres du Greco, dans la forme comme dans l'esprit. Ses gravures inspirèrent à leur tour des copies, par exemple le *Saint Dominique en pénitent* du musée de Santa Cruz de Tolède, fait d'après une gravure d'Astór et non d'après le prototype du Greco *(fig. 337).*

Malheureusement pour l'artiste, les expédients auxquels il avait recours pour étendre l'activité de son atelier et parvenir à une réussite matérielle qui lui fut toujours refusée se heurtèrent à deux graves obstacles: il était à la fin de sa vie miné par les difficultés et les échecs répétés; son fils, dont les capacités artistiques étaient minces, était quelque peu présomptueux et n'avait pas conscience de ses limites.

## Sur Jorge Manuel Theotocópuli

Ce fut sans doute pour ne pas compliquer le travail des scribes officiels de sa petite patrie que le fils du Greco donna à son nom de Theotokopoulos — conservé tel par son père dans les signatures de ses tableaux et les documents — la forme italianisée et plus simple de Theotocópuli. Nous avons rapporté ce que l'on sait de sa mère, Jerónima de las Cuevas. D'après divers témoignages, dont l'inscription que porte le mouchoir de Jorge Manuel dans l'*Enterrement du comte d'Orgaz (fig. 106),* nous savons que le fils du peintre naquit en 1578. Sa physionomie nous est connue par deux autres portraits peints par son père. L'un est celui du musée de Séville *(fig. 196)*, peut-être exécuté au moment de son premier mariage alors qu'il avait vingt-cinq ans; l'autre se trouve dans la *Vierge de la Charité* d'Illescas, peinte peu après *(fig. 199)*.

Jorge Manuel apprit son métier auprès de son père, mais fut un artiste médiocre; il ne semblait pas non plus avoir hérité des qualités humaines du Greco. Vers 1603, il épousa Alfonsa de los Morales. Leur premier enfant, baptisé le 24 mars 1604, eut pour parrain le docteur Gregorio Angulo, constant soutien matériel de la famille. Cet enfant supprima plus tard de son patronyme le nom de son aïeul et se fit appeler Gabriel de los Morales. Il entra en 1622 dans l'ordre des Augustins. On pense que le portrait de famille de la collection Pitcairn représente Alfonsa de los Morales et le petit Gabriel en compagnie d'une jeune servante et d'une femme d'un certain âge qui serait, selon certains, Jerónima de las Cuevas *(fig. 352)*.

A partir de 1603, le nom de Jorge Manuel apparaît dans les contrats; il en passe aussi pour son propre compte en vue de travaux d'architecture et de décoration. Ainsi, le 17 septembre 1603, il signe un document par lequel il s'engage à construire un retable pour l'ermitage de Nuestra Señora del Prado à Talavera de la Reina; le projet est demeuré sans suite. En 1605, la municipalité de Tolède lui offrit un plat d'argent pour le remercier d'avoir dirigé les réparations de la Casa de las Comedias. En 1606, il signa un contrat pour un retable destiné à la chapelle de la famille Úbeda de l'église San Ginés de Tolède. Le document précise que ce retable contiendrait «un Christ en croix vivant avec saint Jean et Notre-Dame [...] signé du Greco et un paysage de l'autre côté, de la même main». Le 7 novembre 1606, il signa un contrat concernant les retables principaux et latéraux de San Martín de Montalbán. En mai 1607, le Greco lui donna procuration «afin qu'il puisse prendre à sa charge et à la mienne ou à la mienne seule tous les travaux de peinture et architecture de retables». Parmi les œuvres de Jorge Manuel, citons le retable de sainte Madeleine que, d'après un contrat de 1607, il exécuta en collaboration avec le sculpteur Giraldo de Merlo pour l'église de Titulcia (province de Tolède). Cette œuvre, qui a été conservée, est capitale pour déterminer les caractéristiques de son style.

Le 31 mars 1614 il reçut procuration pour rédiger le testament de son père, qui mourut le 6 avril suivant. Du 12 avril au 7 juillet, il dressa le premier inventaire de la succession, dans lequel figure la liste des peintures se trouvant au palais de Villena. Dans la chronique de Jorge Manuel vient ensuite la déplorable affaire des retables de l'hôpital Tavera qui, après la mort du Greco, tourna au désastre. Il y travailla à plusieurs reprises tout au long de sa vie, et en 1625 modifia le projet de maître-autel de son père pour construire l'architecture qui subsiste aujourd'hui. Le retable fut mis en place avant le décès de Jorge Manuel, qui avait abandonné presque complètement la peinture — le petit nombre de ses œuvres conservées le confirme — pour le travail d'architecte-décorateur. En 1618, il termina la façade de l'hôtel de ville de Tolède commencée sur des plans de Juan de Herrera, ce qui lui valut en 1621 le titre honorifique de «Grand maître d'œuvre de l'hôtel de ville». La même année, il se chargea avec Luis Tristán de l'érection du catafalque en l'honneur de Philippe III. Il reprit la direction des travaux de la chapelle dite del Ochavo de la cathédrale de Tolède, commencée en 1595 par Nicolás de Vergara. Entre 1628 et 1631, au titre de Grand maître de la cathédrale, il exécuta la coupole de la chapelle mozarabe. Un procès contre la communauté de Santo Domingo el Antiguo à propos de la construction du monument qu'il devait exécuter pour la Semaine sainte lui coûta l'annulation de ses droits à la sépulture acquise en 1612 par son père. En 1619, il en acquit une autre à San Torcuato, qu'il fit surmonter d'un autel contenant une copie du *Saint Maurice (fig. 353)*. Il y transféra, semble-t-il, les restes de son père et y fut lui-même enterré plus tard. L'église San Torcuato ayant été détruite, les restes du Greco et de son fils ont disparu.

En 1621, veuf d'Alfonsa, Jorge Manuel épousa en secondes noces Gregoria de Guzmán, veuve possédant, croit-on, une certaine fortune. Il rédigea alors un nouvel inventaire de ses biens, qui complète et précise celui de 1614, car il donne les mesures des toiles; il contient également un précieux paragraphe consacré à la bibliothèque du Greco. De ce mariage naquirent d'abord deux filles, Claudia et María, puis en 1629 son second fils, baptisé Jorge, dont le parrain fut le peintre Pedro Orrente. La mère mourut quelques

Fig. 335  La Vierge Marie. Grande-Bretagne, coll. Harris
Fig. 336  Saint Jérôme pénitent. National Gallery of Scotland
Fig. 337  Saint Dominique pénitent. Tolède, musée de Santa Cruz
Fig. 338  Crucifixion. Athènes, musée

Fig. 339  La Madeleine; Barcelone, coll. Sala

Fig. 340  Saint Jean et saint François. Madrid, musée du Prado

Fig. 341  Christ en croix. Philadelphie, coll. Johnson

Fig. 342  Christ en croix. Cincinnati, Art Museum

SCULPTURES

Fig. 343 Saint Ildefonse recevant la chasuble des mains de la Vierge. Tolède, cathédrale

Fig. 344 Christ ressuscité. Tolède, hôpital de Tavera

Fig. 345 Isaïe. Illescas, hôpital de la Caridad

Fig. 346, 347, 348, 349.  Gravures de Diego de Astor d'après des œuvres du Greco

jours plus tard; son testament a été conservé. Jorge Manuel se maria une troisième fois avec Isabel Villegas. Il mourut complètement ruiné le 29 mars 1631.

Le nombre d'œuvres conservées de Jorge Manuel est suffisant pour prouver son faible talent de peintre et son manque de personnalité. Sa copie, signée, de l'*Expolio,* qui se trouve au Prado est sans doute une œuvre de jeunesse *(fig. 350)*: c'est un travail fait avec soin; chaque détail est à sa place; on y remarque un effort pour donner de la vigueur à la forme, qui n'a ni la qualité ni la beauté de matière, de coloris et d'expression de l'original. Les compositions du retable de Titulcia, qui ne sont pas faites d'après des modèles du Greco, sont d'un meilleur effet *(fig. 351)*. A la suite de certains désaccords, les toiles ne furent livrées qu'après 1621. L'inspiration du Greco y est évidente, mais elles sont d'un maniérisme excessif et dépourvues d'éclat. De toute évidence, un peintre d'un style radicalement différent y a collaboré qui, d'après miss Trapier, auteur de la seule biographie du fils du Greco, serait le Flamand Juan de Haesten, beau-frère de Giraldo de Merlo. Le seul tableau aujourd'hui *in situ* de ce retable est la composition un peu emphatique de l'attique, l'*Assomption de la Madeleine,* dont les figures sont dans la manière du Greco.

On attribue à Jorge Manuel une copie de l'*Enterrement du comte d'Orgaz* (musée du Prado) et une copie du *Martyre de saint Maurice (fig. 353)*. Toutes deux présentent les mêmes caractères que les œuvres décrites plus haut. De lui est sans doute aussi — et c'est sa meilleure peinture — le portrait de famille déjà cité *(fig. 352)*. S'agit-il de la copie d'un tableau de son père? Nous pourrions dire que cette œuvre est mieux réussie, parce qu'originale, si nous ne connaissions les compositions de Titulcia: nous avons constaté à propos de celles-ci que, hors de l'influence de son père, Jorge Manuel ne parvenait pas à créer d'œuvres originales. Ce portrait de famille est d'un certain réalisme selon la conception du XVII$^c$ siècle; le dessin en est bon malgré quelque hiératisme.

## L'image du Greco

Quel était l'aspect physique du Greco? On peut supposer que ce Méditerranéen au teint brun se plut en Espagne parce qu'il y trouva une race plus proche de la sienne que dans une Venise préférant les blondes opulences. Mais nous ne pouvons nous contenter de conjectures. Certains visages figurant dans des toiles du grand peintre ont été désignés comme des autoportraits; aucun ne peut être indiscutablement qualifié de tel. Voici les hypothèses les plus vraisemblables à ce propos.

Le jeune homme vêtu de noir et portant une fraise qui apparaît derrière les torses nus dans la partie gauche de la *Guérison de l'aveugle-né* de Parme *(fig. 22)* serait le premier en date de ces autoportraits. Il en existerait un autre de la période italienne, si l'on admet que le quatrième personnage du premier plan dans le *Christ chassant les marchands* du musée de Minneapolis représente l'artiste. Mais, nous l'avons dit, il existe à ce sujet d'autres hypothèses.

Plus plausible est la présence d'«autoportraits» du peintre dans les œuvres réalisées en Espagne: tout d'abord, la tête barbue que l'on voit derrière le saint dans le *Martyre de saint Maurice (fig. 81)*; puis le gentilhomme à la barbe blonde qui regarde vers le spectateur dans le cortège funèbre du seigneur d'Orgaz *(fig. 105)*; cette barbe contredirait notre première hypothèse sur la typologie du Crétois; le vieillard à la barbe blanche en pointe, deuxième personnage en partant de la droite dans la partie supérieure de la *Pentecôte* du musée du Prado *(fig. 213)*, de même que l'un des personnages de droite du *Mariage de la Vierge* du Musée national de Roumanie *(fig. 255)*.

Tout commentaire à de telles identifications relève de la pure spéculation littéraire. Signalons cependant un détail important. Dans la copie du *Martyre de Saint Maurice* par Jorge Manuel *(fig. 353)*, le personnage qui se trouve derrière le centurion est devenu un vieillard à barbe blanche. Sa ressemblance avec le vieil homme de la *Pentecôte* est indéniable. Serait-ce là un portrait du Greco? Rappelons que cette toile fut placée par Jorge Manuel au-dessus de l'autel construit sur la seconde sépulture de la famille à San Torcuato de Tolède. Toutes ces raisons rendent plausible notre hypothèse: il faut donc admettre que l'homme encore jeune du *Saint Maurice* authentique et le vieillard de la *Pentecôte* sont des autoportraits de l'artiste à divers moments de sa vie. Dans la seconde toile, il s'est placé parmi les bienheureux disciples du Christ et il s'est attribué la langue de feu du Saint-Esprit.

## Les inventaires de la maison du Greco

Les inventaires des biens du Greco et de son fils, découverts dans les archives notariales de Tolède et publiés par F. de B. San Román, ont été rédigés par Jorge Manuel; le premier en 1614 quelques jours après la mort de son père, le second en 1621 à l'occasion de son deuxième mariage «afin que l'on sache et connaisse les biens que j'apporte dans cette union.»

Ces documents sont importants parce que l'essentiel de leur contenu est la liste des toiles peintes, suivie de la brève mention des dessins et des estampes «faites à la maison». Les articles contenant la désignation des meubles et du linge révèlent le modeste train de vie des Theotokopoulos. Le petit nombre des instruments de travail contraste avec l'importance de la bibliothèque, composée de traités d'architecture et de perspective géométrique, de livres italiens et grecs, d'ouvrages de mathématiques, d'histoire et de littérature. Dans le second inventaire figurent cinq manuscrits d'architecture, dont l'un illustré de plans qui pourraient bien être, selon San Román, les «textes originaux du Greco» dont parle Pacheco dans le récit de sa visite au peintre.

Nous publions ci-dessous la liste des peintures telle qu'elle figure dans l'inventaire de 1621. Il s'agit probablement, dans la plupart des cas, des études «de tout ce que le Greco peignit au long de sa vie» qui provoquèrent l'admiration de Pacheco. On a fait suivre d'un astérisque les titres compris dans le premier inventaire de 1614, et du numéro de notre catalogue ceux qui correspondent à des peintures actuellement conservées. Il a évidemment été impossible de tenir compte, dans la traduction française, de toutes les abréviations et des particularités d'orthographe et de ponctuation de l'original; pour des raisons de clarté, certains mots ont été rétablis entre crochets; rappelons que la vare de Castille mesurait 0,835 m.

### TABLEAUX ACHEVÉS

1   Premièrement une descente du Saint-Esprit, de quatre vares de haut sur deux vares et deux tiers de large

2   Un tableau de l'ange saint Gabriel descendu vers Zacharie avec le portrait d'un frère hiéronymite en bas, ayant plus de trois vares de haut sur une vare deux tiers de large*

3   Un saint Sébastien de deux vares et demie de haut sur une vare et un tiers de large* *(cat. 241)*

4   Un S. Jean-Baptiste, de même format

5   Un S. François et son compagnon à terre, ayant de haut trois vares et deux tiers et de large plus d'une vare et deux tiers

6   Un tableau avec trois saints qui sont saint André, saint Jean-Baptiste et saint François, ayant de haut une vare et un tiers et de large une vare et deux tiers*

7   Un petit tableau garni de noir avec saint Jean l'Évangéliste et saint François, ayant plus d'une demi-vare*

8   Un autre petit tableau avec sa garniture noire, du Christ chassant les Juifs du Temple, de deux tiers de vare de haut sur trois quarts de vare de large*

9   Un autre petit tableau garni de même, de N.-D. avec l'Enfant [Jésus] dans ses bras, ayant de large un tiers de vare et de haut une demi-vare*

10   Un Christ en croix, d'une vare de haut sur deux tiers de vare de large*

11   Une Nativité, d'une vare et un tiers de haut sur deux tiers de vare de large* *(cat. 141)*

12   Un S. François à la tête de mort, de deux vares de haut sur une vare et un quart de large, avec sa moulure dorée*

13   Un dépouillement [du Christ], d'une vare de haut sur plus d'une demi-vare de large, avec son cadre doré*

14   Une prière au jardin [des Oliviers], avec son cadre doré, d'une vare et un quart de haut sur trois quarts de vare de large*

15   Un saint Ildefonse vêtu en cardinal écrivant, d'une vare et un tiers de haut sur presque une vare de large, avec son cadre doré*

16   Une image [de la Vierge] avec son enfant endormi sainte Anne et saint Joseph et saint Jean-Baptiste, avec son cadre doré, ayant de large presque une demi-vare et de haut deux tiers de vare* *(cat. 147)*

17   Un couronnement de N.-D., d'une vare et un sixième de haut sur trois quarts de vare et plus de large, avec son cadre doré*

18   Un Christ en † de même format, avec saint Pierre et Marie et la Madeleine au pied de la croix, avec son cadre doré*

19   Un saint Pierre pleurant, carré, de presque une vare de côté, avec son cadre doré*

20   Une expulsion des Juifs du Temple, de deux tiers de vare de large sur une demi-vare de haut* *(cat. 170)*

ŒUVRES DE JORGE MANUEL

Fig. 350  L'Expolio. Madrid, musée du Prado

Fig. 351  Apparition de l'ange à la Madeleine. Venise, coll. Papisil

Fig. 352  La famille du Greco. Bryn Athyn (Pennsylvanie), coll. T. Pitcairn

ŒUVRES DE JORGE MANUEL

Fig. 353  Martyre de saint Maurice. Anciennement à l'église San Torcuato de Tolède

21 Un S. François avec son compagnon de dos, d'une vare et un quart de haut sur trois quarts de vare de large*

22 Une Incarnation, d'une vare et un tiers de haut sur une vare moins un sixième de large* *(cat. 136)*

23 Un saint François à genoux, de trois quarts de vare de haut sur deux tiers de vare de large*

24 Une expulsion des Juifs du Temple, d'une vare et un tiers de haut sur un peu plus d'une vare et deux tiers de large, et qui est l'original* *(cat. 14)*

25 Un saint Dominique à genoux, de trois quarts de vare de haut sur deux tiers de vare de large*

26 Un couronnement de N.-D., d'une vare et un tiers de haut sur une vare et un quart de large* *(cat. 77)*

27 Un S. Pierre en pied de deux vares et deux tiers de haut sur une vare et un tiers de large, le haut en demi-cercle* *(cat.192)*

28 Un S. Ildefonse de mêmes largeur et longueur et de même forme* *(cat. 193)*

29 Un Christ en croix, de deux vares et demie de haut sur une vare et un tiers de large, avec S. Jean et N.-D. d'un côté*

30 Une prière au jardin [des Oliviers] sur bois, garnie de noir, d'une demi-vare de long sur une tiers de vare de haut*

31 Un saint François à mi-corps, de deux tiers de vare de haut sur une vare de large*

32 Un saint Joseph, d'une vare et un quart de haut sur deux tiers de vare de large *(cat. 132)*

33 Un S. François avec son compagnon, de mêmes hauteur et largeur

34 Une descente du Saint-Esprit, d'une vare et un tiers de haut sur deux tiers de vare de large*

35 Un saint François à mi-corps, de deux tiers de vare de haut sur une demi-vare de large

36 Un autre S. François à mi-corps avec son Christ, d'une demi-vare de haut sur plus d'un tiers de vare de large*

37 Un S. Hyacinthe, d'une vare et un quart de haut sur trois quarts de vare de large* *(cat. 237)*

38 Un saint Pierre pleurant, de trois quarts de vare de haut sur deux tiers de vare de large*

39 Une Madeleine avec un Christ et une tête de mort, de mêmes largeur et hauteur

40 Un couronnement de N.-D., d'une vare de long sur deux tiers de vare de haut

41 Un Laocoon, de deux vares de long sur une vare et deux tiers de haut *(cat. 227)*

42 Un S. Hyacinthe, de trois vares de haut sur une vare et deux tiers de large*

43 Un saint Paul d'une vare et un tiers de large sur deux vares et deux tiers de haut* *(cat. 61)*

44 Une Nativité, d'une vare et deux tiers de haut sur une vare et un tiers de large* *(cat. 84)*

45 Une Nativité, carrée, de deux tiers de vare de côté, garnie de noir*

46 Un saint François, de deux tiers de vare de haut sur une demi-vare de large, à mi-corps avec son Christ, garni de noir*

47 Un saint Sébastien, de trois quarts de vare de haut et presque une demi-vare de large, garni de noir*

48 Un S. Jacques de mêmes hauteur et largeur et garniture*

49 Une Incarnation de mêmes hauteur et largeur et garniture*

50 Une Nativité, de deux tiers de vare de haut sur une demi-vare de large, et sa garniture noire*

51 Une toile de S. Jean l'Évangéliste qui voit les visions de l'Apocalypse, d'une vare et un tiers de haut sur deux tiers de vare de large* *(ébauche de cat. 266)*

52 Une Incarnation de mêmes hauteur et largeur* *(ébauche de cat. 225)*

53 Une image [de la Vierge] dans le ciel avec l'Enfant [Jésus] et des anges et séraphins avec en bas sainte Agnès et sainte Martine, d'une vare et un quart de haut sur trois quarts de vare de large* *(ébauche de cat. 134)*

54 Une autre image de même en tout* *(ébauche de cat. 135)*

55 Une image de [la Vierge] allaitant [l'Enfant Jésus], carrée, de deux tiers de vare de côté à peu près*

56 Une autre image [de la Vierge] avec l'Enfant [Jésus] endormi, de même format*

57 Une image de la [Vierge de la] Charité avec des portraits sous son manteau, de trois quarts de vare sur deux tiers de vare de hauteur et largeur* *(ébauche de cat. 181)*

58 Une sainte Catherine de Sienne, de mêmes hauteur et largeur *(cat. 238)*

59 Une naissance de N.-D., de deux tiers de vare de haut sur un tiers de vare de large* *(cat. 240)*

60 Une autre toile de même en tout

61 Un baptême [du Christ], d'une vare et un tiers de haut sur deux tiers de vare de large* *(cat. 139)*

62 Une Résurrection de mêmes hauteur et largeur*

63 Une image [de la Vierge] avec l'Enfant [Jésus], d'une demi-vare de haut et un peu plus d'un tiers de vare de large*

64 Un S. François à la tête de mort, de trois quarts de vare de haut sur une demi-vare de large

65 Une sainte Catherine, carrée, d'une demi-vare de côté environ *(cat. 239)*

66  Une Incarnation, garnie de noir, d'une vare de haut sur trois quarts de vare de large*

67  Un saint Pierre en pied, d'une vare et un tiers de haut sur trois quarts de vare (en surcharge) de large, je dis trois quarts* *(ébauche de cat. 192)*

68  Un saint Ildefonse, de même format* *(ébauche de cat. 193)*

69  Un saint Sébastien, de trois quarts de vare de haut sur une demi-vare de large (identique au n° 47)

70  Un baptême [du Christ], d'une vare et un tiers de haut sur deux tiers de vare de large (identique au n° 61)

71  Un Christ en croix, d'une vare et un quart de haut sur trois quarts de vare de large.

72  Une Nativité, de mêmes hauteur et largeur* *(cat. 189)*

## PEINTURES ÉBAUCHÉES

73  Un ange descendu annoncer la Résurrection à la Madeleine, d'une vare et deux tiers de haut sur une vare et un quart de large

74  Un couronnement de N.-D., à peu près de mêmes longueur et hauteur*

75  Une Incarnation, d'une vare et demie de haut sur une vare et un quart de large

76  Une prière au jardin [des Oliviers], de deux vares et un tiers de haut sur une vare et un tiers de large

77  Un martyre de saint Étienne, de deux vares de haut sur une vare et un quart de large

78  Un martyre de S. Pierre martyr

79  Une image [de la Vierge] avec saint Laurent et d'autres saints

80  Une image [de la Vierge] avec saint Joseph et sainte Élisabeth, d'une vare et un tiers de long sur un peu plus d'une vare de haut*

81  Un portrait d'enfant ébauché

82  Une descente de croix, carrée, de deux vares et deux tiers de côté

83  Une Circoncision, de deux vares et deux tiers de haut sur une vare et deux tiers de large

84  Une N.-D. donnant la chasuble à saint Ildefonse, carrée, d'une vare et un quart de côté

85  Une grande toile d'une scène de fiction

86  Une grande toile en blanc et noir, provenant des arcs

87  Une grande toile, provenant des arcs, simulant un bronze, de Ste Léocadie sortant du tombeau *(cette toile et la précédente étaient probablement des éléments des arcs de triomphe dressés en 1587 à l'occasion du transfert à Tolède des reliques de sainte Léocadie)*

88  Un couronnement de N.-D., de deux vares et un tiers de haut sur une vare et un tiers de large

89  Un baptême [du Christ], d'une vare et un tiers de long sur une vare et un sixième de haut

90  Un mariage de N.-D., d'une vare de large sur une vare et un quart de haut *(cat. 229)*

91  Un portrait de femme ébauché

92  Une toile provenant des arcs *(voir nos 86 et 87)*

93  Une toile de l'enterrement [du comte d'Orgaz] de Santo Tomé *(peut-être celle du musée du Prado)*

94  Une autre toile de la gloire de Santo Tomé *(complément disparu de la précédente)*

95  Des armoiries royales

## TABLEAUX ACHEVÉS

96  Une sainte Véronique, d'une vare de haut sur trois quarts de vare de large* *(cat. 235)*

97  Une tête de Christ avec la croix, carrée, de deux tiers de vare de côté

98  Un saint François, de deux tiers de vare de haut sur une demi-vare de large

99  Un personnage soufflant, d'à peu près une vare

100  Un autre personnage soufflant, de même longueur

101  Un S. François avec son compagnon de dos, avec son cadre doré, d'une vare et un tiers de haut sur à peu près une vare de large

102  Une Madeleine pleurant, de trois quarts de vare de haut sur deux tiers de vare de large*

103  Un Sauveur, de mêmes largeur et hauteur*

104  Un autre Sauveur, de même

105  Une présentation au Temple de N.-D., d'une demi-vare de haut sur un peu plus d'un tiers de vare de large

106  Une autre présentation, d'une vare de large sur une vare et un quart de haut

107  Un S. François à mi-corps, carré, d'une demi-vare de côté

108  Un petit tableau avec trois saints qui sont saint Jean l'Évangéliste et S. Jacques, de deux tiers de vare de long et plus d'une demi-vare de haut, garni de noir

109  Une Nativité, d'une vare et un tiers de haut sur trois quarts de vare de large*

110  Un saint François avec son compagnon de dos, d'une vare et un quart de haut sur deux tiers de vare de large

111  Un Christ en croix, garni de noir, d'une vare et un sixième de haut sur trois quarts de vare de large*

112 Une image de N.-D. avec l'Enfant [Jésus] et saint Joseph et une Marie, d'une vare et demie de haut sur une vare et un quart de large

113
114 Deux apôtres, d'une vare sur une vare et un quart chacun

115 Un S. François, d'une vare de haut sur trois quarts de vare de large

116 Un portrait de don Luis de Córdoba

117 Un portrait de Soria de Herrera

118 Un portrait de Jerónimo Pacheco

119 Un autre portrait d'un frère hiéronymite

120 Un autre portrait ébauché d'Ávila de Vera

121 Un Christ ressuscité apparaissant à la Madeleine dans le jardin [des Oliviers], d'une vare et demie de haut sur une vare et un sixième de large

122 Un ange au tombeau descendu vers la Madeleine, de même format

123 Un repas du Pharisien, de même format

124 Un repas de Lazare et Marthe, de même format

125 Un autre repas de Lazare et Marthe, différent, et de même format

126 Une assomption de la Madeleine, d'une vare et deux tiers de haut sur une vare et un tiers de large

127 Un Sauveur, avec son cadre noir, d'une vare et un tiers sur une vare et un sixième*

128 Un saint Bernardin, d'une vare et un tiers de haut sur trois quart de vare de large (ébauche de cat. 180)

129 Une toile avec les deux saints Jean, de deux vares et un tiers de haut sur une vare et un tiers de large*

130 Une toile avec S. Pierre et S. Paul à mi-corps, d'une vare et demie de haut sur une vare et un quart de large*

131 Un saint Jérôme en cardinal, d'une vare sur une vare et un tiers*

132 Un Christ en †, de deux vares de haut sur une vare et un quart de large

133 Un saint Sébastien, de même format

134 Une image de l'[Immaculée] Conception, d'une vare sur une vare et un quart

135 Une autre image de l'[Immaculée] Conception, d'une vare et un quart sur trois quarts de vare*

136 Une Madeleine, d'une vare et un tiers sur une vare et un quart*

137
138 Deux paysages de Tolède, carrés, d'une vare et un tiers de côté

139 Une prière au jardin [des Oliviers], d'une vare sur un quart de vare*

140
141 Deux toiles de saint Pierre et saint André, d'une vare et un tiers de haut sur deux tiers de vare de large

142 Une image [de la Vierge] avec l'Enfant [Jésus] et saint Joseph et une Marie, d'une vare et deux tiers sur une vare et un tiers

143 Un Christ ressuscité, de deux vares et un tiers de haut sur une vare et un tiers de large

144 Un saint Simon, d'une vare sur une vare et un quart*

## PEINTURES ÉBAUCHÉES

145 Un saint Jérôme nu, de deux vares de haut sur une vare et un quart de large (cat. 153)

146
147 Trois toiles de paysages
148

## TABLEAUX ACHEVÉS

161 Treize tableaux [encadrés] de noir avec les douze apôtres et le Christ, de trois quarts de vare de haut sur deux tiers de vare de large (il s'agit peut-être de l'Apostolado de la collection du marquis de San Feliz)

162 Un saint Jérôme en cardinal, de même format, avec sa garniture dorée*

163 Une Madeleine pleurant, de même format, avec sa garniture noire

164 Un apôtre, de même format

165 Un saint Jude de forme circulaire, de trois quarts de vare

166 Un saint François, de même format

167 Un ange saint Gabriel avec Zacharie, d'une vare sur deux tiers de vare*

168 Un saint Augustin, d'une vare de haut sur une demi-vare de large*

169 Une sainte Véronique, d'une vare sur une vare et un quart

170 Un saint Martin à cheval, d'une vare et un tiers sur trois quarts de vare*

171 Un S. Barthélémy, d'une vare sur un quart de vare

172 Un toit de Tolède, de deux vares de long sur une vare et un quart de haut*

173 Un S. Jérôme nu, d'une vare sur une vare et un quart

174 Un S. François à mi-corps, de même format

175 Une image de l'[Immaculée] Conception, d'une vare et un tiers sur trois quarts de vare

176 Une prière au jardin [des Oliviers], d'une vare et un tiers sur à peu près une vare

177 Un Christ en † avec des anges saint Jean et Marie et la Madeleine, d'une vare et un tiers sur à peu près une vare*

178 Une grande toile du baptême [du Christ], qui a quatorze pieds de haut sur sept de large

179 Un grand Laocoon, carré, de trois vares et demie de côté

180 Un autre Laocoon, à peu près de même format

181 Un tableau de N.-D. saint Joseph et les deux enfants, du format du Laocoon

183 Deux tableaux ébauchés pour les [retables] collatéraux de l'hôpital [Tavera] de grand format* *(cat. 225 et 226)*

184 Le baptême [du Christ du retable] principal de l'hôpital [Tavera]* *(cat. 224)*

188 Quatre toiles provenant des arcs *(voir nº 87)*

189 Un portrait de mon père, avec son cadre garni

209 Vingt portraits commencés

212 Trois toiles de paysages commencés

213 Un S. Martin, de deux vares et un tiers de haut [*biffé :* de large] sur une vare et un quart de large

214 Un S. Maurice, d'une vare et un tiers de haut sur une vare et un sixième de large*

Trente-quatre toiles commencées

Trente toiles apprêtées

215 Un saint Hyacinthe, de deux vares de haut sur une vare et un quart de large

216 Un Christ en croix, de même format

217 Une expulsion des Juifs du Temple, de deux vares moins un quart de long sur une vare et un tiers de haut*

Quarante cadres de bois, sans peintures

Cent estampes, de différents auteurs

Cent autres estampes, faites à la maison

Trois livres d'estampes

Deux cent cinquante dessins en noir et blanc de scènes diverses, et autres dessins de modèles

Cent trente plans

Cent modèles de plâtre

Cent autres en terre et en cire

# CATALOGUE

1. SAINT LUC FAISANT LE PORTRAIT DE LA VIERGE *(San Lucas pintando el retrato de la Virgen María)*

Signé : CHEÏR DOMÉNIKOU

*Fig. 1*

Peinture sur bois. 0,42 × 0,33 m

Collection D. Sisilianos, Athènes; musée Benaki, Athènes

BIBLIOGR. – Camón, 1; Wethey, X-400

2. ADORATION DES MAGES *(Epifanía)*

Signé : CHEÏR DOMÉNIKOU

*Fig. 2*

Peinture sur toile. 0,40 × 0,45 m

Musée Benaki, Athènes

BIBLIOGR. – Camón, 62; Wethey, X-1

3. TRIPTYQUE *(Tríptico)*

Signé : CHEÏR DOMÉNIKOU

*Fig. 5 et 6*

Panneau central : 0,37 × 0,238 m; volets latéraux : 0,24 × 0,18 m

Collection T. Obizzi del Catajo, Venise; Galleria Estense, Modène

BIBLIOGR. – Camón, 2; Wethey, X-154

4. ADORATION DES BERGERS *(Adoración de los pastores)*

Œuvre du Greco (?)

*Fig. 3*

Peinture sur toile. 1,14 × 1,04 m

Collection duc de Buccleuch et Queensberry, Kettering (Grande-Bretagne)

BIBLIOGR. – Wethey, 24

5. ADORATION DES BERGERS *(Adoración de los pastores)*

Œuvre du Greco (?)

*Fig. 4*

Peinture sur bois. 0,25 × 0,17 m

Collection G. Broglio, Paris

BIBLIOGR. – Wethey, X-10

6. VUE DU MONT SINAÏ *(Vista del monte Sinaí)*

Œuvre du Greco (?)

*Fig. 7*

Peinture sur bois. 0,41 × 0,47 m

Collections : Levi, Venise; baron Hatvàny, Budapest

BIBLIOGR. – Mayer, 318; Camón, 698; Wethey, X-157

On a proposé d'identifier ce tableau comme étant celui qui est décrit dans le catalogue de la collection Fulvio Orsini à Rome : « Quadro corniciato di noce con un paese del Monte Sinai di mano d'un Greco scolaro di Titiano. »

7. LE CHRIST CHEZ MARTHE ET MARIE *(Cristo en casa de Marta y María)*

Œuvre du Greco (?)

*Fig. 8*

Peinture sur bois. 0,33 × 0,38 m

Collection Itálico Brass, Venise; actuellement non localisé

BIBLIOGR. – Mayer, 44; Camón, 78; Wethey, X-48

8. LE CHRIST CHASSANT LES MARCHANDS DU TEMPLE *(Expulsión de los mercaderes del Templo)*

Avant 1570

Signé : DOMÉNIKOS THEOTOKOPOULOS KRÈS

*Fig. 9 à 11*

Peinture sur bois. 0,65 × 0,83 m

Collection J. C. Robinson, Londres; National Gallery, Washington

BIBLIOGR. – Cossío, 349; Mayer, 49; Camón, 82; Wethey, 104

9. PIETÀ *(Piedad)*

Avant 1570

Signé : DOMÉNIKOS THEOTOKOPOULOS (EPOÏEI?)

*Fig. 15*

Peinture sur bois. 0,29 × 0,20 m

Collections : Chéramy, Paris; John G. Johnson, Philadelphie

BIBLIOGR. – Cossío, 295; Mayer, 101 a; Camón, 199; Wethey, 101

10. SAINT FRANÇOIS RECEVANT LES STIGMATES *(Estigmatización de San Francisco)*

Avant 1570

Signé : DOMÉNIKOS THEOTOKOPOULOS EPOÏEI

*Fig. 17*

Peinture sur bois. 0,29 × 0,21 m

Collections : Pedro Salazar de Mendoza, Tolède; Antonio Zuloaga, Genève

BIBLIOGR. – Cossío, 326; Mayer, 228; Camón, 539; Wethey, 208

11. SAINT FRANÇOIS RECEVANT LES STIGMATES *(Estigmatización de San Francisco)*

Avant 1570

Signé : DOMÉNIKOS THEOTOKOPOULOS EPOÏEI

Peinture sur bois. 0,29 × 0,20 m

Collections : Monsignor degli Oddi, Pérouse; Istituto Suor Orsola Benincasa, Naples

BIBLIOGR. – Wethey, 209

12. LA FUITE EN ÉGYPTE *(Huída a Egipto)*
Avant 1570
*Fig. 18*
Peinture sur bois. 0,17 × 0,21 m
Collections : Gaspar Méndez de Haro; baron Robert von Hirsh, Bâle
BIBLIOGR. – Cossío, 31. Mayer, 24; Camón, 68; Wethey, 83

13. GUÉRISON DE L'AVEUGLE-NÉ *(Cristo curando a un ciego)*
Avant 1570
*Fig. 19 et 20*
Peinture sur bois. 0,66 × 0,84 m
Acheté à Venise en 1741; musée de Dresde
BIBLIOGR. – Cossío, 2; Mayer, 41; Camón, 79; Wethey, 61

14. LE CHRIST CHASSANT LES MARCHANDS DU TEMPLE
*(Expulsión de los mercaderes del Templo)*
1570-1575
Signé : DOMÊNIKOS THEOTOKOPOULOS EPOÏEI
*Fig. 12 à 14*
Peinture sur toile. 1,17 × 1,50 m
Collection duc de Buckingham, York House; Institute of Arts, Minneapolis
BIBLIOGR. – Cossío, 348; Mayer, 50; Camón, 84; Wethey, 105

15. PIETÀ *(Piedad)*
1570-1575
*Fig. 16*
Peinture sur toile. 0,66 × 0,48 m
Collection Luis Navas, Madrid; Hispanic Society, New York
BIBLIOGR. – Cossío, 323; Mayer, 101; Camón, 200; Wethey, 102

16. GUÉRISON DE L'AVEUGLE-NÉ *(Cristo curando a un ciego)*
1570-1575
Signé : DOMÊNIKOS THEOTOKOPOULOS EPOÏEI
*Fig. 21 et 22*
Peinture sur toile. 0,50 × 0,61 m
Inventaire Farnèse, Palazzo del Giardino, Parme; pinacothèque de Parme
BIBLIOGR. – Cossío, 354; Mayer, 42; Camón, 80; Wethey, 62

17. GUÉRISON DE L'AVEUGLE-NÉ *(Cristo curando a un ciego)*
1570-1575
*Fig. 23*
Peinture sur toile. 1,20 × 1,46 m
Collections : William Rennie, Londres; Charles B. Wrightsman, New York
BIBLIOGR. – Wethey, 63

18. L'ANNONCIATION *(Anunciación)*
1570-1575
*Fig. 24*
Peinture sur bois. 0,26 × 0,19 m
Collection Concepción Parody, Madrid; musée du Prado, Madrid
BIBLIOGR. – Cossío, 56; Mayer, 4; Camón, 24; Wethey, 38

19. L'ANNONCIATION *(Anunciación)*
1570-1575
*Fig. 26 et 27*
Peinture sur toile. 1,17 × 0,98 m
Collections : Prince Corsini, Florence; Contini-Bonacosi, Florence
BIBLIOGR. – Camón, 22; Wethey, 37

20. L'ANNONCIATION *(Anunciación)*
1570-1575
Signé : domênikos theotoskopoli (sic)
*Fig. 25*
Peinture sur toile. 1,07 × 0,93 m
Collections : A. de Beruete, Madrid; Julio Muñoz, Barcelone
BIBLIOGR. – Camón, 23; Wethey, 39

21. CHRIST EN CROIX *(Cristo crucificado)*
1570-1575
*Fig. 28*
Peinture sur bois. 0,28 × 0,19 m
Collections : Rafael García Palencia, Madrid; Gregorio Marañón, Madrid
BIBLIOGR. – Wethey, X-66

22. PERSONNAGE SOUFFLANT UNE FLAMMME *(Soplón)*
1570-1575
*Fig. 29*
Peinture sur toile. 0,59 × 0,51 m
Palazzo Farnese, Rome; musée de Capodimonte, Naples
BIBLIOGR. – Cossio, 356; Mayer, 310; Camón, 682; Wethey, 122

23. PERSONNAGE SOUFFLANT UNE FLAMME *(Soplón)*
1570-1575
Signé : DOMÊNIKOS THEO (la suite est effacée)
*Fig. 30*
Peinture sur toile. 0,61 × 0,51 m
Collection particulière, Allemagne; Charles S. Payson, Manhasset (New York)
BIBLIOGR. – Mayer, 309; Camón, 681; Wethey, 121

24. SCÈNE DE GENRE *(Escena de género)*
1570-1575
*Fig. 31*
Peinture sur toile. 0,50 × 0,64 m
En vente à Londres en 1927; collection V. von Watsdorf, Rio de Janeiro
BIBLIOGR. – Camón, 683; Wethey, 124

25. GIULIO CLOVIO (*Julio Clovio*)
Vers 1570
Signé : DOMÊNIKOS THEOTOKOPOULOS KRÈS EPOÏEI
*Fig. 32 et 33*
Peinture sur toile. 0,58 × 0,86 m
Collection Fulvio Orsini, Palazzo Farnese, Rome (inventaire de 1600); musée de Capodimonte, Naples
BIBLIOGR. – Cossío, 357; Mayer, 323; Camón, 709; Wethey, 134

26. GIOVANNI BATTISTA PORTA (*Giovanni Battista Porta*)
1570-1575
Signé : DOMÊNIKOS THEOTOKOPOULOS
*Fig. 34*
Peinture sur toile. 1,16 × 0,98 m
En vente à Anvers en 1641; Galerie nationale, Copenhague
BIBLIOGR. – Mayer, 340 a; Camón, 708; Wethey, 154

27. VICENZO ANASTAGI (*Vicenzo Anastagi*)
Vers 1575
Signé : DOMÊNIKOS THEOTOKOPOULOS EPOÏEI
*Fig. 35*
Peinture sur toile. 1,88 × 1,26 m
Collections : William Coningham, Londres; Frick, New York
BIBLIOGR. – Cossío, 445; Mayer, 319; Camón, 710 et 780; Wethey, 130

28. ADORATION DU NOM DE JÉSUS (*Adoración del Nombre de Jesús*)
1576-1579
Signé : DOMÊNIKOS THEOTOKOPOULOS KRÈS EPOÏEI
*Fig. 36*
Peinture sur bois. 0,58 × 0,35 m
Collection Gaspar Méndez de Haro (inventaire de 1687); National Gallery, Londres
BIBLIOGR. – Cossío, 337; Mayer, 123 a; Camón, 261; Wethey, 116

29. ADORATION DU NOM DE JÉSUS (*Adoración del Nombre de Jesús*)
1576-1579
Signé : domênikos theotokopoulos krès epoïei
*Fig. 37 à 39*
Peinture sur toile. 1,40 × 1,10 m
Monastère de l'Escurial
BIBLIOGR. – Cossío, 45; Mayer, 123; Camón, 262; Wethey, 117

30. MARTYRE DE SAINT SÉBASTIEN (*San Sebastián*)
1576-1579
Signé : DOMÊNIKOS THEOTOKOPOULOS EPOÏEI
*Fig. 40 à 42*
Peinture sur toile. 1,91 × 1,52 m
Sacristie de la cathédrale, Palencia
BIBLIOGR. – Cossío, 158; Mayer, 300; Camón, 535; Wethey, 279

31. CHRIST EN CROIX ENTRE DEUX ORANTS (*Cristo en la cruz entre dos orantes*)
1576-1579
Signé : DOMÊNIKOS THEOTOKOPOLIS [EPOÏEI illisible] (sic)
*Fig. 43 et 44*
Peinture sur toile. 2,50 × 1,80 m
Sœurs hiéronymites de la Reine, Tolède; musée du Louvre, Paris
BIBLIOGR. – Cossío, 336; Mayer, 87; Camón, 168; Wethey, 74

32. LE GENTILHOMME A LA MAIN SUR LA POITRINE (*El caballero de la mano al pecho*)
1576-1579
Signé : DOMÊNIKOS THEOTOKOPOULOS EPOÏEI
*Fig. 45*
Peinture sur toile. 0,81 × 0,86 m
Collection royales; musée du Prado, Madrid
BIBLIOGR. – Cossío, 72; Mayer, 345; Camón, 723; Wethey, 145

33. MADELEINE REPENTANTE (*Magdalena penitente*)
1576-1579
Signé : CHEÏR DOMÉNIKOU
*Fig. 46*
Peinture sur toile. 1,07 × 1,02 m
Collège de los Ingleses, Valladolid; Art Museum, Worcester
BIBLIOGR. – Cossío, 275; Mayer, 293 a; Camón, 451; Wethey, 259

34. LA SAINTE FACE (*Paño de la Verónica*)
1576-1579
Signé : DOMÊNIKOS THEOTOKOPOULOS EPOÏEI
*Fig. 47*
Peinture sur toile. 0,51 × 0,66 m
Collections : E. Parés, Paris; Basil Goulandris, New York
BIBLIOGR. Mayer, 70; Camón, 145; Wethey, 284

35. SAINT FRANÇOIS EN PRIÈRE (*San Francisco en oración*).
1576-1579
Signé : DOMÊNIKOS THEOTOKOPOULOS EPOÏEI
*Fig. 48*
Peinture sur toile. 0,87 × 0,60 m
Collections : Henri Rouart, Paris (XIXᵉ siècle); collection particulière, New York
BIBLIOGR. – Camón, 541; Wethey, 214

36. SAINT FRANÇOIS EN PRIÈRE (*San Francisco en oración*).
1576-1579
Peinture sur toile. 0,89 × 0,57 m
Collection Portilla, Madrid; Fondation Lázaro Galdiano, Madrid
BIBLIOGR. – Cossío, 109; Mayer, 275; Camón, 543; Wethey, 213

37. SAINT ANTOINE DE PADOUE (*San Antonio de Padua*)
1576-1579
Signé : CHEÏR DOMÉNIKOU

*Fig. 49*
Peinture sur toile. 1,04 × 0,79 m
Musée national de la Trinidad, Madrid; musée de Prado, Madrid
BIBLIOGR. – Cossío, 66; Mayer, 217; Camón, 474; Wethey, 198

**38. SAINTE VÉRONIQUE** *(Verónica)*
1576-1579
*Fig. 50*
Peinture sur toile. 0,84 × 0,91 m
Église Santa Leocadia, Tolède; musée de Santa Cruz, Tolède
BIBLIOGR. – Cossío, 251, Mayer, 67; Camón, 138; Wethey, 283

**39. SAINTE VÉRONIQUE** *(Verónica)*
1576-1579
Signé : CHEÏR DOMÊNIKOU
*Fig. 51*
Peinture sur toile. 1,05 × 1,08 m
Église Santo Domingo el Antiguo, Tolède; Collection María Luisa Cartula, Madrid
BIBLIOGR. – Cossío, 235; Mayer, 66; Camón, 137; Wethey, 282

**40. SAINT LAURENT** *(San Lorenzo)*
1576-1579
*Fig. 52*
Peinture sur toile. 1,19 × 1,02 m
Collection Rodrigo de Castro († 1600); collège des frères piaristes, Monforte de Lemos (province de Lugo)
BIBLIOGR. – Mayer, 291; Camón, 519; Wethey, 255

**41. L'ASSOMPTION** *(Asunción)*
1577
Signé : domênikos theotokopoulos Krès ó deíxas 1577
*Fig. 54 à 56*
Peinture sur toile. 4,01 × 2,29 m
Église Santo Domingo el Antiguo, Tolède; Art Institute, Chicago
BIBLIOGR. – Cossío, 279; Mayer, 114; Camón, 3; Wethey, 1

**42. LA TRINITÉ** *(Trinidad)*
1577-1579
*Fig. 57 et 58*
Peinture sur toile. 3,00 × 1,78 m
Église Santo Domingo el Antiguo, Tolède; musée du Prado, Madrid
BIBLIOGR. – Cossío, 57; Mayer, 108; Camón, 4; Wethey, 2

**43. SAINT JEAN-BAPTISTE** *(San Juan Bautista)*
1577-1579
*Fig. 59*
Peinture sur toile. 2,12 × 0,78 m
Église Santo Domingo el Antiguo, Tolède
BIBLIOGR. – Cossío, 230; Mayer, 188; Camón, 5; Wethey, 5

**44. SAINT JEAN L'ÉVANGÉLISTE** *(San Juan Evangelista)*
1577-1579

*Fig. 60*
Peinture sur toile. 2,12 × 0,78 m
Église Santo Domingo el Antiguo, Tolède
BIBLIOGR. – Cossío, 229; Mayer, 187; Camón, 6; Wethey, 6

**45. LA SAINTE FACE** *(Santa Faz)*
1577-1579
*Fig. 61*
Peinture sur toile. 0,71 × 0,54 m
Église de Móstoles; musée du Prado, Madrid
BIBLIOGR. – Cossío, 144; Mayer, 69; Camón, 144; Wethey, 285

**46. LA SAINTE FACE** *(Santa Faz)*
1577-1579
*Fig. 62*
Peinture sur bois (ovale). 0,76 × 0,55 m
Église Santo Domingo el Antiguo, Tolède; collection Juan March Servera, Madrid
BIBLIOGR. – Cossío, 231; Mayer, 68; Camón, 9; Wethey, 6A

**47. SAINT BERNARD** *(San Bernardo)*
1577-1579
*Fig. 63*
Peinture sur toile. 1,13 × 0,75 m
Église Santo Domingo el Antiguo, Tolède; actuellement non localisé
BIBLIOGR. – Cossío, 293; Mayer, 220; Camón, 8; Wethey, 4

**48. SAINT BENOIT** *(San Benito)*
1577-1579
*Fig. 64*
Peinture sur toile. 1,16 × 0,81 m
Église Santo Domingo el Antiguo, Tolède; musée du Prado, Madrid
BIBLIOGR. – Cossío, 62; Mayer, 219; Camón, 7; Wethey, 3

**49. ADORATION DES BERGERS** *(Adoración de los pastores)*
1577-1579
*Fig. 65 et 66*
Peinture sur toile. 2,10 × 1,28 m
Église Santo Domingo el Antiguo, Tolède; collection Emilio Botín Sanz, Santander
BIBLIOGR. – Cossío, 233; Mayer, 16; Camón, 11; Wethey, 7

**50. LA RÉSURRECTION** *(Resurrección)*
1577-1579
*Fig. 67 et 68*
Peinture sur toile. 2,10 × 1,28 m
Église Santo Domingo el Antiguo, Tolède
BIBLIOGR. – Cossío, 234; Mayer, 104; Camon, 10; Wethey, 8

**51. L'EXPOLIO**
1577-1579
Signé : domênikos theoto... krès ep...

Fig. 69 à 73
Peinture sur toile. 2,85 × 1,73 m
Sacristie de la cathédrale, Tolède
BIBLIOGR. – Cossío, 210; Mayer, 71; Camón, 151; Wethey, 78

## 52. L'EXPOLIO
Vers 1577
Signé : domênikos theoto/krès
Fig. 74
Peinture sur toile. 0,55 × 0,33 m
Collections : Gaspar Méndez de Haro; vicomte Bearsted, Upton House, Upton Downs
BIBLIOGR. – Cossío, 294; Mayer, 73; Camón, 150; Wethey, 80
Fait pendant à l'*Adoration du Nom de Jésus* de la National Gallery de Londres *(fig. 36, cat. 28)*

## 53. L'EXPOLIO
Vers 1577
Signé : domênikos theoto/krès ep
Fig. 75 et 76
Peinture sur bois. 0,56 × 0,32 m
Collections : Sebastián de Borbón (?); Contini-Bonacosi, Florence
BIBLIOGR. – Cossío, 355; Mayer, 72; Camón, 148; Wethey, 81

## 54. L'EXPOLIO
1580-1585
Peinture sur bois. 0,72 × 0,44 m
Collections : Manfrin, Venise; Hugo Moser, New York
BIBLIOGR. – Mayer, 72 a; Camón, 147 et 149; Wethey, 82

## 55. JERÓNIMA DE LAS CUEVAS *(Jerónima de las Cuevas) (?)*
1577-1579
Fig. 77
Peinture à l'huile sur papier. 0,058 × 0,043 m
Collections : Rómulo Bosch, Barcelone; Julio Muñoz, Barcelone
BIBLIOGR. – Camón, 789; Wethey, X-204

## 56. JERÓNIMA DE LAS CUEVAS *(Jerónima de las Cuevas)* (?)
1577-1579
Fig. 78
Peinture sur toile. 0,62 × 0,50 m
Collections : Serafín García de la Huerta, Madrid; Maxwell Mac-Donald, Pollok House, Glasgow
BIBLIOGR. – Cossío, 346; Mayer, 350; Camón, 716; Wethey, 148

## 57. MARTYRE DE SAINT MAURICE *(Martirio de San Mauricio)*
1580-1582
Signé : domênikos theotokopoulos krès epoïei
Fig. 79 à 83
Peinture sur toile. 4,48 × 3,01 m
Monastère de l'Escurial
BIBLIOGR. – Cossío, 44; Mayer, 126; Camón, 530; Wethey, 265

## 58. ÉTUDE POUR LE «MARTYRE DE SAINT MAURICE» *(Estudio para el «Martirio de San Mauricio»)*
Vers 1580
Fig. 84
Peinture sur toile. 0,26 × 0,20 m
Collections : Antonio Vives, Madrid; W. van Horne, Montréal
BIBLIOGR. – Cossío, 10; Mayer, 174; Camón, 270; Wethey, X-424

## 59. APPARITION DE L'IMMACULÉE A SAINT JEAN *(Aparición de la Inmaculada a San Juan)*
1580-1586
Signé : domênikos theotokopoulos epoïei
Fig. 85 et 86
Peinture sur toile. 2,36 × 1,18 m
Église San Román, Tolède; musée de Santa Cruz, Tolède
BIBLIOGR. – Mayer, 121; Camón, 250; Wethey, 91

## 60. MADELEINE REPENTANTE *(Magdalena penitente)*
1579-1586
Fig. 87
Peinture sur toile. 1,04 × 0,85 m
Collections : Martínez Lechón, Séville; William Rockhill Nelson Gallery of Art, Kansas City
BIBLIOGR. – Cossío, 391; Camón, 454; Wethey, 260
Il existe au musée de Bilbao (nº 118) une petite peinture sur bois (0,29 × 0,24 m) représentant une Madeleine presque semblable à celle qui est décrite ici sous le nº 60. Il s'agit très probablement d'une étude préparatoire au tableau du musée de Kansas City.

## 61. SAINT PAUL *(San Pablo)*
1579-1586
Signé : domênikos theotokopoulos epoïei
Fig. 88
Peinture sur toile. 1,18 × 0,91 m
Église d'Iraeta, Azpeitia; collection marquise de Narros, Madrid
BIBLIOGR. – Camón, 374; Wethey, 267

## 62. TÊTE DU CHRIST *(Cabeza de Cristo)*
1579-1586
Fig. 89
Peinture sur toile. 0,50 × 0,39 m
Collection particulière, Madrid; McNay Art Institute, San Antonio (Texas)
BIBLIOGR. – Mayer, 131; Camón, 112 et 198; Wethey, 48

## 63. SAINT FRANÇOIS EN EXTASE *(San Francisco en éxtasis)*
1579-1586
Fig. 90
Peinture sur toile. 0,90 × 0,80 m
Église de Santa Olalla (province de Tolède); actuellement non localisé
BIBLIOGR. – Wethey, X-280

64. SAINT FRANÇOIS ET FRÈRE LÉON MÉDITANT SUR LA MORT
*(San Francisco y el hermano León meditando sobre la muerte)*
1579-1586
*Fig. 91*
Peinture à l'huile. 0,26 × 0,18 m
Collection Alejandro Pidal, Madrid; actuellement non localisé
BIBLIOGR. – Cossío, 124; Mayer, 250; Camón, 617; Wethey, X-338

65. SAINT FRANÇOIS ET FRÈRE LÉON MÉDITANT SUR LA MORT
*(San Francisco y el hermano León meditando sobre la muerte)*
1579-1586
Signé : domênikos theotokopoulos epoïei
*Fig. 93*
Peinture sur toile. 1,55 × 1,00 m
Collection : Rodrigo de Castro; collège des frères piaristes, Monforte
de Lemos (province de Lugo)
BIBLIOGR. – Cossío, 143; Mayer, 254; Camón, 622; Wethey, X-321

66. SAINT FRANÇOIS RECEVANT LES STIGMATES *(Estigmatización de San Francisco)*
1579-1586
*Fig. 92*
Peinture sur toile. 0,43 × 0,34 m
Collection Milicua, Barcelone; actuellement non localisé

67. SAINT FRANÇOIS RECEVANT LES STIGMATES *(Estigmatización de San Francisco)*
1579-1586
Signé : domênikos theotokopolis (sic) epoïei
*Fig. 94*
Peinture sur toile. 1,08 × 0,83 m
Collections : Dalborgo de Primo, Madrid; marquis de Pidal, Madrid
BIBLIOGR. – Cossío, 121; Mayer, 234; Camón, 548; Wethey, 210

68. SAINT FRANÇOIS RECEVANT LES STIGMATES *(Estigmatización de San Francisco)*
1579-1586
Peinture sur toile. 0,57 × 0,44 m (fragment)
Collection Laureano Jado, Bilbao; musée de Bilbao
BIBLIOGR. – Cossío, 33; Mayer, 239; Camón, 556; Wethey, X-266

69. LA SAINTE FAMILLE *(Sagrada Familia)*
1579-1586
*Fig. 95*
Peinture sur toile. 1,06 × 0,88 m
Collection comte de Oñate; Hispanic Society, New York
BIBLIOGR. – Cossío, 308; Mayer, 25; Camón, 238; Wethey, 84

70. LES LARMES DE SAINT PIERRE *(Las lágrimas de San Pedro)*
1579-1586
Signé : domênikos theotokopolis (sic) epoïei
*Fig. 96*

Peinture sur toile. 1,06 × 0,88 m
Collection comtesse de Quinto; Bowes Museum, Barnard Castle (Grande-Bretagne)
BIBLIOGR. – Mayer, 202; Camón, 433; Wethey, 269

71. GENTILHOMME DE LA MAISON DE LEIVA *(Caballero de la casa de Leiva)*
1579-1586
*Fig. 97*
Peinture sur toile. 0,88 × 0,69 m
Cathédrale de Valladolid; Musée des beaux-arts, Montréal
BIBLIOGR. – Cossío, 9; Mayer, 341; Camón, 724; Wethey, 150

72. SAINT LOUIS DE GONZAGUE *(San Luis Gonzaga)* (?)
1579-1586
*Fig. 98*
Peinture sur toile. 0,74 × 0,57 m
Collections : Pablo Bosch, Madrid; Converse, Santa Barbara (Californie)
BIBLIOGR. – Cossío, 324; Mayer, 328; Camón, 726 et 727; Wethey, 195

73. TÊTE DE VIEILLARD *(Cabeza de viejo)*
1579-1586
*Fig. 99*
Peinture sur toile. 0,59 × 0,46 m
Collection marquis de Heredia, Madrid; Metropolitan Museum, New York
BIBLIOGR. – Cossío, 89; Mayer, 329; Camón, 733; Wethey, 156

74. RODRIGO DE LA FUENTE *(Rodrigo de la Fuente)*
1579-1586
Signé : Domênikos theotokopolis (sic) epoïei
*Fig. 100*
Peinture sur toile. 0,93 × 0,84 m
Collection de l'Alcázar (palais royal) de Madrid (inventaire de 1666 et de 1686); musée du Prado, Madrid
BIBLIOGR. – Cossío, 73; Mayer, 327; Camón, 725; Wethey, 149

75. ENTERREMENT DU COMTE D'ORGAZ *(Entierro del conde de Orgaz)*
1586
Signé : domênikos theotokopolis (sic) epoïei, año 1578
*Fig. 101 à 108*
Peinture sur toile. 4,80 × 3,60 m
Église Santo Tomé, Tolède
BIBLIOGR. – Cossío, 260; Mayer, 130; Camón, 676; Wethey, 123

76. COURONNEMENT DE LA VIERGE *(Coronación de la Virgen)*
1591-1592
Signé : domênikos theotokopoulos krès
*Fig. 109*
Peinture sur toile. 1,05 × 0,80 m
Église de Talavera la Vieja; musée de Santa Cruz, Tolède
BIBLIOGR. – Mayer, 118; Camón, 12 et 258; Wethey, 9

77. COURONNEMENT DE LA VIERGE *(Coronación de la Virgen)*
1591
Signé : domênikos theotoko (poulos?)
*Fig. 110*
Peinture sur toile. 0,90 × 1,00 m
Collection Miguel Borondo, Madrid; musée du Prado, Madrid
BIBLIOGR. – Cossío, 92; Mayer, 119; Camón, 255; Wethey, 72

78. SAINT ANDRÉ *(San Andrés)*
1591-1592
*Fig. 112*
Peinture sur toile. 1,26 × 0,46 m
Église de Talavera la Vieja; musée de Santa Cruz, Tolède
BIBLIOGR. – Camón, 12 et 402; Wethey, 10

79. SAINT PIERRE *(San Pedro)*
1591-1592
*Fig. 111*
Peinture sur toile. 1,25 × 0,46 m
Église de Talavera la Vieja; musée de Santa Cruz, Tolède
BIBLIOGR. – Camón, 12; Wethey, 11

80. SAINT LOUIS, ROI DE FRANCE *(San Luis, rey de Francia)*
1587-1597
*Fig. 113*
Peinture sur toile. 1,17 × 0,95 m
Collection comtesse de Quinto; musée du Louvre, Paris
BIBLIOGR. – Cossío, 292; Mayer, 292; Camón, 520; Wethey, 256

81. SAINT PIERRE ET SAINT PAUL *(San Pedro y San Pablo)*
1587-1597
*Fig. 114*
Peinture sur toile. 1,20 × 0,92 m
Collection José Cañaveral, Madrid; musée de Arte de Cataluña, Barcelone
BIBLIOGR. – Mayer, 197; Camón, 424; Wethey, 276

82. LA SAINTE FAMILLE AVEC SAINTE ANNE *(Sagrada Familia con Santa Ana)*
1587-1597
*Fig. 115 et 116*
Peinture sur toile. 1,27 × 1,06 m
Donnée à l'hôpital San Juan Bautista par Teresa Aguilera avant 1631; hôpital San Juan Bautista de Afuera, Tolède
BIBLIOGR. – Cossío, 246; Mayer, 26; Camón, 236; Wethey, 85

83. PIETÀ *(Piedad)*
1587-1597
Signé : domênikos theotokopolis (sic)
*Fig. 117 et 118*
Peinture sur toile. 1,20 × 1,45 m
Vente Évariste Fouret, Paris (1863); Collection Stavros Niarchos, Paris
BIBLIOGR. – Mayer, 102; Camón, 203; Wethey, 103

84. ADORATION DES BERGERS *(Adoración de los pastores)*
1587-1597
*Fig. 119*
Peinture sur toile. 1,41 × 1,11 m
Inventaire de la succession du bienheureux Ribera (Valence, 1611); collège del Patriarca, Valence
BIBLIOGR. – Cossío, 270; Mayer, 18; Camón, 58; Wethey, 26
Composition gravée par Diego de Astor en 1605 *(fig. 349)*

85. LA SAINTE FAMILLE AVEC SAINTE MADELEINE *(Sagrada Familia con Magdalena)*
1587-1597
*Fig. 120*
Peinture sur toile. 1,31 × 1,00 m
Couvent d'Esquivias, Torrejón de Velasco (province de Tolède); Museum of Art, Cleveland (Ohio)
BIBLIOGR. – Cossío, 310; Mayer, 27; Camón, 241; Wethey, 86

86. SAINT FRANÇOIS RECEVANT LES STIGMATES *(Estigmatización de San Francisco)*
1587-1597
Signature mutilée par une coupure de la toile
*Fig. 121*
Peinture sur toile. 1,07 × 0,87 m
Monastère de l'Escurial
BIBLIOGR. – Cossío, 46; Mayer, 232; Camón, 595; Wethey, 211

87. SAINT FRANÇOIS RECEVANT LES STIGMATES *(Estigmatización de San Francisco)*
1587-1597
Signé : domênikos theotokopoulos epoïei
Peinture sur toile. 1,02 × 0,97 m
Collection Marcello Massarenti, Rome; Walters Art Gallery, Baltimore
BIBLIOGR. – Camón, 607; Wethey, 212

88. SAINT FRANÇOIS D'ASSISE EN PRIÈRE *(San Francisco de Asís en oración)*
1587-1597
Signé : domênikos theotokopoulos
Peinture sur toile. 1,16 × 1,02 m
Collection Ceballos, Madrid; Joselyn Art Museum, Omaha (Nebraska)
BIBLIOGR. – Camón, 606; Wethey, 222

89. SAINT FRANÇOIS D'ASSISE EN PRIÈRE *(San Francisco de Asís en oración)*
1587-1597
Signé : domênikos theotokopolis (sic) epoïei
*Fig. 122*
Peinture sur toile. 1,03 × 0,87 m
Collections : marquis de Castro Serna, Madrid; Federico Torelló, Barcelone
BIBLIOGR. – Cossío, 97; Mayer, 259; Camón, 558; Wethey, 223

90. SAINT FRANÇOIS D'ASSISE EN PRIÈRE *(San Francisco de Asís en oración)*

1587-1597

*Fig. 123*

Peinture sur toile. 1,03 × 0,87 m

Collection Montesinos, Valence

91. SAINT FRANÇOIS D'ASSISE EN PRIÈRE *(San Francisco de Asís en oración)*

1587-1597

Peinture sur toile. 1,05 × 0,87 m

Église de Burguillos (1908); collection marquis de Santa María de Silvela y Castañar, Madrid

BIBLIOGR. – Cossío, 38; Mayer, 261; Camón, 563; Wethey, 224

92. SAINT FRANÇOIS RECEVANT LES STIGMATES *(Estigmatización de San Francisco)*

1587-1597

Signé : domênikos theotokopolis (sic) epoïei

*Fig. 124*

Hôpital de Nuestra Señora del Carmen, Cadix

BIBLIOGR. – Cossío, 39; Camón, 643; Wethey, 231

93. SAINT FRANÇOIS RECEVANT LES STIGMATES *(Estigmatización de San Francisco)*

1587-1597

Signé : domênikos theotokopoulos epoïei

Peinture sur toile. 1,39 × 1,48 m

Musée Cerralbo, Madrid

BIBLIOGR. – Cossío, 100; Mayer, 229; Camón, 644; Wethey, 232

94. SAINT FRANÇOIS MÉDITANT A GENOUX *(San Francisco arrodillado en meditación)*

1587-1597

Signé : domênikos theotokopolis (sic) epoïei

*Fig. 125*

Peinture sur toile. 1,05 × 0,86 m

Couvent des carmélites, Cuerva (province de Tolède), offert par la sœur du cardinal Niño de Guevara; musée de Bellas Artes, Bilbao

BIBLIOGR. – Camón, 570; Wethey, 221

95. SAINT DOMINIQUE EN PRIÈRE *(Santo Domingo en oración)*

1587-1597

Signé : domênikos theotokopo (effacé) epoïei

*Fig. 126*

Peinture sur toile. 1,18 × 0,86 m

Collections : A. Sanz Bremón, Valence; Jaime Urquijo Chacón, Madrid

BIBLIOGR. – Cossío, 273; Mayer, 223; Camón, 492; Wethey, 203

96. SAINT DOMINIQUE DEVANT UN CRUCIFIX *(Santo Domingo ante un crucifijo)*

1587-1597

Signé : domênikos theotokopoulos epoïei

*Fig. 127*

Peinture sur toile. 0,57 × 0,57 m

Collections : Ricardo Traumann, Madrid; John Nicholas Brown, Newport (Rhode Island)

BIBLIOGR. – Mayer, 222; Camón, 489; Wethey, 207

97. SAINT PIERRE ET SAINT PAUL *(San Pedro y San Pablo)*

1587-1597

Signé : domênikos theotokopoulos epoïei

*Fig. 128*

Peinture sur toile. 1,21 × 1,05 m

Collection général Durnowo, Leningrad; musée de l'Ermitage, Leningrad

BIBLIOGR. – Mayer, 198; Camón, 425; Wethey, 278

98. TÊTE DU CHRIST *(Cabeza de Cristo)*

1587-1597

Signé : domênikos theotokopoli (sic) epoïei

*Fig. 129*

Peinture sur toile. 0,61 ×0,46 m

Vente comtesse de Quinto, Paris, 1862; musée de Prague

BIBLIOGR. – Camón, 114; Wethey, 47

99. LA VIERGE MARIE *(La Virgen María)*

1587-1597

Signé : domênikos theotokopoulos epoïei

*Fig. 130*

Peinture sur toile. 0,52 × 0,36 m

Collection Sir Charles Robinson, Londres; musée de Strasbourg

BIBLIOGR. – Cossío, 3; Mayer, 83; Camón, 216; Wethey, 97

100. SAINT ANDRÉ ET SAINT FRANÇOIS *(San Andrés y San Francisco)*

1587-1597

Signé : domênikos theotokopolis (sic) epoïei

*Fig. 131 et 132*

Peinture sur toile. 1,67 × 1,13 m

Collection duc d'Abrantes (avant 1676); musée du Prado, Madrid

BIBLIOGR. – Camón, 423; Wethey, 197

101. SAINT JÉRÔME EN CARDINAL *(San Jerónimo Cardenal)*

1587-1597

Signé : domênikos theotokopoulos epoïei

*Fig. 133*

Peinture sur toile. 1,11 × 0,96 m

Cathédrale de Valladolid (?); collection Frick, New York

BIBLIOGR. – Cossío, 286; Mayer, 278; Camón, 503; Wethey, 240

102. SAINT JÉRÔME EN CARDINAL *(San Jerónimo Cardenal)*

1587-1597

Peinture sur toile. 1,08 × 0,87 m

Collections : marquis del Arco, Madrid; Lehman, New York

BIBLIOGR. – Cossío, 85; Mayer, 277; Camón, 502; Wethey, 241

103. SAINT JÉRÔME EN CARDINAL *(San Jerónimo Cardenal)*
1587-1597
Peinture sur toile. 0,65 × 0,54 m
Collection comte de Adanero y de Castro Serna, Madrid
BIBLIOGR. – Cossío, 96; Camón, 507; Wethey, 242

104. SAINT JÉRÔME EN CARDINAL *(San Jerónimo Cardenal)*
1587-1597
Signé : domênikos theotokopoulos (incomplète)
Peinture sur toile. 0,59 × 0,48 m
Collection Lord Northwick, Cheltenham; National Gallery, Londres
BIBLIOGR. – Cossío, 341; Mayer, 279; Camón, 506; Wethey, 243

105. SAINT JÉRÔME EN CARDINAL *(San Jerónimo Cardenal)*
1587-1597
Peinture sur toile. 0,30 × 0,24 m
Collection E. Mélida, Madrid; musée Bonnat, Bayonne
BIBLIOGR. – Cossío, 287; Mayer, 280; Camón, 505; Wethey, 244

106. LA MONTÉE AU CALVAIRE *(Vía dolorosa)*
1587-1597
Signé : domênikos theotokopoulos epoïei
*Fig. 134*
Peinture sur toile. 1,05 × 0,67 m
Collection Miguel Borondo, Madrid; musée de Arte de Cataluña, Barcelone
BIBLIOGR. – Cossío, 88; Mayer, 62; Camón, 118; Wethey, 54

107. LA MONTÉE AU CALVAIRE *(Vía dolorosa)*
1587-1597
Signé : domênikos theotokopoulos epoïei
Peinture sur toile. 1,05 × 0,79 m
Vente comtesse de Quinto, Paris, 1862; collection Lehman, New York
BIBLIOGR. – Cossío, 338; Camón, 126; Wethey, 50

108. LA MONTÉE AU CALVAIRE *(Vía dolorosa)*
1587-1597
Signé
Peinture sur toile. 0,81 × 0,59 m
Collection Lucas Moreno, Paris; musée national de Arte Decorativo, Buenos Aires
BIBLIOGR. – Mayer, 61; Camón, 119; Wethey, 52

109. LA MONTÉE AU CALVAIRE *(Via dolorosa)*
1587-1597
Signé : domênikos the(otokopoulos) epoïei
Peinture sur toile. 0,48 × 0,38 m (œuvre mutilée)
Couvent de la Merci, Huete (province de Cuenca); cathédrale de Cuenca
BIBLIOGR. – Mayer, 62 a; Camón, 124; Wethey, 53

110. LA MONTÉE AU CALVAIRE *(Vía dolorosa)*
1587-1597
Signature visible encore en partie
Peinture sur toile. 1,15 × 0,71 m
Palais royal, Sinaïa, Roumanie
BIBLIOGR. – Cossío, 362; Camón, 123; Wethey, 55

111. PORTEMENT DE CROIX *(Cristo sosteniendo el madero de la cruz)*
1587-1597
Signé : domênikos theotokopoli (sic) epoïei
*Fig. 135 et 136*
Peinture sur toile. 0,63 × 0,52 m
Collection Étienne Arago, Paris; musée de Brooklyn, Fondation Oscar B. Cintas, New York
BIBLIOGR. – Camón, 115; Wethey, 59 A

112. PORTEMENT DE CROIX *(Cristo sosteniendo el madero de la cruz)*
1587-1597
Signé : domênikos theotokopoulos epoïei
Peinture sur toile. 0,66 × 0,53 m
Collections : A. Imbert, Rome; Thyssen-Bornemisza, Lugano
BIBLIOGR. – Mayer, 59; Camón, 116; Wethey, 59

113. ADIEUX DU CHRIST A LA VIERGE *(Despedida de Jesús y María)*
1587-1597
*Fig. 137*
Peinture sur toile. 0,24 × 0,21 m
Palais royal, Sinaïa, Roumanie
BIBLIOGR. – Cossío, 365; Mayer, 48 a; Camón, 212; Wethey, 71

114. ADIEUX DU CHRIST A LA VIERGE *(Despedida de Jesús y María)*
1587-1597
Peinture sur toile. 1,09 × 0,99 m
Sacristie de San Pablo, Tolède; collection R.E. Danielson, Groton (Massachusetts)
BIBLIOGR. – Cossío, 259; Mayer, 48; Camón, 211 et 215; Wethey, 70

115. ADIEUX DU CHRIST A LA VIERGE *(Despedida de Jesús y María)*
1587-1597
*Fig. 138*
Peinture sur toile. 1,31 × 0,83 m
San Vicente, Tolède; musée de Santa Cruz, Tolède
BIBLIOGR. – Cossío, 591; Mayer, 47; Camón, 210; Wethey, X-69

116. MADELEINE REPENTANTE *(María Magdalena penitente)*
1587-1597
Signé : domênikos theotokopoulos epoïei

*Fig. 139*
Peinture sur toile. 1,09 × 0,96 m
En vente à Paris en 1894; musée du Cau Ferrat, Sitges (province de Barcelone)
BIBLIOGR. – Cossío, 183; Mayer, 295; Camón, 453; Wethey, 263

### 117. CHRIST EN CROIX *(Cristo crucificado)*
1587-1597
*Fig. 140*
Peinture sur toile. 1,93 × 1,16 m (œuvre mutilée)
Couvent des nouvelles salésiennes, Madrid; Museum of Art, Cleveland
BIBLIOGR. – Cossío, 81; Camón, 178; Wethey, 68

### 118. CHRIST EN CROIX *(Cristo crucificado)*
1587-1597
*Fig. 141*
Peinture sur toile. 1,78 × 1,04 m
Collections : comtesse de Aguila; marquis de Motilla, Séville
BIBLIOGR. – Cossío, 179; Camón, 170; Wethey, 66

### 119. CHRIST EN CROIX *(Cristo crucificado)*
1587-1597
Signé des initiales « delta thêta »
*Fig. 142*
Peinture sur toile. 0,64 × 0,37 m
Église San Nicolás, Tolède; musée de Santa Cruz, Tolède
BIBLIOGR. – Cossío, 258; Mayer, 98; Camón, 174; Wethey, X-53

### 120. CHRIST EN CROIX *(Cristo crucificado)*
1587-1597
Signé : domênikos theotokopoulos epoïei
*Fig. 143*
Peinture sur toile. 0,95 × 0,61 m
Collection Bernheim Jeune, Paris, 1926; Wildenstein Galleries, New York
BIBLIOGR. – Mayer, 96; Camón, 175; Wethey, X-50

### 121. L'EXPOLIO *(El expolio)*
1587-1597
*Fig. 144*
Peinture sur toile. 1,65 × 0,99 m
Collection López Cepero, Séville; Alte Pinakothek, Munich
BIBLIOGR. – Cossío, 344; Mayer, 77; Camón, 152; Wethey, 79

### 122. L'EXPOLIO *(El expolio)*
1587-1597
*Fig. 145*
Peinture sur toile. 1,36 × 1,62 m
Collection marquis de la Cenia, Marratxi (Majorque); collection particulière
BIBLIOGR. – Cossío, 141; Mayer, 80; Camón, 159; Wethey, X-94

### 123. JULIÁN ROMERO «EL DE LAS HAZAÑAS» ET SAINT JULIEN *(Julián Romero de las Hazañas y San Julián)*
1587-1597
*Fig. 146*
Peinture sur toile. 2,07 × 1,27 m
Collection marquis de Lugros, Alcalá la Real; musée du Prado, Madrid
BIBLIOGR. – Cossío, 304; Mayer, 337; Camón, 734; Wethey, 155

### 124. GENTILHOMME INCONNU *(Caballero desconocido)*
1587-1597
Signé : domênikos theotokopoulos epoïei
*Fig. 147*
Peinture sur toile. 0,64 × 0,51 m
Collections royales; musée du Prado, Madrid
BIBLIOGR. – Cossío, 77; Mayer, 346; Camón, 742; Wethey, 144

### 125. GENTILHOMME INCONNU *(Caballero desconocido)*
1587-1597
*Fig. 148*
Peinture sur toile. 0,66 × 0,55 m
Collections royales; musée du Prado, Madrid
BIBLIOGR. – Cossío, 75; Mayer, 343; Camón, 730; Wethey, 142

### 126. RODRIGO VÁZQUEZ *(Rodrigo Vázquez)*
1587-1597
*Fig. 149*
Peinture sur toile. 0,59 × 0,42 m (toile rognée)
Alcázar de Madrid (palais royal); musée du Prado, Madrid
BIBLIOGR. – Cossío, 76; Mayer, 340; Camón, 728; Wethey, X-197

### 127. GENTILHOMME AGÉ *(Caballero anciano)*
1587-1597
Signé : domênikos theotokopoli (sic) epoïei
*Fig. 150*
Peinture sur toile. 0,46 × 0,43 m
Alcázar de Madrid (palais royal); musée du Prado, Madrid
BIBLIOGR. – Cossío, 74; Mayer, 344; Camón, 738; Wethey, 139

### 128. SCÈNE DE GENRE *(Escena de género)*
1587-1597
Signé : domênikos theotokopoulos epoïei
*Fig. 151*
Peinture sur toile. 0,65 × 0,90 m
Collections : J.L. Bensusan, Londres; Lord Harewood, Londres
BIBLIOGR. – Cossío, 343; Mayer, 304; Camón, 685; Wethey, 125

### 129. SCÈNE DE GENRE *(Escena de género)*
1587-1597
*Fig. 152 et 153*
Peinture sur toile. 0,66 × 0,88 m
Collections: Féret, Paris; Mark Oliver, Edgerston Tofts, Jedburgh (Écosse)
BIBLIOGR. – Cossío, 296; Mayer, 305; Camón, 689 et 692; Wethey, 126

130. COURONNEMENT DE LA VIERGE *(Coronación de la Virgen)*
1597-1599
*Fig. 155*
Peinture sur toile. 1,20 × 1,47 m
Église San José, Tolède
BIBLIOGR. – Cossío, 240; Mayer, 118 A; Camón, 257; Wethey, 16

131. SAINT JACQUES LE MAJEUR EN PÉLERIN *(Santiago el Mayor peregrino)*
1597-1599
*Fig. 156*
Peinture sur toile. 0,43 × 0,37 m
Collection Carmen Mendieta, Madrid; Hispanic Society, New York
BIBLIOGR. – Cossío, 110; Mayer, 180; Camón, 385; Wethey, 239

132. SAINT JOSEPH GUIDANT L'ENFANT JÉSUS *(San José y el Niño Jesús)*
1597-1599
Signé : domênikos theotokopoulos epoïei
*Fig. 157 et 158*
Peinture sur toile. 1,09 × 0,56 m
La Magdalena, Tolède; musée de Santa Cruz, Tolède
BIBLIOGR. – Cossío, 252; Mayer, 37; Camón, 269; Wethey, 254
Étude pour la toile centrale du retable de l'église San José de Tolède *(cat. 133)*

133. SAINT JOSEPH GUIDANT L'ENFANT JÉSUS *(San José y el Niño Jesús)*
1597-1599
*Fig. 159*
Signé : domênikos theotokopoulos epoïei
Peinture sur toile. 2,89 × 1,47 m
Église San José, Tolède
BIBLIOGR. – Cossío, 239; Mayer, 36; Camón, 268; Wethey, 15

134. LA VIERGE ET L'ENFANT JÉSUS AVEC SAINTE MARTINE ET SAINTE AGNÈS *(La Virgen con el Niño, Santa Martina y Santa Inés)*
1597-1599
Signé des initiales « delta thêta »
*Fig. 160 et 161*
Peinture sur toile. 1,93 × 1,03 m
Église San José, Tolède; National Gallery, Washington
BIBLIGR. – Cossío, 241; Mayer, 35; Camón, 227; Wethey, 10

135. SAINT MARTIN ET LE PAUVRE *(San Martín y el pobre)*
1597-1599
Signé : domênikos theotokopoulos epoïei
*Fig. 162*
Peinture sur toile. 1,93 × 1,03 m
Église San José, Tolède; National Gallery, Washington
BIBLIOGR. – Cossío, 242; Mayer, 297; Camón, 522; Wethey, 18

136. L'ANNONCIATION *(Anunciación)*
1597-1600
*Fig. 163 et 165*
Peinture sur toile. 1,14 × 0,67 m
Collections : Pascual, Barcelone; Thyssen-Bornemisza, Lugano
BIBLIOGR. – Camón, 36; Wethey, 40
Étude pour la toile centrale du retable du collège de Doña María de Aragón *(cat. 138)*

137. L'ANNONCIATION *(Anunciación)*
1597-1600
Peinture sur toile. 1,10 × 0,65 m
Vente comtesse de Quinto, Paris, 1862 (?); musée de Bellas Artes, Bilbao
BIBLIOGR. – Mayer, 12; Camón, 33; Wethey, 41

138. L'ANNONCIATION *(Anunciación)*
1597-1600
Signé : domênikos theotokopoulos epoïei
*Fig. 164 et 166*
Peinture sur toile. 3,15 × 1,74 m
Collège de Doña María de Aragón, Madrid; musée Balaguer, Villanueva y Geltrú (province de Barcelone)
BIBLIOGR. – Cossío, 276; Mayer, 11; Camón, 25; Wethey, 13

139. BAPTÊME DU CHRIST *(Bautismo de Cristo)*
1597-1600
*Fig. 167*
Peinture sur toile. 1,11 × 0,47 m
Collection particulière, Séville; Galleria Nazionale, Rome
BIBLIOGR. – Mayer, 39; Camón, 70; Wethey, 45

140. BAPTÊME DU CHRIST *(Bautismo de Cristo)*
1597-1600
Signé : domênikos theotokopoulos epoïei
*Fig. 168 et 169*
Peinture sur toile. 3,50 × 1,44 m
Collège de Doña María de Aragón, Madrid; musée du Prado, Madrid
BIBLIOGR. – Cossío, 59; Mayer, 38; Camón, 69; Wethey, 14

141. ADORATION DES BERGERS *(Adoración de los pastores)*
1597-1600
*Fig. 170*
Peinture sur toile. 1,11 × 0,47 m
Collection particulière, Séville; Galleria Nazionale, Rome
BIBLIOGR. – Mayer, 17; Camón, 52; Wethey, 25

142. ADORATION DES BERGERS *(Adoración de los pastores)*
1597-1600
Signé : domênikos theotokopoulos epoïei
*Fig. 171*
Peinture sur toile. 3,46 × 1,37 m

Collège de Doña María de Aragón, Madrid; musée national de Roumanie, Bucarest

BIBLIOGR. – Cossío, 360; Mayer, 16 a; Camón, 51; Wethey, 12

143. VUE DE TOLÈDE *(Vista de Toledo)*

Avant 1597
Signé : domênikos theotokopoulos epoïei
*Fig. 172 et 173*
Peinture sur toile. 1,21 × 1,09 m
Collection comtesse de Añover y Castañeda; Metropolitan Museum, New York

BIBLIOGR. – Cossío, 83 et 403; Mayer, 315; Camón, 699; Wethey, 129

144. L'ANNONCIATION *(Anunciación)*

1597-1603
*Fig. 174*
Peinture sur toile. 1,28 × 0,84 m
Collection S. Baron, Paris, 1908; musée de Toledo (Ohio)

BIBLIOGR. – Cossío, 301 et 370; Mayer, 7; Camón, 29 et 41; Wethey, 42

145. L'ANNONCIATION *(Anunciación)*

1597-1603
Peinture sur toile. 0,91 × 0,67 m
Vente baron Taylor, Paris, 1880 (?); musée des Beaux-Arts, Budapest

BIBLIOGR. – Mayer, 6; Camón, 28; Wethey, 42 A

146. L'ANNONCIATION *(Anunciación)*

1597-1603
Peinture sur toile. 1,09 × 0,80 m
Collections : Dalborgo de Primo, Madrid; Soichiro Ohara, Kurashiki (Japon)

BIBLIOGR. – Cossío, 123; Mayer, 8; Camón, 31; Wethey, 42 B

147. LA SAINTE FAMILLE AVEC SAINTE ANNE ET SAINT JEAN-BAPTISTE *(Sagrada Familia con Santa Ana y San Juan Bautista)*

1597-1603
*Fig. 175*
Peinture sur toile. 0,52 × 0,33 m
Collection Carlos Beistegui, Paris; National Gallery, Washington

BIBLIOGR. – Mayer, 31; Camón, 242 et 245; Wethey, 88

148. LA VIERGE ET L'ENFANT JÉSUS AVEC SAINTE ANNE *(La Virgen y el Niño Jesús con Santa Ana)*

1597-1603
Signé : domênikos theotokopoulos epoïei
*Fig. 176*
Peinture sur toile. 1,78 × 1,05 m
Petit hôpital Santa Ana, Tolède; musée de Santa Cruz, Tolède

BIBLIOGR. – Cossío, 227; Mayer, 32; Camón, 235; Wethey, 93

149. LA SAINTE FAMILLE AVEC SAINTE ANNE ET SAINT JEAN-BAPTISTE *(Sagrada Familia con Santa Ana y San Juan Bautista)*

1597-1603

Signé : domênikos theotokopoulos epoïei
Peinture sur toile. 1,07 × 0,69 m
Musée de la Trinidad, Madrid; musée du Prado, Madrid

BIBLIOGR. – Cossío, 63; Mayer, 30; Camón, 237; Wethey, 87

150. LA VIERGE ET L'ENFANT JÉSUS AVEC SAINTE ANNE *(La Virgen y el Niño Jesús con Santa Ana)*

1597-1603
*Fig. 177*
Peinture sur toile. 0,90 × 0,80 m
Collection particulière, Écosse (?); Wadsworth Athenaeum, Hartford

BIBLIOGR. – Camón, 247; Wethey, 94

151. SAINT JEAN-BAPTISTE *(San Juan Bautista)*

1597-1603
Signé : domênikos theotokopolis (sic) epoïei
*Fig. 178*
Peinture sur toile. 1,11 × 0,66 m
Carmélites déchaussées, Malagón (province de Ciudad Real); M.H. de Young Memorial Museum, San Francisco

BIBLIOGR. – Camón, 409 et 410; Wethey, 250

152. SAINT JEAN-BAPTISTE *(San Juan Bautista)*

1597-1603
Signé : domênikos theotokopoulos epoïei
Peinture sur toile. 1,05 × 0,64 m
Collection comtesse de Ripalda, Valence; musée provincial de Valence

BIBLIOGR. – Camón, 412; Wethey, 251

153. SAINT JÉRÔME PÉNITENT *(San Jerónimo penitente)*

1597-1603
*Fig. 179*
Peinture sur toile. 1,68 × 1,10 m
Collection Felipe de la Rica, Madrid; National Gallery, Washington

BIBLIOGR. – Cossío, 113; Mayer, 281; Camón, 516; Wethey, 249

154. SAINT FRANÇOIS ET LE FRÈRE CONVERS *(San Francisco y el lego)*

1597-1603
Signé : domênikos theotokopoulos epoïei
*Fig. 180*
Peinture sur toile. 1,68 × 1,03 m
Église de Nambroca (province de Tolède); National Gallery of Canada, Ottawa

BIBLIOGR. – Camón, 554 et 632; Wethey, 225

155. SAINT FRANÇOIS ET LE FRÈRE CONVERS *(San Francisco y el lego)*

1597-1603
Signé : domênikos theotokopoulos epoïei
Peinture sur toile. 1,55 × 1,00 m

Collections : duc de Frías; Max G. Bollag, Zurich (en dépôt au Kunst-museum de Berne, 1961)

BIBLIOGR. – Mayer, 247; Camón, 619; Wethey, 226

156.  SAINT FRANÇOIS ET LE FRÈRE CONVERS (San Francisco y el lego)
1597-1603
Signé : domênikos theotokopoulos epoïei (en partie effacé)
Peinture sur toile. 1,22 × 0,80 m
Barnes Foundation, Merion (Pennsylvanie)

BIBLIOGR. – Wethey, 230 A
Il s'agit probablement de la toile qui se trouvait au collège de Doncellas Nobles de Tolède (Cossío, 236, pl. 102)

157.  SAINT FRANÇOIS ET LE FRÈRE CONVERS (San Francisco y el lego)
1597-1603
Peinture sur toile. 0,50 × 0,38 m
Collection Simonsen, São Paulo

158.  SAINT FRANÇOIS EN EXTASE (San Francisco en éxtasis)
1597-1603
Fig. 181
Peinture sur toile. 0,50 × 0,40 m
Collections : Lucas de Montoya, Tolède (XVIIIe siècle); Fernández Araoz, Madrid

BIBLIOGR. – Cossío, 228; Camón, 656; Wethey, 216

159.  SAINT FRANÇOIS EN EXTASE (San Francisco en éxtasis)
1597-1603
Signé : domênikos theotokopoulos epoïei
Peinture sur toile. 1,01 × 0,89 m
Collections : Valeriano Salvatierra, Tolède; C. Blanco Soler, Madrid

BIBLIOGR. – Cossío, 128; Mayer, 262; Camón, 655; Wethey, 215

160.  SAINT FRANÇOIS EN EXTASE (San Francisco en éxtasis)
1597-1603
Fig. 182
Peinture sur toile. 0,75 × 0,57 m
Musée des beaux-arts, Pau
BIBLIOGR. – Camón, 647; Wethey, 217

161.  SAINT FRANÇOIS EN EXTASE (San Francisco en éxtasis)
1597-1603
Peinture sur toile. 0,60 × 0,48 m
Collection Dr Miquel, Barcelone

162.  SAINT FRANÇOIS EN EXTASE (San Francisco en éxtasis)
1597-1603
Peinture sur toile. 1,10 × 0,87 m
Église San José, Tolède; collection comte de Guendulain y del Vado, Tolède

BIBLIOGR. – Cossio, 243; Mayer, 232 a; Camòn, 659; Wethey, 218

163.  SAINT FRANÇOIS MÉDITANT A GENOUX (San Francisco arrodillado en meditación)
1597-1603
Signé : domênikos theotokopoulos epoïei
Peinture sur toile. 1,47 × 1,05 m
Collection particulière, France; M. H. de Young Memorial Museum, San Francisco

BIBLIOGR. – Wethey, 219

164.  SAINT FRANÇOIS MÉDITANT A GENOUX (San Francisco arrodillado en meditación)
1597-1603
Signé : domênikos theotokopoulos (epoïei) (effacé)
Peinture sur toile. 0,93 × 0,74 m
Collection Clemente de Velasco, Madrid; Art Institute, Chicago
BIBLIOGR. – Cossío, 139; Mayer, 267; Camón, 578 et 580; Wethey, 220

165.  SAINT AUGUSTIN (San Agustin)
1597-1603
Fig. 183
Peinture sur toile. 1,40 × 0,56 m
San Nicolás, Tolède (faisait partie du retable de sainte Barbe); musée de Santa Cruz, Tolède
BIBLIOGR. – Cossío, 254; Mayer, 218; Camón, 473; Wethey, 199

166.  ALLÉGORIE DE L'ORDRE DES CAMALDULES (Alegoría de la orden de los Camaldulenses)
1597-1603
Fig. 184
Peinture sur toile. 1,24 × 0,90 m
Collection Guillermo de Osma, Madrid; Institut Valencia de Don Juan, Madrid
BIBLIOGR. – Cossío, 118, Camón, 673; Wethey, 119

167.  ALLÉGORIE DE L'ORDRE DES CAMALDULES (Alegoría de la orden de los Camaldulenses)
1597-1603
Peinture sur toile. 1,38 × 1,08 m
Collège del Patriarca, Valence
BIBLIOGR. – Camón, 674; Wethey, 118

168.  SAINT JACQUES LE MAJEUR EN PÉLERIN (Santiago el Mayor peregrino)
1597-1603
Fig. 185
Peinture sur toile. 1,23 × 0,70 m
San Nicolás, Tolède (faisait partie du retable de sainte Barbe); musée de Santa Cruz, Tolède
BIBLIOGR. – Cossío, 255, Mayer, 181 a; Camón, 382; Wethey, 236

169.  LE CHRIST AU JARDIN DES OLIVIERS (Oración en el Huerto)
1597-1603
Signé : domênikos theotokopoulos krês epoïei

*Fig. 186*
Peinture sur toile. 1,02 × 1,14 m
Collection Cacho, Madrid; musée de Toledo (Ohio)
BIBLIOGR. – Mayer, 55; Camón, 109; Wethey, 29

170. LE CHRIST CHASSANT LES MARCHANDS DU TEMPLE
*(Expulsión de los mercaderes del Templo)*
1597-1603
*Fig. 187*
Peinture sur toile. 0,42 × 0,53 m
Collections : infant D. Antonio de Borbón (?); Frick, New York
BIBLIOGR. – Cossío, 87; Mayer, 51; Camón, 97; Wethey, 106

171. LE CHRIST CHASSANT LES MARCHANDS DU TEMPLE
*(Expulsión de los mercaderes del Templo)*
1597-1603
*Fig. 188 et 189*
Peinture sur toile. 1,07 × 1,24 m
Collections : Dolores Alonso, St.-Sébastien; J.L. Várez, St.-Sébastien
BIBLIOG. – Cossío, 163; Camón, 91; Wethey, 109

172. LE CHRIST CHASSANT LES MARCHANDS DU TEMPLE
*(Expulsión de los mercaderes del Templo)*
1597-1603
*Fig. 190*
Peinture sur toile. 1,06 × 1,30 m
Collection J.C. Robinson; National Gallery, Londres
BIBLIOGR. – Cossío, 342; Mayer, 53; Camón, 86; Wethey, 108

173. LE CARDINAL FERNANDO NIÑO DE GUEVARA *(El Cardenal Fernando Niño de Guevara)*
Vers 1600
Signé : domênikos theotokopoulos epoïei
*Fig. 191*
Peinture sur toile. 1,71 × 1,08 m
San Pablo, Tolède (?); Metropolitan Museum, New York
BIBLIOGR. – Cossío, 283; Mayer, 331; Camón, 762; Wethey, 152

174. DIEGO DE COVARRUBIAS *(Diego de Covarrubias)*
1597-1603
Vestiges de signature
*Fig. 192*
Peinture sur toile. 0,67 × 0,55 m
Collection Pedro Salazar de Mendoza, Tolède; musée Greco, Tolède
BIBLIOGR. – Cossío, 190; Mayer, 326; Camón, 758; Wethey, 137

175. ANTONIO DE COVARRUBIAS *(Antonio de Covarrubias)*
1597-1603
Signé : domênikos theotokopoulos epoïei
*Fig. 193*
Peinture sur toile. 0,67 × 0,55 m
Collection Pedro Salazar de Mendoza, Tolède; musée Greco, Tolède
BIBLIOGR. – Cossío, 191; Mayer, 325; Camón, 756; Wethey, 136

176. ANTONIO DE COVARRUBIAS *(Antonio de Covarrubias)*
1597-1603
Signé : domênikos theotokopoulos epoïei
*Fig. 194*
Peinture sur toile. 0,65 × 0,52 m
Archevêché de Tolède; musée du Louvre, Paris
BIBLIOGR. – Cossío, 207; Mayer, 324; Camón, 757; Wethey, 135

177. GENTILHOMME INCONNU *(Caballero desconocido)*
1597-1603
Signé : domênikos theotokopoulos epoïei
*Fig. 195*
Peinture sur toile. 0,64 × 0,51 m
Collections royales; musée du Prado, Madrid
BIBLIOGR. – Cossío, 78; Mayer, 347; Camón, 743; Wethey, 143

178. LE DUC DE BENAVENTE *(El Duque de Benavente)*
1597-1603
Attribution incertaine
Peinture sur toile. 1,01 × 0,76 m
Musée Bonnat, Bayonne
BIBLIOGR. – Cossío, 288; Mayer, 231; Camón, 744; Wethey, 131

179. JORGE MANUEL THEOTOCÓPULI *(Jorge Manuel Theotocópuli)*
Vers 1603
Signé : domênikos theotokopoulos epoïei
*Fig. 196*
Peinture sur toile. 0,81 × 0,56 m
Collection Serafín García de la Huerta, Madrid; Musée provincial, Séville
BIBLIOGR. – Cossío, 164; Mayer, 342; Camón, 749; Wethey, 158

180. SAINT BERNARDIN *(San Bernardino)*
Vers 1603
Signé : domênikos theotokopoulos epoïei
*Fig. 197*
Peinture sur toile. 2,69 × 1,44 m
Collège de San Bernardino, Tolède; musée Greco, Tolède
BIBLIOGR. – Cossío, 68; Mayer, 221; Camón, 475; Wethey, 200

181. VIERGE DE LA CHARITÉ *(Virgen de la Caridad)*
1603-1605
*Fig. 198 et 199*
Peinture sur toile. 1,84 × 1,24 m
Hôpital de la Caridad, Illescas
BIBLIOGR. – Cossío, 49; Mayer, 112; Camón, 13; Wethey, 21

182. L'ANNONCIATION *(Anunciación)*
1603-1605
Signé : domênikos theotokopoulos epoïei
*Fig. 200*
Peinture sur toile de forme circulaire, diamètre 1,28 m
Hôpital de la Caridad, Illescas
BIBLIOGR. – Cossío, 52; Mayer, 9 a; Camón, 17; Wethey, 19

183. NATIVITÉ *(Natividad)*
1603-1605
Signé : domênikos theotokopoulos epoïei
*Fig. 201 et 202*
Peinture sur toile de forme circulaire, diamètre 1,28 m
Hôpital de la Caridad, Illescas
BIBLIOGR. – Cossío, 51; Mayer, 20 a; Camón, 16; Wethey, 22

184. COURONNEMENT DE LA VIERGE *(Coronación de la Virgen)*
1603-1605
*Fig. 204*
Peinture sur toile de forme ovale. 0,57 × 0,74 m
Collections : Julius Böhler, Munich; Max Epstein, Chicago
BIBLIOGR. – Camón, 256; Wethey, 73

185. COURONNEMENT DE LA VIERGE *(Coronación de la Virgen)*
1603-1605
*Fig. 203 et 205*
Peinture sur toile de forme ovale, 1,63 × 2,20 m
Hôpital de la Caridad, Illescas
BIBLIOGR. – Cossío, 50; Mayer, 120; Camón, 15; Wethey, 20

186. SAINT ILDEFONSE *(San Ildefonso)*
1603-1605
Signé : domênikos theotokopoulos epoïei
*Fig. 206*
Peinture sur toile. 1,87 × 1,02 m
Hôpital de la Caridad, Illescas
BIBLIOGR. – Cossío, 48; Mayer, 286; Camón, 494; Wethey, 23

187. CHRIST EN CROIX *(Crucifixión)*
1603-1607
Signé : domênikos theotoko (?) epoïei
*Fig. 207*
Peinture sur toile. 3,12 × 1,69 m
San Ildefonso, Tolède; musée du Prado, Madrid
BIBLIOGR. – Cossío, 60; Mayer, 88; Camón, 182; Wethey, 75

188. ADORATION DES BERGERS *(Adoración de los pastores)*
1603-1607
*Fig. 208 et 209*
Peinture sur toile. 3,20 × 1,80 m
Santo Domingo el Antiguo, Tolède; musée du Prado, Madrid
BIBLIOGR. – Cossío, 232; Mayer, 21; Camón, 53; Wethey, 28

189. ADORATION DES BERGERS *(Adoración de los pastores)*
1603-1607
*Fig. 210 et 211*
Peinture sur toile. 1,11 × 0,65 m
Collection marquis del Arco, Madrid; Metropolitan Museum, New York
BIBLIOGR. – Cossío, 86; Mayer, 21 a; Camón, 57; Wethey, X-7

190. LA RÉSURRECTION *(Resurrección)*
1603-1607
Signé : domênikos theotokopoulos epoïei
*Fig. 212*
Peinture sur toile. 2,75 × 1,27 m
Notre-Dame d'Atocha, Madrid; musée du Prado, Madrid
BIBLIOGR. – Cossío, 61 et 402; Mayer, 105 et 106; Camón, 204 et 207; Wethey, 111

191. LA PENTECÔTE *(Pentecostés)*
1603-1607
Signé : domênikos theotokopoulos epoïei
*Fig. 213 et 214*
Peinture sur toile. 2,75 × 1,27 m
Musée national de la Trinidad, Madrid; musée du Prado, Madrid
BIBLIOGR. – Cossío, 67; Mayer, 109; Camón, 208; Wethey, 100

192. SAINT PIERRE *(San Pedro)*
1603-1607
*Fig. 215 et 216*
Peinture sur toile. 2,07 × 1,05 m
San Vicente, Tolède; monastère de l'Escurial
BIBLIOGR. – Cossío, 43; Mayer, 201; Camón, 430; Wethey, 274

193. SAINT ILDEFONSE *(San Ildefonso)*
1603-1607
*Fig. 217*
Peinture sur toile. 2,22 × 1,05 m
San Vicente, Tolède; monastère de l'Escurial
BIBLIOGR. – Cossío, 42; Mayer, 288; Camón, 496; Wethey, 275

194. SAINT SÉBASTIEN *(San Sebastián)*
1603-1607
*Fig. 218*
Peinture sur toile de forme ovale. 0,89 × 0,68 m
Palais royal, Bucarest
BIBLIOGR. – Cossío, 367; Mayer, 301; Camón, 536; Wethey, 280

195. MADELEINE REPENTANTE *(María Magdalena penitente)*
1603-1607
Signé : domênikos theotokopoulos epoïei
*Fig. 219*
Peinture sur toile. 1,18 × 1,05 m
Collection Félix Valdés Izaguirre, Bilbao
BIBLIOGR. – Camón, 471; Wethey, 264

196. SAINT DOMINIQUE EN PRIÈRE *(Santo Domingo en oración)*
1603-1607
Signé : domênikos theotokopoulos epoïei
*Fig. 220*
Peinture sur toile. 1,20 × 0,88 m
Sacristie de la cathédrale, Tolède
BIBLIOGR. – Cossío, 225; Mayer, 224; Camón, 484; Wethey, 204

197. SAINT DOMINIQUE EN PRIÈRE *(Santo Domingo en oración)*
1603-1607
Peinture sur toile. 0,73 × 0,57 m
Collections : marquis de Aldama, Madrid ; Contini-Bonacosi, Florence
BIBLIOGR. – Camón, 483 ; Wethey, 206

198. SAINT DOMINIQUE EN PRIÈRE *(Santo Domingo en oración)*
1603-1607
Signé : domênikos theotokopoulos epoïei
Peinture sur toile. 1,05 × 0,83 m
Collection J.F. Millet, Fontainebleau ; Musée des beaux-arts, Boston
BIBLIOGR. – Cossío, 298 ; Mayer, 225 ; Camóн, 485 ; Wethey, 205

199. PORTEMENT DE CROIX *(Cristo con la cruz a cuestas)*
1603-1607
Signé : domênikos theotoko (poulos?) epoïei
*Fig. 221*
Peinture sur toile. 1,08 × 0,78 m
San Hermenegildo, Madrid ; musée du Prado, Madrid
BIBLIOGR. – Cossío, 70 ; Mayer, 63 ; Camón, 122 ; Wethey, 56

200. PORTEMENT DE CROIX *(Cristo con la cruz a cuestas)*
1603-1607
Signé : domênikos theotokopoulos epoïei
Peinture sur toile. 0,94 × 0,78 m
San Esteban, Olot (province de Gérone)
BIBLIOGR. – Cossío, 145 ; Mayer, 65 a ; Camón, 127 ; Wethey, 57

201. PORTEMENT DE CROIX *(Cristo con la cruz a cuestas)*
1603-1607
Signé : domênikos theotoko (?)
Peinture sur toile. 1,01 × 0,80 m
Confrérie del Santo Cristo de los Milagros, El Bonillo ; église de Santa Catalina, El Bonillo (province d'Albacete)
BIBLIOGR. – Camón, 121 ; Wethey, 58

202. SAINT JEAN-BAPTISTE ET SAINT JEAN L'ÉVANGÉLISTE *(San Juan Bautista y San Juan Evangelista)*
1603-1607
*Fig. 222*
Peinture sur toile. 1,10 × 0,87 m
Sanctuaire de San Ildefonso, Tolède ; musée de Santa Cruz, Tolède
BIBLIOGR. – Cossío, 249 ; Mayer, 193 ; Camón, 418 ; Wethey, 252

203. LES LARMES DE SAINT PIERRE *(Las lágrimas de San Pedro)*
1603-1607
Signé : domênikos theotokopoulos epoïei
*Fig. 223*
Peinture sur toile. 1,02 × 0,84 m
Hôpital San Juan Bautista de Afuera, Tolède
BIBLIOGR. – Cossío, 245 ; Mayer, 207 ; Camón, 438 ; Wethey, 273

204. LES LARMES DE SAINT PIERRE *(Las lágrimas de San Pedro)*
1603-1607
Sgné : domênikos theotokopoulos epoïei
*Fig. 224*
Peinture sur toile. 1,02 × 0,80 m
Collection Cabot y Rovira, Barcelone ; Kunstmuseum, Oslo
BIBLIOGR. – Cossío, 371 ; Mayer, 206 ; Camón, 440 et 445 ; Wethey, 272

205. LES LARMES DE SAINT PIERRE *(Las lágrimas de San Pedro)*
1603-1607
Peinture sur toile. 0,94 × 0,76 m
Collection G. de Guillén Garcia, Barcelone ; Phillips Memorial Gallery, Washington
BIBLIOGR. – Cossío, 15 et 316 ; Mayer, 208 et 209 ; Camón, 437 et 449 ; Wethey, 271

206. LES LARMES DE SAINT PIERRE *(Las lágrimas de San Pedro)*
1603-1607
Signé : domênikos theotokopoulos epoïei
Peinture sur toile. 1,22 × 1,02 m
Collection José María de Zavala, Vitoria ; Fine Arts Gallery, San Diego (Californie)
BIBLIOGR. – Cossío, 277 ; Mayer, 210 a ; Camón, 444 ; Wethey, 270

207. SAINT PIERRE ET SAINT PAUL *(San Pedro y San Pablo)*
1603-1607
*Fig. 225*
Peinture sur toile. 1,23 × 0,92 m
Collection vicomtesse de San Javier, Madrid ; musée de Stockholm
BIBLIOGR. – Cossío, 120 ; Mayer, 199 ; Camón, 426 et 427 ; Wethey, 277

208. ANNONCIATION *(Anunciación)*
1603-1607
*Fig. 226*
Peinture sur toile. 1,52 × 0,99 m
Cathédrale de Sigüenza
BIBLIOGR. – Cossío, 181 ; Mayer, 10 a ; Camón, 35 ; Wethey, 43

209. LE CHRIST AU JARDIN DES OLIVIERS *(Oración en el Huerto)*
1603-1607
*Fig. 227*
Peinture sur toile. 1,00 × 1,43 m
Église Santa Teresa, Saint-Sébastien ; collection Félix Valdés Izaguirre, Bilbao
BIBLIOGR. – Camón, 111 ; Wethey, 31

210. LE CHRIST AU JARDIN DES OLIVIERS *(Oración en el Huerto)*
1603-1607
Signé : domênikos theotokopolis (sic) epoïei
*Fig. 228*
Peinture sur toile. 0,86 × 0,50 m
Église de Pedroñeras ; cathédrale de Cuenca
BIBLIOGR. – Camón, 101 ; Wethey, 34

211. LE CHRIST AU JARDIN DES OLIVIERS *(Oración en el Huerto)*

1603-1607

Signé : domênikos theotokopoulos epoïei. Del Griego de Toledo
*Fig. 229*

Peinture sur toile. 1,69 × 1,12 m

Église Santa María, Andújar

BIBLIOGR. – Camón, 103; Wethey, 32

212. LE CHRIST AU JARDIN DES OLIVIERS *(Oración en el Huerto)*

1603-1607

Signé : domênikos theotokopoulos epoïei

Peinture sur toile. 1,70 × 1,13 m

Cathédrale de Sigüenza (?); Musée des beaux-arts, Budapest

BIBLIOGR. – Mayer, 56; Camón, 99; Wethey, 33

213. LE CHRIST AU JARDIN DES OLIVIERS *(Oración en el Huerto)*

1603-1607

Peinture sur toile. 1,10 × 0,76 m

Collection A. Pidal, Madrid; musée national de Bellas Artes, Buenos
Aires

BIBLIOGR. – Mayer, 56 a; Camón, 105 et 107; Wethey, 35

214. SAINT FRANÇOIS ET LE FRÈRE CONVERS *(San Francisco
y el lego)*

1603-1607

*Fig. 230*

Peinture sur toile. 1,70 × 1,40 m

Collection Buhler, Zurich

215. SAINT FRANÇOIS ET LE FRÈRE CONVERS *(San Francisco
y el lego)*

1603-1607

*Fig. 231*

Peinture sur toile. 1,52 × 1,13 m

Musée du Prado, Madrid

216. LA DAME A LA FLEUR DANS LES CHEVEUX *(Dama con una
flor en el cabello)*

1603-1607

Signé : domênikos theotokopolis (sic) epoïei
*Fig. 232*

Peinture sur toile. 0,50 × 0,42 m

Collections : général Meade; vicomte Rothermere, Warwick House,
Londres

BIBLIOGR. – Cossío, 339; Mayer, 352; Camón, 717; Wethey, 147

217. UN VIEILLARD *(Retrato de un anciano)*

1603-1607

*Fig. 233*

Peinture sur toile. 0,47 × 0,39 m

Collections : coll. particulière, Bologne; Contini-Bonacosi, Florence

BIBLIOGR. – Mayer, 347 c; Camón, 748; Wethey, X-196

218. GENTILHOMME INCONNU *(Caballero desconocido)*

1603-1607

*Fig. 234*

Peinture sur toile. 1,08 × 0,86 m

Collections : Miguel Borondo, Madrid; collection particulière, Milan

BIBLIOGR. – Mayer, 346 c; Camón, 755; Wethey, X-175

219. GENTILHOMME INCONNU *(Caballero desconocido)*

1603-1607

Signé : domênikos theoto (?) epoïei
*Fig. 235*

Peinture sur toile. 0,74 × 0,47 m

Galerie espagnole du Louvre, Paris; collection Maxwell MacDonald,
Glasgow

BIBLIOGR. – Cossío, 347; Mayer, 347 b; Camón, 747; Wethey, 141

220. L'IMMACULÉE CONCEPTION *(Inmaculada Concepción)*

Commandée en 1607
Signé : domênikos theotokopoulos epoïei
*Fig. 237, 238 et 240*

Peinture sur toile. 3,47 × 1,74 m

Chapelle de Isabel de Oballe, San Vicente; musée de Santa Cruz,
Tolède

BIBLIOGR. – Cossío, 261; Mayer, 115; Camón, 252; Wethey, 89

221. LA VISITATION *(La Visitación)*

Commandée en 1607
*Fig. 239*

Peinture sur toile de forme ovale. 0,97 × 0,71 m

Chapelle de Isabel de Oballe, San Vicente; Dumbarton Oaks, Washington

BIBLIOGR. – Camón, 47; Wethey, 115

222. L'IMMACULÉE CONCEPTION *(Immaculada Concepción)*

1607

*Fig. 236*

Peinture sur toile. 1,09 × 0,57 m

Ancienne collection José Selgas, El Pito, Cudillero (Asturies); actuellement non localisée

BIBLIOGR. – Camón, 253; Wethey, 90

Il s'agit probablement de l'étude préparatoire de l'*Immaculée Conception*
de la chapelle Oballe *(cat. 220)*

223. L'IMMACULÉE CONCEPTION *(Immaculada Concepción)*

1607-1610

*Fig. 241*

Peinture sur toile. 1,08 × 0,82 m

Collection particulière, Cadix; collection Thyssen-Bornemisza,
Lugano

BIBLIOGR. – Cossío, 115; Mayer, 117; Camón, 251; Wethey, 92

224. BAPTÊME DU CHRIST *(Bautismo de Cristo)*
1608-1614
*Fig. 242 et 243*
Peinture sur toile. 3,30 × 2,11 m
Hôpital San Juan Bautista de Afuera, Tolède
BIBLIOGR. – Cossío, 244; Mayer, 40; Camón, 71; Wethey, 46

225. L'ANNONCIATION *(Anunciación)*
1608-1614
*Fig. 244 à 247*
Tableau partagé en deux, sans doute à la fin du XIXᵉ siècle
Partie supérieure : *Concert d'anges (Concierto de ángeles)*
Peinture sur toile. 1,12 × 2,05 m
Collections : marquis de Castro Serna, Madrid; Galerie nationale de peinture, Athènes
BIBLIOGR. – Cossío, 387; Mayer, 13 b; Camón, 39; Wethey, 44 b
Partie inférieure : *L'Annonciation (Anunciación)*
Peinture sur toile. 2,94 × 2,09 m
Banque Urquijo, Madrid
BIBLIOGR. – Cossío, 136; Mayer, 13 a; Camón, 38; Wethey, 44 a

226. LE CINQUIÈME SCEAU DE L'APOCALYPSE *(El Quinto Sello del Apocalipsis)*
1608-1614
*Fig. 248 et 249*
Peinture sur toile. 2,25 × 1,93 m
Hôpital San Juan Bautista de Afuera, Tolède; Metropolitan Museum, New York
BIBLIOGR. – Cossío, 327; Mayer, 122; Camón, 266; Wethey, 120

227. LAOCOON *(Laocoonte)*
1608-1614
*Fig. 250 et 251*
Peinture sur toile. 1,42 × 1,93 m
Alcázar de Madrid (palais royal); National Gallery, Washington
BIBLIOGR. – Cossío, 162; Mayer, 311; Camón, 696; Wethey, 127

228. VUE ET PLAN DE TOLÈDE *(Vista y plano de Toledo)*
Vers 1610-1614
*Fig. 252 à 254*
Peinture sur toile. 1,32 × 2,28 m
Collection Pedro Salazar de Mendoza, Tolède; musée Greco, Tolède
BIBLIOGR. – Cossío, 205; Mayer, 314; Camón, 700; Wethey, 128

229. MARIAGE DE LA VIERGE *(Desposorios de la Virgen)*
1608-1614
*Fig. 255*
Peinture sur toile. 1,10 × 0,83 m
Collection comtesse de Quinto, Madrid; Musée national de Roumanie, Bucarest
BIBLIOGR. – Cossío, 361; Mayer, 14; Camón, 19; Wethey, 96

230. ADORATION DES BERGERS *(Adoración de los pastores)*
1603-1608
*Fig. 256*
Peinture sur toile. 1,64 × 1,07 m
Collection duc de Híjar, Madrid; Metropolitan Museum, New York
BIBLIOGR. – Cossío, 282; Mayer, 19; Camón, 54; Wethey, 27

231. JÉSUS CHEZ SIMON *(Jesús en casa de Simón)*
1608-1614
*Fig. 257*
Peinture sur toile. 1,43 × 1,00 m
Collection Guinea, Bilbao; Art Institute, Chicago
BIBLIOGR. – Cossío, 325; Mayer, 46 a; Camón, 77; Wethey, 65

232. JÉSUS CHEZ SIMON *(Jesús en casa de Simón)*
1608-1614
Peinture sur toile. 1,50 × 1,04 m
Collections : José de Madrazo; Fondation Oscar B. Cintas, New York
BIBLIOGR. – Cossío, 314 et 441; Mayer, 46; Camón, 76; Wethey, 64

233. LE CHRIST CHASSANT LES MARCHANDS DU TEMPLE
*(Expulsión de los mercaderes del Templo)*
1608-1614
*Fig. 258 et 259*
Peinture sur toile. 1,06 × 1,04 m
Confrérie del Santísimo Sacramento, église San Ginés, Madrid
BIBLIOGR. – Mayer, 54; Camón, 89; Wethey, 110

234. LA VIERGE ALLAITANT L'ENFANT JÉSUS *(La Virgen de la leche)*
1608-1614
*Fig. 260*
Peinture sur toile. 0,90 × 0,71 m
Collections : marquis de Perinat, Madrid; marquise de Campo Real, Madrid
BIBLIOGR. – Mayer, 33; Camón, 230; Wethey, 95

235. SAINTE VÉRONIQUE *(Verónica)*
1608-1614
*Fig. 261*
Peinture sur toile. 1,12 × 0,83 m
Collections : José Casado del Alisal, Madrid; Bonifacio del Carril, Buenos Aires
BIBLIOGR. – Cossío, 358; Mayer, 67 b; Camón, 139 et 140; Wethey, X-459

236. APPARITION DE LA VIERGE ET DE L'ENFANT JÉSUS A SAINT HYACINTHE *(Aparición de la Virgen y el Niño a San Jacinto)*
1608-1614
*Fig. 262*
Peinture sur toile. 1,58 × 0,98 m
Collection comtesse de Quinto; Barnes Foundation, Merion (Pennsylvanie)
BIBLIOGR. – Mayer, 227; Camón, 498 et 500; Wethey, 234

237. APPARITION DE LA VIERGE ET DE L'ENFANT JÉSUS A SAINT HYACINTHE (*Aparición de la Virgen y el Niño a San Jacinto*)

1608-1614

Peinture sur toile. 0,99 ×0,61 m

Collection Henri Rouart; Memorial Art Gallery, Rochester (New York)

BIBLIOGR. – Mayer, 227 a; Camón, 490 et 497; Wethey, 233

238. SAINTE CATHERINE D'ALEXANDRIE (*Santa Catalina de Alejandría*)

1608-1614

Signature illisible et fragmentaire en cursives grecques

Peinture sur toile. 0,90 × 0,61 m

Collections : marquis de Alós, Barcelone; William A. Coolidge, Topsfield (Massachusetts)

BIBLIOGR. – Cossío, 17; Camón, 481; Wethey, 201

239. SAINTE CATHERINE D'ALEXANDRIE (*Santa Catalina de Alejandría*)

1608-1614

Signé : domênikos theotokopoulos epoïei

*Fig. 263*

Peinture sur toile. 0,57 × 0,48 m

Collection José Núñez del Prado, Madrid; actuellement en vente à New York

BIBLIOGR. – Mayer, 289; Camón, 477; Wethey, 202

240. NAISSANCE DE LA VIERGE (*Nacimiento de la Virgen*)

1608-1614

*Fig. 264*

Peinture sur toile. 0,62 × 0,36 m

Collections : marquis de Alós, Barcelone; Emil G. Bührle, Zurich

BIBLIOGR. – Cossío, 18; Camón, 18; Wethey, X-33

241. MARTYRE DE SAINT SÉBASTIEN (*San Sebastián*)

1608-1614

*Fig. 265 à 267*

Tableau partagé en deux

Partie supérieure : peinture sur toile. 1,15 × 0,85 m

Collection marquis de la Vega Inclán, Madrid; musée du Prado, Madrid

BIBLIOGR. – Cossío, 265; Mayer, 302; Camón, 537; Wethey, 281

Partie inférieure : peinture sur toile, 0,86 × 1,05 m

Collections : marquis de la Vega Inclán, Madrid; Arenaza, Madrid

242. JERÓNIMO DE CEBALLOS (*Jerónimo de Ceballos*)

1608-1614

*Fig. 268*

Peinture sur toile. 0,64 × 0,54 m

Collections royales; musée du Prado, Madrid

BIBLIOGR. – Cossío, 79; Mayer, 322; Camón, 741; Wethey, 133

243. FRÈRE HORTENSIO FÉLIX PARAVICINO (*Fray Hortensio Félix Paravicino*)

Vers 1610

Signé : domênikos theotokopoulos epoïei

*Fig. 269*

Peinture sur toile. 1,13 × 0,86 m

Collection duc de Arcos, Madrid; Musée des beaux-arts, Boston

BIBLIOGR. – Cossío, 278; Mayer, 335 a; Camón, 751; Wethey, 153

244. LE CARDINAL JUAN PARDO DE TAVERA (*El Cardenal Juan Pardo de Tavera*)

Vers 1608

Signé : domênikos theotokopoulos epoïei

*Fig. 270*

Peinture sur toile. 1,03 × 0,82 m

Collection Pedro Salazar de Mendoza; hôpital San Juan Bautista de Afuera, Tolède

BIBLIOGR. – Cossío, 247; Mayer, 339; Camón, 763; Wethey, 157

245. MOINE TRINITAIRE (*Monje trinitario*)

1610-1614

Signé : domênikos theotokopoulos epoïei

*Fig. 271*

Peinture sur toile. 0,93 × 0,84 m

Collection marquis de la Torrecilla, Madrid; William Rockhill Nelson Gallery of Art, Kansas City

BIBLIOGR. – Cossío, 134; Mayer, 349; Camón, 754; Wethey, 159

246. GENTILHOMME INCONNU (*Caballero desconocido*)

1610-1614

*Fig. 272*

Peinture sur toile. 0,79 × 0,64 m

Collection Ursáis, Séville; musée de Picardie, Amiens

BIBLIOGR. – Mayer, 346 a; Camón, 746 et 768; Wethey, 140

Il s'agit peut-être du portrait du Dr  Soria de Herrera

247. LE CHANOINE BOSIO (*Canónigo Bosio*)

1610-1614

*Fig. 273*

Peinture sur toile. 1,16 × 0,86 m

Collections : comtesse de Quinto; palais royal, Sinaïa (Roumanie)

BIBLIOGR. – Cossío, 359; Mayer, 347 a; Camón, 760; Wethey, 132

248. GARCÍA IBÁÑEZ MÚGICA DE BRACAMONTE

1610-1614

*Fig. 274*

Peinture sur toile. 1,20 × 1,00 m

Musée de la cathédrale, Avila

BIBLIOGR. – Cossío, 14; Mayer, 334; Camón, 729; Wethey, X-169

## APOSTOLADO ARTECHE

Série acquise à Tolède par l'antiquaire Arteche, de Madrid, actuellement dispersée dans diverses collections
Peintures sur toile de 0,36 × 0,26 m, certaines signées d'initiales en cursives grecques
Premier modèle probable des Apostolados
1603-1608

**249. SAINT ANDRÉ** *(San Andrés)*
*Fig. 286*
Collection Plandiura, Barcelone
BIBLIOGR. – Camón, 351 et 396; Wethey, X-236

**250. SAINT MATTHIEU** *(San Mateo)*
*Fig. 290*
Musée de Bellas Artes, Bilbao
BIBLIOGR. – Cossío, 35; Camón, 353 et 405; Wethey, X-421

**251. SAINT LUC** *(San Lucas)*
*Fig. 294*
Collection veuve Arias, Saragosse
BIBLIOGR. – Camón, 349; Wethey, X-398

**252. SAINT PHILIPPE** *(San Felipe)*
*Fig. 299*
Actuellement non localisé
BIBLIOGR. – Camón, 388; Wethey, X-450

**253. SAINT THOMAS** *(Santo Tomás)*
*Fig. 303*
Actuellement non localisé
BIBLIOGR. – Cossío, 28; Mayer, 214; Camón, 355 et 389; Wethey, X-457

**254. SAINT BARTHÉLÉMY** *(San Bartolomé)*
*Fig. 307*
Actuellement non localisé
BIBLIOGR. – Cossío, 132; Camón, 356; Wethey, X-242

**255. SAINT JACQUES LE MINEUR** *(Santiago el Menor)*
*Fig. 321*
Collection veuve Arias, Saragosse
BIBLIOGR. – Camón, 350; Wethey, X-363

**256. SAINT PIERRE** *(San Pedro)*
*Fig. 328*
Actuellement non localisé

**257. SAINT PAUL** *(San Pablo)*
Actuellement non localisé
BIBLIOGR. – Cossío, 29; Mayer, 195; Camón, 352 et 354; Wethey, X-429

## APOSTOLADO MARQUIS DE SAN FELIZ

Série provenant du couvent de San Pelayo d'Oviedo, actuellement dans le palais du marquis de San Feliz à Oviedo
Peintures sur toile de 0,70 × 0,53 m dérivées de la série Arteche, portant parfois des inscriptions incorrectes
Certaines des toiles sont signées d'initiales grecques
1603-1608

**258. SAINT JEAN L'ÉVANGÉLISTE** *(San Juan Evangelista)*
*Fig. 280*
BIBLIOGR. – Cossío, 150; Mayer, 139; Camón, 315; Wethey, X-210

**259. SAINT ANDRÉ** *(San Andrés)*
BIBLIOGR. – Cossío, 148; Mayer, 137; Camón, 313; Wethey, X-207

**260. SAINT MATTHIEU** *(San Mateo)*
Porte l'inscription erronée *San Felipe* (Saint Philippe) .
*Fig. 291*
BIBLIOGR. – Cossío, 151; Mayer, 140; Camón, 316; Wethey, X-213

**261. SAINT LUC** *(San Lucas)*
Porte l'inscription erronée *San Simón* (Saint Simon)
*Fig. 295*
BIBLIOGR. – Cossío, 156; Mayer, 145; Camón, 321 (?); Wethey, X-212

**262. SAINT PHILIPPE** *(San Felipe)*
Signé d'initiales grecques
Porte l'inscription erronée *San Marcos* (Saint Marc)
BIBLIOGR. – Cossío, 153; Mayer, 142; Camón, 318; Wethey, X-216

**263. SAINT THOMAS** *(Santo Tomás)*
Signé d'initiales grecques
BIBLIOGR. – Cossío, 154; Mayer, 143; Camón, 319; Wethey, X-218

**264. SAINT SIMON** *(San Simón)*
Porte l'inscription erronée *San Bartolomé* (Saint Barthélémy)
*Fig. 312*
BIBLIOGR. – Cossío, 152; Mayer, 141; Camón, 317; Wethey, X-217

**265. SAINT JUDE** *(San Judas)*
*Fig. 316*
BIBLIOGR. – Cossío, 157; Mayer, 146; Camón, 322; Wethey, X-211

**266. SAINT JACQUES LE MAJEUR** *(Santiago el Mayor)*
Signé d'initiales grecques
*Fig. 324*
BIBLIOGR. – Cossío, 149; Mayer, 138; Camón, 314; Wethey, X-208

**267. SAINT JACQUES LE MINEUR** *(Santiago el Menor)*
Signé d'initiales grecques
BIBLIOGR. – Cossío, 155; Mayer, 144; Camón, 320; Wethey, X-209

268. SAINT PIERRE *(San Pedro)*
BIBLIOGR. – Cossío, 146; Mayer, 135; Camón, 311; Wethey, X-215

269. SAINT PAUL *(San Pablo)*
Signé d'initiales grecques
*Fig. 330*
BIBLIOGR. – Cossío, 147; Mayer, 136; Camón, 312; Wethey, X-214

## APOSTOLADO DE LA CATHÉDRALE DE TOLÈDE

Série complète
Toiles de 1 × 0,76 m
Œuvres de la main du Greco
1608-1614

270. JÉSUS-CHRIST *(Jesucristo)*
*Fig. 275*
BIBLIOGR. – Cossío, 211; Mayer, 148; Camón, 272; Wethey, 160

271. SAINT JEAN L'ÉVANGÉLISTE *(San Juan Evangelista)*
*Fig. 281*
BIBLIOGR. – Cossío, 216; Mayer, 153; Camón, 277; Wethey, 164

272. SAINT ANDRÉ *(San Andrés)*
*Fig. 284*
BIBLIOGR. – Cossío, 214; Mayer, 151; Camón, 275; Wethey, 161

273. SAINT MATTHIEU *(San Mateo)*
*Fig. 285*
BIBLIOGR. – Cossío, 220; Mayer, 157; Camón, 281; Wethey, 167

274. SAINT LUC *(San Lucas)*
*Fig. 298*
BIBLIOGR. – Cossío, 215; Mayer, 155; Camón, 279; Wethey, 166

275. SAINT PHILIPPE *(San Felipe)*
*Fig. 300*
BIBLIOGR. – Cossío, 217; Mayer, 154; Camón, 278; Wethey, 170

276. SAINT THOMAS *(Santo Tomás)*
*Fig. 304*
BIBLIOGR. – Cossío, 219; Mayer, 156; Camón, 280; Wethey, 172

277. SAINT SIMON *(San Simón)*
Porte l'inscription erronée *San Marcos* (Saint Marc)
*Fig. 313*
BIBLIOGR. – Cossío, 223; Mayer, 160; Camón, 284; Wethey, 171

278. SAINT JUDE *(San Judas)*
*Fig. 317 et 318*
BIBLIOGR. – Cossío, 222; Mayer, 159; Camón, 283; Wethey, 165

279. SAINT JACQUES LE MINEUR *(Santiago el Menor)*
*Fig. 320*
BIBLIOGR. – Cossío, 221; Mayer, 158; Camón, 282; Wethey, 163

280. SAINT JACQUES LE MAJEUR *(Santiago el Mayor)*
BIBLIOGR. – Cossío, 218; Mayer, 152; Camón, 276; Wethey, 162

281. SAINT PIERRE *(San Pedro)*
BIBLIOGR. – Cossío, 212; Mayer, 149; Camón, 273; Wethey, 169

282. SAINT PAUL *(San Pablo)*
BIBLIOGR. – Cossío, 213; Mayer, 150; Camón, 274; Wethey, 168

## APOSTOLADO DU MUSÉE GRECO

Provenant de l'hôpital Santiago de Tolède
Toiles de 0,97 × 0,77 m
1608-1614

283. JÉSUS-CHRIST *(Jesucristo)*
*Fig. 276*
BIBLIOGR. – Cossío, 204; Mayer, 161; Camón, 294; Wethey, 173

284. SAINT JEAN L'ÉVANGÉLISTE *(San Juan Evangelista)*
*Fig. 282*
BIBLIOGR. – Cossío, 195; Mayer, 166; Camón, 299; Wethey, 178

285. SAINT ANDRÉ *(San Andrés)*
*Fig. 287*
BIBLIOGR. – Cossío, 193; Mayer, 164; Camón, 297; Wethey, 174

286. SAINT MATTHIEU *(San Mateo)*
*Fig. 292*
BIBLIOGR. – Cossío, 196; Mayer, 168; Camón, 301; Wethey, 180

287. SAINT PHILIPPE *(San Felipe)*
*Fig. 301 et 302*
BIBLIOGR. – Cossío, 201; Mayer, 167; Camón, 300; Wethey, 183

288. SAINT THOMAS *(Santo Tomás)*
*Fig. 305*
BIBLIOGR. – Cossío, 198; Mayer, 169; Camón, 302; Wethey, 185

289. SAINT BARTHÉLÉMY *(San Bartolomé)*
*Fig. 310 et 311*
BIBLIOGR. – Cossío, 202; Mayer, 170; Camón, 303; Wethey, 175

290. SAINT SIMON *(San Simón)*
*Fig. 314*
BIBLIOGR. – Cossío, 200; Mayer, 173; Camón, 306; Wethey, 184

291.  SAINT JUDE *(San Judas)*
*Fig. 319*
BIBLIOGR. – Cossío, 197; Mayer, 172; Camón, 305; Wethey, 179

292.  SAINT JACQUES LE MINEUR *(Santiago el Menor)*
*Fig. 323*
BIBLIOGR. – Cossío, 199; Mayer, 171; Camón, 304; Wethey, 177

293.  SAINT JACQUES LE MAJEUR *(Santiago el Mayor)*
*Fig. 326*
BIBLIOGR. – Cossío, 194; Mayer, 165; Camón, 298: Wethey, 176

294.  SAINT PIERRE *(San Pedro)*
*Fig. 329*
BIBLIOGR. – Cossío, 192; Mayer, 162; Camón, 295; Wethey, 182

295.  SAINT PAUL *(San Pablo)*
Signé : domênikos theotokopoulos epoïei
*Fig. 331*
BIBLIOGR. – Cossío, 203; Mayer, 163; Camón, 296; Wethey, 181

## APOSTOLADO D'ALMADRONES

Découvert en 1936 dans l'église d'Almadrones (province de Guadalajara)
Toiles de 0,72 × 0,55 m
1610-1614

296.  JÉSUS-CHRIST *(Jesucristo)*
*Fig. 278*
Musée du Prado, Madrid
BIBLIOGR. – Camón, 286; Wethey, 186

297.  SAINT JEAN L'ÉVANGÉLISTE *(San Juan Evangelista)*
Signé d'initiales grecques
*Fig. 283*
Kimbell Art Foundation, Fort Worth (Texas)
BIBLIOGR. – Camón, 287; Wethey, 189

298.  SAINT ANDRÉ *(San Andrés)*
Signé d'initiales grecques
*Fig. 288*
County Museum, Los Angeles
BIBLIOGR. – Wethey, 187

299.  SAINT MATTHIEU *(San Mateo)*
Signé d'initiales grecques
*Fig. 293*
Clowes Foundation, Indianapolis
BIBLIOGR. – Camón, 291; Wethey, 191

300.  SAINT LUC *(San Lucas)*
Signé d'initiales grecques
*Fig. 297*
Clowes Foundation, Indianapolis
BIBLIOGR. – Camón, 289; Wethey, 190

301.  SAINT THOMAS *(Santo Tomás)*
Signé d'initiales grecques
*Fig. 306*
Musée du Prado, Madrid
BIBLIOGR. – Camón, 290; Wethey, 194

302.  SAINT SIMON *(San Simón)*
Signé d'initiales grecques
*Fig. 315*
Clowes Foundation, Indianapolis
BIBLIOGR. – Camón, 293; Wethey, 193

303.  SAINT JACQUES LE MAJEUR *(Santiago el Mayor)*
Signé d'initiales grecques
*Fig. 327*
Musée du Prado, Madrid
BIBLIOGR. – Camón, 288; Wethey, 188

304.  SAINT PAUL *(San Pablo)*
Musée du Prado, Madrid
BIBLIOGR. – Camón, 292; Wethey, 192

## TOILES PROVENANT D'AUTRES « APOSTOLADOS » D'ORIGINE INCONNUE

305.  JÉSUS-CHRIST *(Jesucristo)*
Signé d'initiales grecques
*Fig. 277*
Peinture sur toile. 0,72 × 0,57 m
Collection Juan de Ibarra, Madrid; National Gallery of Scotland, Edimbourg
BIBLIOGR. – Cossío, 107; Mayer, 133; Camón, 337; Wethey, 133

306.  SAINT JEAN L'ÉVANGÉLISTE *(San Juan Evangelista)*
*Fig. 279*
Peinture sur toile. 0,90 × 0,77 m
Collection César Cabañas, Madrid; musée du Prado, Madrid
BIBLIOGR. – Cossío, 94; Mayer, 185; Camón, 343; Wethey, 253

307.  SAINT ANDRÉ *(San Andrés)*
*Fig. 289*
Peinture sur toile. 0,74 × 0,57 m
Collection Núñez del Prado, Cordoue; Rhode Island School of Design, Providence
BIBLIOGR. – Cossío, 41; Mayer, 177; Camón, 395 et 397; Wethey, X-235

308. SAINT LUC *(San Lucas)*
Signé : domênikos theotokopoulos
*Fig. 296*
Peinture sur toile. 0,71 × 0,535 m
Collection comtesse de Añover y Castañeda, Madrid; Hispanic Society, New York
BIBLIOGR. – Cossío, 82; Mayer, 213; Camón, 342; Wethey, 257

309. SAINT JACQUES LE MINEUR *(Santiago el Menor)*
*Fig. 322*
Peinture sur toile. 1,03 × 0,83 m
Collection Dr Félix Schlayer, Madrid; musée de Bâle
BIBLIOGR. – Mayer, 179; Camón, 344; Wethey, X-362

310. SAINT JACQUES LE MAJEUR *(Santiago el Mayor)*
*Fig. 325*
Peinture sur toile. 0,50 × 0,43 m

Collection marquis de la Vega Inclán, Madrid; Musée des beaux-arts, Budapest
BIBLIOGR. – Mayer, 182 a; Camón, 340; Wethey, X-370

311. SAINT PIERRE *(San Pedro)*
Peinture sur toile. 0,71 × 0,55 m
Collection Jesús Lacuadra, Valence; palais de la Légion d'honneur, San Francisco (Californie)
BIBLIOGR. – Cossío, 392-394; Mayer, 200; Camón, 360, 363 et 366; Wethey, 268

312. SAINT PAUL *(San Pablo)*
Signé d'initiales grecques
Peinture sur toile. 0,70 × 0,56 m
Collection Jesús Lacuadra, Valence; musée d'Art de la ville, Saint Louis (Missouri)
BIBLIOGR. – Cossío, 274; Mayer, 196; Camón, 338 et 360; Wethey, 266

# BIBLIOGRAPHIE

AMADOR DE LOS RÍOS, R., « Ruinas del palacio de Villena », *Revista de archivos, bibliotecas y museos,* IV, 1900, p. 137 à 139

AZCÁRATE, J.M. DE, « La iconografía de *El Expolio* del Greco », *Archivo Español de Arte,* XVIII, 1955, p. 189 à 197

BUSUIOCEANU, A., *Les tableaux du Greco de la collection royale de Roumanie,* Bruxelles, 1937

CAMÓN AZNAR, J., *Dominico Greco,* Madrid, 1950. 2ᵉ éd., 1970

CEÁN BERMÚDEZ, J.A., *Diccionario histórico de los más ilustres profesores de las bellas artes en España,* Madrid, 1800

CEDILLO, Comte de, « Martín Muñoz de las Posadas », *Boletín de la Sociedad Española de Excursiones,* 38, 1936, p. 237

COSSÍO, M.B., *El Greco,* Madrid, 1908

*El Greco,* exposition organisée par la *Gazette des beaux-arts,* Paris, 1937

*El Greco* (introduction de Ludwig Goldscheider), New York, Oxford Press, 1938

FRATI, T., *L'opera completa del Greco,* Milan, 1969

GAYA NUÑO, J.A., *La pintura española fuera de España,* Madrid, 1958

GÓMEZ MENOR, J., « En torno a la figura de Jerónima de las Cuevas (Un nuevo autógrafo del Greco) », *Arte Español,* XXV, 1963-1967, p. 96 à 103

GÓMEZ-MORENO, M., *El Greco. El entierro del Conde de Orgaz,* Barcelone, 1943
*El Greco (Dominico Theotocópuli),* Barcelone, 1943

GÓMEZ-MORENO, M.E., « La casa del Greco », *Mundo Hispánico,* 173, 1962, p. 37 à 49

HARRIS, E., *El Greco. The Purification of the Temple in the National Gallery,* Londres, Percy Lund Humphries & Company Ltd., s.d.

KEHRER, H., *Greco als Gestalt des Manierismus,* Munich, 1939

LÓPEZ REY, J., « El Greco's Baroque Light and Form », *Gazette des beaux-arts,* XXIV, 1943, p. 73 à 84

MANCINI, G.C., *Considerazione sulla pittura,* Edizione critica de A. Marucchi, 2 vol., Rome, 1956-57, p. XV

MARTÍN GONZÁLEZ, J.J., « El Greco arquitecto », *Goya,* 26, 1958, p. 86 à 88

MARTÍNEZ, J., *Discursos practicables del nobilísimo arte de la pintura,* Madrid, 1866

MAYER, A., *El Greco,* Munich, 1926
*El Greco,* Berlin, 1931
« Una obra juvenil del Greco », *Archivo Español de Arte y Arqueología,* XI, 1935, p. 205 à 207
« Notas sobre la iconografía sagrada en las obras del Greco », *Archivo Español de Arte,* XIV, 1940-1941, p. 164 à 168

MÉLIDA, J.R., « El arte antiguo y el Greco », *Boletín de la Sociedad Española de Excursiones,* XXIII, 1915, p. 89 à 103

MERTZIOS, C.D., *Les minutiers du notaire crétois Michel Maras (1538-1578),* Communication à la Première Assemblée Internationale sur la Crète, 1961

NOLHAC, P. DE, « Les collections de Fulvio Orsini », *Gazette des beaux-arts,* IIIᵉ période, XXIX, 1884, p. 433

PACHECO, F., *Arte de la Pintura,* éd. F.J. Sánchez Cantón, Madrid, 1956

PALLUCCHINI, R., *Il polittico del Greco della R. Galleria Estense a la formazione dell'artista,* Rome, 1937

PALOMINO, A., *El Parnaso español pintoresco laureado con las vidas de los pintores estatuarios eminentes españoles,* t. III du *Museo pictórico y escala óptica,* Madrid, 1724 (2ᵉ éd. Madrid, M. Aguilar, 1947)

PARRO, S.R., *Toledo en la mano,* Tolède, 1857

POLERÓ, *Catálogo de los cuadros del Monasterio de San Lorenzo,* Madrid, 1857

PONZ, A., *Viaje de España,* Madrid, 1772-1794 (2ᵉ éd. Madrid, M. Aguilar, 1947)

RAMÍREZ DE ARELLANO, R., *Catálogo de artífices que trabajaron en Toledo,* Tolède, 1920

RUTTER, F., *El Greco,* Londres, 1930

SALAS, X. DE, *Miguel Ángel y el Greco,* Real Academia de Bellas Artes de San Fernando, Madrid, 1967
« Un exemplaire des *Vies* de Vasari annoté par le Greco », *Gazette des beaux-arts,* LXIX, 1967, p. 177 à 180

San Román, F. de Borja, *El Greco en Toledo,* Tolède, 1910
   « De la vida del Greco », *Archivo Español de Arte y Arqueología,* II, 1927, p. 139 à 195 et 275 à 339
   « Documentos del Greco referentes a los cuadros de Santo Domingo el Antiguo », *Archivo Español de Arte y Arqueología,* X, 1934, P. 1 à 13

Sánchez Cantón, F.J., *Fuentes literartas para la historia del arte español,* Madrid, 1923-1941 (P. Francisco de los Santos, *Descripción breve del monasterio de S. Lorenzo el Real del Escorial,* II, p. 247 et 293)
   « La mujer de los cuadros del Greco », *Escorial, revista de cultura y letras,* I, 1942, p. 15

Sigüenza. le P., *Historia de la orden de San Jerónimo,* Madrid, 1595-1605

Soehner. H., « Der Stand der Greco-Forschung », *Zeitschrift für Kunstgeschichte,* XIX, 1956, p. 47 à 75
   « Greco in Spanien ». Teil I, *Münchner Jahrbuch der bildenden Kunst,* Dritte Folge, VIII, 1957, p. 123 à 194; Teil II-III, *ibid.,* IX-X, 1958-1959, p. 147 à 242; Teil IV, *ibid.,* XI, 1960, p. 173 à 217
   *Una obra maestra del Greco : la capilla de San José de Toledo,* Madrid, 1961

Soria, M.S., « Greco's Italian Period », *Arte veneta,* VIII, 1954, p. 213 à 221

Stirling-Maxwell, Sir W., *Annals of the artists of Spain,* 1848

Tormo Monzó, E., « El homenaje español al Greco en Creta su patria », *Boletín de la Sociedad Española de Excursiones,* XLII, 1934, p. 243 à 290

Trapier, E. du Gué, « The Son of El Greco », *Hispanic Notes,* III, 1943, p. 1 à 47
   *El Greco, early years in Toledo,* New York, Hispanic Society, 1958
   « El Greco in the Farnese Palace, Rome », *Gazette des beaux-arts,* LI, 1958, p. 73 à 90

Vallentin, A., *El Greco,* Garden City, 1955

Viniegra, S., *Exposición de las obras del Greco, catálogo.* Museo Nacional de Pintura, Madrid, 1902

Waterhouse. E.K., « El Greco's Italian Period », *Art Studies,* VIII, 1930, p. 61 à 88

Wethey, H.E., *El Greco and his School,* Princeton, 1962
   *El Greco y su escuela,* Madrid, 1967

Willumsen. J.F., *La jeunesse du peintre El Greco,* 2 vol., Paris, 1927

Zarco Cuevas. J., *Pintores españoles en San Lorenzo el Real de El Escorial,* Madrid, 1931

Zarco del Valle. *« Documentos inéditos para la historia de las Bellas Artes en España »,* in *Colección de documentos inéditos,* LV, 1870, p. 604 et 605

Zervos, C., *Les œuvres du Greco en Espagne,* Paris, 1939

INDEX

# INDEX TOPOGRAPHIQUE

# INDEX DES NOMS ET DES ŒUVRES